KB076201

**한번도
경험해보지
못한 나라**

일러두기_기획의 경과

● 2020년 1월 28일 다섯 명의 대담 기획을 추진하기로 결정! 진중권 선생을 만났다. 대뜸 강양 구 기자를 추천! ● 2020년 1월 31일 강양구 기자 오후 미팅, 참여하겠다 답하면서 넌지시 권경 애·김경율·서민 연락처를 알려주었다. ● 2020년 1월 31일 진중권 선생 저녁 미팅, 부분적 참 여를 결정하면서, 권경애 변호사 적극 추천! ● 2020년 2월 3일 권경애 변호사 오후 미팅, 참여 승낙하면서 김경율 회계사가 함께 하면 좋겠다는 의견을 주었다. ● 2020년 2월 5일 김경율 회 계사 오후 미팅, 흔쾌히 참여 결정해주었다. ● 2020년 2월 5일 서민 선생님은 문자 메시지로 소 통, 네 분과 함께 할 수 있어 영광이라는 답신을 주었다. ● 2020년 2월 5일 강양구·권경애·김경 율·서민·진중권 다섯 분의 대담이 확정되었다. ● 2020년 2월 12일 서민 선생님 오후 미팅 및 인터뷰, 들어가는 말과 나가는 말 집필하기로 결정하였다. ● 2020년 2월 12일 스태프 확정했다. 기획총괄 – 선완규 편집자 | 책임편집 – 김창한 편집자 | 녹취 – 홍보람 편집자·안혜련 편집자

2020년 2월 29일 토요일 오후 3~6시 첫 만남을 가졌다.
　　강양구·권경애·김경율·서민·진중권 다섯 명이 처음으로 만났다. 각자 SNS글로만 서로를
　　보다가 난생 처음 함께 대면하는 날이었다. 대담의 일정과 주제, 방식 등을 논의하였다.

2020년 3월 7일 토요일 오후 1~6시 두 번째 만남부터 본격적인 대담을 시작하였다.
　　주제 – 미디어와 지식인 | 사회 – 서민 | 대담 강양구·진중권 | 김경율과 권경애는 참관하였다.
　　이 대담은 이 책의 1장과 2장이 되었다.

2020년 3월 14일 토요일 오후 1~6시 세 번째 대담
　　주제 – 586의 정치와 신보수 | 사회 – 강양구 | 대담 서민·진중권 | 김경율이 참관하였다.
　　이 대담은 이 책의 3장이 되었다.

2020년 3월 21일 토요일 오후 1~6시 네 번째 대담
　　주제 – 금융자본과 사모펀드 | 사회 – 진중권 | 대담 권경애·김경율 | 서민이 참관하였다.
　　이 대담은 이 책의 4장과 5장이 되었다.

2020년 3월 28일 토요일 오후 1~6시 다섯 번째 대담
　　주제 – 정치와 정의 | 사회 – 강양구 | 대담 권경애·김경율·서민·진중권
　　이 대담은 이 책의 6장과 7장이 되었다.

2020년 5월 9일 토요일 오후 1~6시 여섯 번째 대담
　　주제 – 총선 이후의 변화 | 사회 – 강양구 | 대담 권경애·김경율·서민·진중권
　　이 대담은 이 책의 6장과 7장이 되었다.

2020년 7월 18일 토요일 오후 1~6시 일곱 번째 대담
　　주제 – 금융자본과 사모펀드 보강 대담 | 사회 – 진중권 | 대담 권경애·김경율 |
　　강양구·서민이 참관하였다. 이 대담으로 이 책의 4장, 5장이 더욱 또렷하게 정리되었다.

2020년 8월 15일 토요일 오후 1~6시 최종 원고 검토를 마쳤다

"민주주의는 어떻게 끝장나는가"

한번도 경험해보지 못한 나라

더
저널리스트
강양구

'진격'의
변호사
권경애

'공익'
회계사
김경율

사회기생충
감별사
서 민

솔로이스트
미학자
진중권

천년의상상

2016년 10월, 박근혜 정권의 국정농단이 드러났습니다. 대통령이란 작자가 자신을 뽑아준 국민의 뜻을 저버린 채, 측근 최순실에게 대통령 권한을 갖다 바쳤다는 겁니다. 그래서 우리는 그해 겨울, 촛불을 든 채 광화문에 나가 "박근혜는 물러나라"를 외쳤습니다. 국민의 뜻에 떠밀린 국회는 탄핵안을 가결시켰고, 이듬해 3월에는 헌법재판소가 박근혜의 파면을 공식적으로 선언합니다. 사악하기 그지없던 정권이 드디어 종말을 고한 것이죠. 박근혜 대통령이 구치소에 가던 날, 박사모들은 구치소 앞에 모여서 통곡했습니다. "마마, 지켜주지 못해서 죄송합니다." 그 정권에 그 지지자라고, 우리는 그들을 마음껏 비웃었습니다.

두 달 후 치러진 대선에서 문재인 후보가 압도적인 표 차이로 당선됐습니다. 취임사에서 문 대통령은 말했습니다. "기회는 평등할 것입니다. 과정은 공정할 것입니다. 결과는 정의로울 것입니다." 그리고 그는 덧붙였습니다. "한번도 경험해보지 못한 나라를 만들겠습니다.” 그렇게 말하는 그에게 우리는 아낌없는 지지를 바쳤습니다. 당시 최고의 유행어가 “우리 이니, 하고 싶은 대로 다 해”였을 정도였지요. 사실 문 대통령이 성공한 대통령이 되는 것은 너무도 쉬워 보였습니다. 전임 대통령이 국가를 나락으로 빠뜨렸다 쫓겨난 마당이니, 기본만 해도 ‘성군’ 소리를 듣게 마련이니까요. 게다가 문 대통령에게는 어떤 상황에서도 흔들리지 않을 굳건한 지지층이 있었지요. 이제 정치는 그분들에게 맡기고, 나머지는 일터로 돌아가 생업에 전념할 수 있으리라 싶었습니다.

그 희망이 사라지기까지는 그리 오랜 시간이 걸리지 않았습니다. 경제는 나락으로 떨어졌고, 부동산은 폭등했습니다. 일본과의 관계는 더 나빠질 수 없을 만큼 악화됐고, 미국과의 관계도 삐걱거립니다. 남북관계는 박근혜 정권 시절로 돌아갔습니다. 불평등과 양극화는 더 심해졌고, 출산율은 기록적으로 떨어지는 중입니다. 그래도 우리는 문재인 대통령에 대한 지지를 거두지 않았습니다. 현 정부가 무능하기는 해도 최소한 이명박-박근혜 정권보다는 도덕적이라고 생각해서였습니다. 우리가 바라는 게 정의로운 세상이라면, 다른 영역에서 모자란 점이 있어도 얼마든지 양해해 줄 수 있는 것 아닙니까?

하지만 문 대통령은 입시와 사모펀드, 가족재산 형성 등에 숱한 의혹이 제기된 조국 교수를 법무부 장관에 임명함으로써 도덕이라는 최후의 보루마저 무너뜨렸습니다. 취임사와 달리 기회는 평등하지 않았고, 과정은 공정하지 않았으며, 결과는 전혀 정의롭지 않았던 것이죠. 유시민 씨와 김어준 씨의 사례에서 보듯, 여기에 이의를 제기해야 할 언론과 지식인들은 정권의 부역자가 되는 길을 택했습니다. 참여연대와 민주사회를 위한 변호사모임(민변) 등 지난 정권에서 맹활약하던 시민단체들은 이제 정권과 한몸이 된 채 침묵하는 중입니다. 문 대통령의 지지자들은 한술 더 떴습니다. 소위 '문팬'이라 불리는 이들은 압도적 화력으로 인터넷을 점령한 채 정권의 모든 잘못을 비호하는 중입니다. 조국의 비리를 수사한다는 이유로 서초동에 모여 "조국수호"를 외치고, "정경심 사랑합니다"며 울부짖은 건 역사에 남을 희대의 코미디입니다. 검찰조사를 받으러 온 조국 전 장관의 차를 닦아주는 모습을 보고 있노라면, 박 전 대통령을 지켜주지 못했다며 울먹이는 박사모들은 참 순진했구나, 하는 생각이 들 정도입니다. "한번도 경험해보지 못한 나라를 만들겠다"는 문 대통령의 공약은 우리의 기대와 전혀 다른 방향으로 실현됐습니다.

　　정권을 비판하려면 이전보다 훨씬 더 큰 용기가 필요한 이때, 우리 다섯 명이 모였습니다. 김경율 회계사는 조국에 대한 참여연대의 침묵에 분노해 단체를 탈퇴했고, 권경애 변호사 역시 민변의 미온적인 태도에 실망해 정권 비판에 나섰습니다. 황우석의 음모를 밝혀냈던 강양구 기자는 이제 문재인 정권의 음모를 밝히고자 합류했고, 사회의 기생충을 알아보는 데 일가견이 있는 서민 교수도 문 정권의 대변검사를 시작했습니다. 마지막으로, 현 정부가 들어선 뒤 자진해서 무덤으로 들어갔던 미라논객 진중권이 조국과 그를 옹호하는 문팬들에 의해 풀려나왔습니다. 지난 시절 이명박-박근혜 정권과 치열하게 싸웠던 우리는 이제 이 책을 시작으로 현 정부와의 싸움을 시작합니다. 물론 이 싸움이 쉽지 않으리라는 것은 잘 알고 있습니다. 알렉터 군단과 싸웠던 독수리 오형제는 지구 모든 이들의 지지를 한몸에 받았지만, 우리 다섯 명은 입법·행정을 장악하고 사법권마저 가지려는 초강력 정권과 싸워야 하는데다, 지구인을 가장한 수많은 문팬들의 음해와도 싸워야 하니까요.

　　하지만 우리는 자신 있습니다. 저들이 선전과 선동, 날조로 싸움을 거는 반면, 우리는 오직 팩트와 논리로만 승부하니까요. 독자 여러분이 이 책을 통해 조국 사태를 비롯한 현 정권의 치부를 알게 되길 빕니다. 진리를 깨우친 '우리'의 숫자가 더 많아진다면, 우리가 바라던 정의로운 세상을 앞당길 수 있을 테니까요.

2020년 8월 31일

강양구　권경애　김경율
진중권

차례

1장

뉴노멀! '멋진 신세계'가 열렸다

사회   서 민
대담   진중권
        강양구

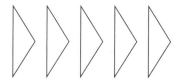

한국 사회도 가짜 뉴스가 판치고
거짓이 진실로 둔갑하고 있는데요.
이 시대의 '미디어와 탈진실'에 대해
이야기해보겠습니다.

오늘날 대중은 자신을
콘텐츠 소비자로 이해합니다.
'진·위'(眞僞)보다는
'핵잼·노잼'으로
평가의 기준이 바뀌죠.

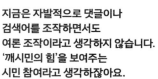

지금은 자발적으로 댓글이나
검색어를 조작하면서도
여론 조작이라고 생각하지 않습니다.
'깨시민의 힘'을 보여주는
시민 참여라고 생각하잖아요.

서 민   안녕하세요. 진중권 선생님, 강양구 기자님. 서민입니다. 지금을 객관적 사실보다 편향된 신념이 뉴스를 지배하고 여론 형성을 주도하는 포스트 트루스(Post-Truth, 탈진실) 시대라고 합니다. 한국 사회도 가짜 뉴스가 판치고 거짓이 진실로 둔갑하고 있는데요. 미디어 대표 강양구 기자님과 지식인 대표 진중권 선생님과 함께 이 시대의 '미디어와 탈진실'에 대해 이야기해보겠습니다.

진중권   제가 왜 지식인 대표예요? 아니에요.(웃음) 미디어 대표 강양구 기자라고 할 때는 그런가 보다 했는데, 나한테 지식인 대표라고 하니 굉장히 부담스럽네요.

서 민   진 선생님은 20년 넘게 우리 시대 대표 논객으로 활동하셨고, 디지털 미학의 관점에서 미디어 사상과 이론을 연구하고 계시죠. 강 기자님도 20년 가까이 언론 현장에서 기자로 활동하셨으니 그리 불러도 괜찮을 것 같은데요. 지금은 '기레기'라는 말이 유행어가 될 정도로 우리 사회의 언론 신뢰도가 하락하고 있는 것이 사실입니다. 지난 해 한국언론진흥재단이 공개한 「2019년 언론수용자 조사」를 보면, '언론을 신뢰할 수 있다'는 문항에 전체 응답자 중 28.1%만 긍정적으로 응답했다고 합니다. 또 다른 조사를 보면, 영국 옥스퍼드대학교 부설 로이터저널리즘연구소가 발표한 「디지털뉴스리포트 2019」에도 한국인의 뉴스 신뢰도는 22%로 38개국 가운데 꼴찌를 했습니다. 한국 언론은 2016년부터 이 조사에서 4년 연속 신뢰도 최하위라는 평가를 받았는데요. 10명 중 7~8명은 '한국 언론을 신뢰하지 않는다'고 응답한 셈입니다.

　　게다가 종이신문과 공중파로 대표되는 레거시 미디어가 소셜 미디어와 유튜브로 대표되는 뉴미디어에게 그 자리를 내주고 있는 상황입니다. 앞서 말씀드린 한국언론진흥재단 지난 해 조사에 따르면, 유튜브 등 온라인 동영상 플랫폼은 47.1%의 이용률을 보여, 디지털 플랫폼의 급성장을 다시 한번 확인할 수 있습니다. 종이신문 뉴스 이용률은 20대 2.5%, 60대 이상도 16.7%로 거의 바닥 수준인데, 모바일 인터넷 뉴스이용률은 20대 95.4%, 60대 이상도 44.3%로 높게 나타났습니다. 이처럼 급변하는 미디어 환경 속에서 지금 상황을 어떻게 봐야 할지 먼저 이야기 나누는 게 순서일 것 같습니다.

탈진실(Post-Truth)! 진실을 압도하다

강양구 제가 오랫동안 미디어에 종사했으니 먼저 말문을 열어보겠습니다. 저는 2003년부터 기자 활동을 시작했어요. 2000년에 〈오마이뉴스〉가 창간되었고, 그 다음 해 〈프레시안〉이 만들어졌습니다. 2002년에는 〈오마이뉴스〉, 〈프레시안〉 등이 주도해서 노무현 대통령의 당선에 적지 않은 역할을 하기도 했고요. 그때는 인터넷 언론이 대항언론(Counter Media)으로 무척 각광받던 시대였습니다.

서 민 강 기자님은 〈프레시안〉에서 시작하셨죠?

강양구 네, 맞습니다. 당시 〈프레시안〉에 있던 저로서는 신났던 시절이었습니다. 대항언론이라는 이미지에 취해 있었던 것 같기도 하고요. 〈오마이뉴스〉, 〈프레시안〉, 〈경향신문〉, 〈한겨레〉가 기존 '조중동'으로 대표되는 거대 올드미디어에 맞서 대항언론이 될 수 있었던 이유 중 하나는 포털 사이트였습니다. 그때 마침 포털 사이트는 미디어 플랫폼으로서의 권력이 본격적으로 커지고 있었습니다. 제가 쓴 기사가 포털 사이트에 올라가면, 뉴스 소비자들에게 제 기사는 언론사 규모 차이에도 불구하고, '조중동' 기사와 똑같이 경쟁하는 콘텐츠가 될 수 있었습니다. 어쩌다 포털 사이트 편집자가 제 기사를 비중 있게 편집해 주면, '조중동' 기사보다 훨씬 더 많이 노출되고, 많이 본 뉴스가 될 수 있었던 거죠. 그래서 당시만 하더라도 디지털 테크놀로지 기반의 뉴미디어가 기울어진 공론장의 균형을 바로 잡아줄 수 있을 거라 생각했고, 여차하면 기존의 언론사 간 영향력 크기를 뒤집을 수도 있지 않을까 하는 가능성에 저 스스로 취해 있었습니다.

20여 년이 지난 지금 생각해보니, 이것이 오히려 독(毒)이었습니다. 예나 지금이나 포털 사이트는 자신들을 언론이 아니라 콘텐츠 유통 플랫폼일 뿐이라는 입장을 갖고 있어요. 그 독은 여기서 발생하는데요. 그렇기 때문에 그들은 미디어로서 공적 역할과 방향을 고민할 필요도 없었고, 자기들은 그런 고민을 해서도 안 된다고 생각했던 겁니다. 그러면서 어쨌든 수익을 내야 하니 여러 알고리즘을 만듭니다. 실시간 검색어, 실시간 급상승 검색어, 많이 본 뉴스, 연령별 많이 본 뉴스, 섹션별 많이 본 뉴스 등 사람들이 주목하는 뉴스를 더 많이 노출시킵니다. 주목 경제 초기 버전이 그때 포털 사이트를 통해 만들어졌던 겁니다.

서 민 말씀하신 포털 사이트로 인한 그 독은 언론사들에게 어떤 영향을 미쳤나요?

강양구 '조중동'이든, '한겨레경향'이든, '프레시안오마이뉴스'든 간에 예전에 각 언론사는 저마다 고유한 어젠다가 있었어요. 사회에 긍정적이든 부정적이든 저마다의 정치적 포지션이나 가치관에 따라 각

언론사들이 지향하는 나름의 어젠다를 갖고 있었습니다. 언론사 편집국은 그 어젠다를 세팅하고, 그것을 뒷받침하는 취재 활동을 통해 다양한 뉴스들을 생산했습니다. 하지만 포털 사이트가 주목받는 뉴스와 그렇지 못한 뉴스로 큐레이션하면서 뉴스 콘텐츠들이 모조리 포털 사이트의 주목 경제 속으로 수렴되어 버립니다. 그러다 보니 뉴스를 생산하는 기자들이나 게이트 키퍼 역할을 하는 데스크 모두, 뉴스 가치를 판단할 때 '이 기사를 썼을 때 주목받을 수 있을까? 없을까?'에 자신들의 모든 언론 활동을 맞추게 됩니다.

이때부터 낚시 제목이 등장하기 시작하고 그런 기사들이 갈수록 점점 많아집니다. 제 스스로를 낚시꾼이라 비하하면서 저도 제 기사에 주목받을 만한 제목을 많이 붙였어요. 그런데 낚시 제목만으론 부족한 거예요. 왜냐면 내용부터 자극적이어야 자극적인 제목을 쉽게 붙일 수 있잖아요. 그러니까 점점 더 대중의 눈길을 끌 만한 기삿거리들을 찾기 시작합니다. 자신의 언론사 어젠다 세팅에 부합하거나 사회적으로 의미 있는 뉴스가 아니라, 사람들이 많이 볼만한 콘텐츠에 기자들이 눈길을 주기 시작하고, 데스크도 그런 기사를 발굴하라고 독려하면서 악순환이 계속됩니다. 세상을 이해하는데 그다지 중요하지 않은 것들, 1970~90년대로 치면 〈선데이서울〉이나 스포츠신문을 정기적으로 보는 사람들이나 볼만한 기사들이 쏟아지게 됩니다. 저는 스포츠신문을 제 돈 주고 사본 적이 한번도 없어요. 미용실에서 기다릴 때나 지하철 짐칸에 누가 올려놓으면 보는 정도였는데, 예전에는 그런 매체에나 실릴 법한 기사들이 포털 사이트를 도배해 버립니다.

진중권 아~ 나만 봤구나. 〈선데이서울〉. 나름 정론지였는데, 그거 없었으면 고등학교 생활 힘들었을 텐데 그나마 그게 있어서 다행이었어요.(다들 웃음)

서 민 저는 야구를 좋아해서 〈스포츠서울〉, 〈일간스포츠〉 양대 스포츠신문을 매일 제 돈 주고 사서 줄 치면서 읽었어요. 학생 때 용돈이 5만 원 정도였는데 30%가 신문 값으로 날아갔습니다. 지금 생각하면 부끄럽습니다.

빅브라더 VS 리틀브라더

강양구 두 분이 그렇게까지 말씀하시니 몇 마디 덧붙여야겠네요.(웃음) 그런 콘텐츠를 소비하는 것 자체가 문제는 아닙니다. 다만 그런 콘텐츠가 주류가 되면 곤란하잖아요. B급 정서, 마이너 취향이었던 것들이 공론장을 압도하니까요. 이런 상황이 더 확대된 형태가 소셜미디어나 유튜브 기반의 미디어입니다. 이 사회를 더 나은 세상으로 바꾸는 데 도움되는 중요한 의제는 세상에서 사라지고, 말초적이고 자극적이고 소소한 것들만 사람들이 쫓아가는 현상이 생겼다는 겁니다.

미디어 학자 닐 포스트먼(Neil Postman)을 빌려서 얘길 좀 더 이어가 보겠습니다. 닐 포스트먼은 1985년에 『죽도록 즐기기(Amusing Ourselves to Death)』라는 책에서, 사람들을 통제하는 방식이 두 가지가 있다고 말했습니다. 하나는 조지 오웰(George Orwell)의 『1984』 방식이고 또 다른 하나는 올더스 헉슬리(Aldous Huxley)의 『멋진 신세계』 방식입니다. 『1984』의 빅브라더는 모든 걸 감시하고, 모든 걸 억압하고, 모든 걸 통제하는 방식이에요. 닐 포스트먼은 '지금의 통제 방식은 그런 게 아니다'라고 말합니다. 실제로 1984년이 되고 보니, 조지 오웰의 빅브라더 방식은 틀렸다. 오히려 지금은 올더스 헉슬리가 말한 『멋진 신세계』 방식의 통제, 즉 사람들에게 많은 정보를 주고, 사람들에게 놀거리를 주면서, 스스로 압제를 환영하도록 만들어 통제하는 시대라는 겁니다.

잠깐 인용해보면 이렇습니다. "오웰은 우리가 외부의 압제에 지배당할 것을 경고했다. 하지만 헉슬리의 미래상에선, 인간에게서 자율성과 분별력, 그리고 역사를 박탈하기 위한 빅브라더는 필요 없다. 사람들은 스스로 압제를 환영하고, 자신들의 사고력을 무력화하는 테크놀로지를 떠받들 것이라고 내다봤다. 오웰은 누군가 서적을 금지시킬까 두려워했다. 헉슬리는 굳이 서적을 금지할 만한 이유가 없어질까 두려워했다. 오웰은 정보통제 상황을 두려워했다. 헉슬리는 지나친 정보과잉으로 인해 우리가 수동적이고 이기적인 존재로 전락할까 봐 두려워했다. 오웰은 진실이 은폐될 것을 두려워했다. 헉슬리는 비현실적 상황에 진실이 압도당할 것을 두려워했다 …
『1984』에서는 사람들에게 고통을 가해 통제한다. 『멋진 신세계』에
서는 즐길 거리를 쏟아 부어 사람들을 통제한다. 한마디로, 오웰은
우리가 증오하는 것이 우리를 파멸시킬까 봐 두려워했다. 헉슬리는
우리가 좋아서 집착하는 것이 우리를 파멸시킬까 봐 두려워했다."▶
오웰이 아니라 헉슬리가 옳았다.

서 민　저도 『1984』와 『멋진 신세계』를 읽었지만 이런 통찰을 할 수
없는 게 바로 젊은 시절을 스포츠신문 보는 데 썼기 때문입니다.

진중권　오웰의 방식은 낡은 산업사회 버전의 통제방식이고, 정보사
회에서 이루어지는 통제는 헉슬리의 방식에 가깝죠. 오웰은 '빅브라
더가 너를 감시한다'고 말했지만, 정보사회에서는 모든 정보가 공개
되는 가운데 외려 리틀브라더들이 국민을 감시하고, 국가는 투명한
척 뒤로 빠지고 시민들끼리 서로 감시하게 만들거든요. 요즘 인권을
침해하는 것은 국가가 아니라 시민들이에요. SNS를 뒤지고 구글
링을 해서 남의 '신상'을 털잖아요. 정치의 영역에서도 마찬가지입니
다. 이게 더 무섭죠. 요즘 정치 팬덤의 극성들, 다들 경험하고 계시겠
지만.

▶　닐 포스트먼, 홍윤선 옮김, 『죽도록 즐기기』, 굿인포메이션, 2009년, 9~11쪽.

"

오웰은 진실이 은폐될 것을 두려워했다. 헉슬리는 비현실적 상황에 진실이 압도당할 것을 두려워했다 … 『1984』에서는 사람들에게 고통을 가해 통제한다. 『멋진 신세계』에서는 즐길 거리를 쏟아부어 사람들을 통제한다. 한마디로, 오웰은 우리가 증오하는 것이 우리를 파멸시킬까 봐 두려워했다. 헉슬리는 우리가 좋아서 집착하는 것이 우리를 파멸시킬까 봐 두려워했다. 오웰이 아니라 헉슬리가 옳았다.

"

강양구 맞아요. 닐 포스트먼은 오웰식 통제 사회와 헉슬리식 통제 사회를 대비하면서 헉슬리가 옳았다고 손을 들어주고 있어요. 2000년대 초반부터 시작된 한국 사회의 공론장 변화를 본다면, 지금이 전형적인 헉슬리식 통제 상황입니다. 그런데 착시 효과가 중간에 있었다고 생각해요. 어떤 착시 효과냐면 이명박-박근혜 정부 9년입니다. 그 기간 동안, 시대착오적이고 권위주의적인 구태를 벗지 못한 통치 세력이 옛날 자기들이 했던 방식, 익숙한 통제 방식을 사람들에게 강요했죠. 그들의 통치 방식에 많은 사람들이 분노하고, 짜증내고, 혐오스러워 했고요. 촌티도 나고요.

시민들이 그런 구태에 강한 거부감을 느끼다보니, 세상의 주된 흐름과 관계없는 시대착오적이고 반동적이었을 뿐인데도, 그들의 행태를 굉장히 중요한 문제인 것처럼 본 것이에요. 마치 그들을 몰아내고, 구태로 인한 짜증에서 벗어나기만 하면, 우리 사회의 문제가 다 해결될 것만 같은 착시를 불러일으켰던 거죠. 그래서, 그 9년 동안 우리가 정말 깊이 고민하고 대안을 찾아야 할 문제들을 놓쳐버린 측면이 있었던 것 같아요. 그 귀결이 바로 지금 우리가 목격하고 있는 '한번도 경험해보지 못한 나라', '처음 보는 세상'이 아닐까요.

진중권 이명박-박근혜 정부 9년은 한편의 에피소드입니다. 블랙리스트를 만들기도 하고, 개인, 회사, 학교, 단체 등을 탄압했지만 효과적이지 못 했습니다. 조지 오웰식 통치 방식이 먹히지도 않았고 욕만 바가지로 먹었죠. 자신들에게 익숙한 통제 방식이었겠지만 자기들

뜻대로 안 되었고요.

강양구 네, 세상은 이미 변했는데 그 변화를 알아채지 못했던 겁니다. 이를 놓고서 영국의 정치학자 데이비드 런시먼(David Runciman)이 아주 흥미로운 이야기를 합니다. 그가 미국의 트럼프 대통령 집권 후에 『쿠데타, 대재앙, 정보권력(How Democracy Ends)』이라는 책을 펴냅니다. 원제 '민주주의는 어떻게 끝장나는가?'가 이 책 내용을 더 적절히 표현해주는데요. 런시먼은 현대 민주주의 국가에서 박정희와 그 추종 세력이 1961년 5월 16일 탱크를 앞세워 권력을 찬탈했던 것과 같은 '눈에 보이는' 쿠데타는 더 이상 불가능하다고 이야기합니다.

　　그렇다고 해서 쿠데타의 가능성이 사라진 건 아닙니다. 오히려 '눈에 보이지 않는' 은밀한 쿠데타의 가능성이 있습니다. 일부 권력집단이 민주주의 제도를 자기에게 유리하게 조종하기 때문입니다. 행정권 과용, 전략적 선거 조작이 대표적인 방식이죠. 일부 엘리트 집단에 의해 민주주의를 파괴하는 쿠데타가 점진적으로 진행 중인데도 아무도 그 사실을 알아채지 못합니다. 겉으로는 민주주의가 아무런 문제없이 굴러가는 것처럼 보이니까요. 심지어 반대자는 물론이고 그 당사자조차도 자신이 민주주의를 파괴하고 있는지를 모를 수도 있어요. 하지만 언젠가는 그 쿠데타의 진짜 모습이 드러나겠죠. 앞에서 했던 이야기와 연결시켜보면 헉슬리식 통제 사회에서는 쿠데타조차도 소리 없이 다가옵니다. 사실 우리는 이런 문제를 고민해야 하는데, 이명박-박근혜 9년 동안 진짜 고민해야 할 것이 무엇인지 숙고하지 못하게 하는 착시 현상이 일어났던 것입니다.

진중권 지금 우리가 목격하고 있는 이른바 '진보의 문제'는 실제로 이명박-박근혜 정권 때부터 계속 있었다고 봐요. 다만 그때는 지금의 집권 세력이 오포지션(opposition, 반대, 야당)이었기 때문에 드러나지 않은 것뿐입니다. 이들이 현재 주류 세력이 되면서, 내재해 있던 문제들이 터져 나오고 있지 않습니까. 이명박-박근혜 정권 때는 이들이 설사 잘못했더라도, 더 큰 악이 앞에 있었기 때문에 그 악과 싸우려고 눈감아 준 측면이 있었습니다.

　　　강 기자님이 잘 말씀해주셨듯이, 포털 사이트가 뉴스 콘텐츠 유통을 독점하면서 데스크 권력이 무너진 거예요. 데스크 권력이 약해지면서 권력에 의한 언론 통제를 못하게 된 겁니다. 지난 보수 정권들은 불가능한 것을 하려고 했던 거예요. 상황은 이미 권력에 의한 통제가 아니라 시장에 의한 통제로 넘어갔는 데도 말이죠. 노무현 대통령이 말했던 "권력은 시장으로 넘어갔다"는 게 언론도 예외가 아니었던 겁니다. 그러면서 기사 자체가 문화 콘텐츠화되어 버렸어요. 뉴스의 비판적 수용자는 사라졌고 오늘날 대중은 자신을 콘텐츠 소비자로 이해합니다. '진·위'(眞僞)보다는 '핵잼·노잼'으로 평가의 기준이 바뀌죠. 이제 사람들은 옳은 말을 하는 기사를 원하는 게 아니라 듣고 싶은 말, 재미있는 말을 해주는 기사를 요구해요. 굉장히 감성적이고 감정적이고 정서적으로 반응하는 것이죠.

설사 그들이 거짓말을 했다 하더라도 처벌을 받지 않아요. 왜냐면 그것은 문화 콘텐츠잖아요. 예컨대 사극을 보면서 "이거 다 거짓말이야"라고 비판하지 않잖아요. 극의 내용이 역사책과 다르다면서 화내지 않습니다. 이런 것처럼 거짓말해도 용서되는 거죠. 김어준 씨 같은 경우 온갖 음모론을 비롯해 얼마나 많은 거짓말을 했습니까. 큰일 날 법한데도 그냥 넘어가잖아요. 그러다 보니 "아, 중요한 것은 사실이 아니구나" 하는 현상이 나타납니다. 이른바 포스트 트루스, 탈진실 현상들이죠. 요즘 대중은 '독자'로서 신문기사에 진실을 요구하지 않습니다. 그저 '소비자'로서 자기의 니즈(needs)를 충족시켜주기를 원합니다. 거짓말이라도 듣기만 좋으면 되는 거죠. 이른바 '소비자 민주주의' 현상인데, 이는 사실 민주주의라고 하기 힘든 거죠.

민주주의는 어떻게 끝장나는가?

강양구 맞아요. 소비자 민주주의 시대. 진 선생님 말씀에 조금 덧붙이고 싶어요. 이런 변화를 낡은 감수성을 가진 이명박-박근혜 세력은 제대로 포착하지 못했습니다. 이들은 국가기관 국정원을 동원해 댓글 조작을 하려고까지 했잖아요. 국정원 댓글 조작이 얼마만큼의 효과나 의미가 있었을까요? 그보다 더 파워풀한 것은 자발적 댓글 조작, 자발적 검색어 조작입니다. 그런데 지금은 자발적으로 댓글이

나 검색어를 조작하면서도 여론 조작이라고 생각하지 않습니다. '깨 시민의 힘'을 보여주는 시민 참여라고 생각하잖아요. 전도 현상이 일어난 겁니다.

소비자 민주주의적 상황을 날카롭게 포착한 상징적 인물이 김어준 씨를 비롯한 '나꼼수 멤버'들입니다. 앞서 말씀드린 '올더스 헉슬리 방식'을 선취했던 겁니다. 이제는 '옳다·그르다'가 중요치 않게 되었어요. 옳은 것과 그른 것을 판단하려면 많은 에너지를 쏟아야지 않습니까. 비판하고 따질 준비를 해야 하고, 과정 과정마다 토론이 필요하니까요. 게다가 '옳다·그르다'에는 항상 불확실성이 존재합니다. 맥락에 따라 옳은 것이 그를 수도 있고, 그른 것이 옳을 수도 있지 않습니까. 섬세한 독해가 요구됩니다. 그런데 '옳다·그르다'를 '좋다·싫다'로 바꿔버리면 어떻게 될까요. 모든 게 편하고 선명해집니다. '좋다·싫다'에는 중간이 없거든요. 좋기도 하고 싫기도 하다? 그런 것은 없습니다. 좋은 것은 좋은 것이고, 싫은 것은 싫은 겁니다.

앞서 말씀드렸듯이, 이명박-박근혜 집권 9년 동안 이것을 가장 잘했던 이들이 〈나꼼수〉입니다. 〈나꼼수〉는 이명박-박근혜 정부가 어떤 잘못을 저질렀고, 왜 이런 일이 벌어졌고, 어떻게 바꿔야 하는지를 공론장의 공적 토론에 붙이지 않았어요. 대신에 "저들은 나쁜 인간들이다", "범죄를 저지른 기업인이다", "박정희의 딸이다", 이렇게 딱지를 붙였죠. 싫어하는 사람들이 권력을 잡고 있으니, 이들을 몰아내고 좋아하는 사람들에게 권력을 쥐어줘야 한다는 '좋다·싫다' 프레임을 짰던 것입니다. '좋다·싫다'에 버튼이 눌려지기 시작하면, 공적 토론이나 이성적 판단은 의미 없어집니다. 연예인이나 아이돌 그룹을 좋아하는 상황, 즉 팬덤화되는 거죠. 지금 정치의 장에서 정치는 사라지고 팬덤만 남은 것이 이런 현상들과 연결된다고 봅니다.

서 민 저도 동의해요. 소셜 미디어와 유튜브가 대세가 되면서, 지금은 논리적 사유 대신 조롱과 열광만이 판치고 있습니다. 2002년 대선 때 〈서프라이즈〉라는 사이트가 있었어요. 그곳에 올라오는 글 중에는 밑줄 쫙~ 그어가면서 읽고 싶을 정도로 수준 높은 글이 많았습니다. 대표 필진들이 있었지만, 일반인이 쓴 것도 읽어볼 만했고, 의미 있고 감동을 주는 경우도 꽤 많았습니다.

지금 문재인 대통령 열성 지지자, '문팬' 대표 사이트로 알려진 〈클리앙〉을 보면 감동은커녕 두려움만 느껴집니다. "아버지 집에 갔을 때, 아버지 몰래 조선일보로 접속되는 경로를 차단했다.", "조카가 문재인 대통령을 비난하기에 어디서 그런 걸 배웠냐니까 학원에서 배웠다더라. 혼쭐을 내고 학원을 못 다니게 했다." 이런 글이 베스트 추천을 많이 받습니다. 정경심 교수가 구속되었을 때도 논리적 반박보다는 '▶◀근조 사법부' 이런 글들이 수천 개씩 올라왔고요. 문팬 사이트가 아닌, 다소 중립적인 곳에서는 친문 성향 네티즌들의 추천 조작이 상시적으로 이루어집니다. 예를 들면, 대형 인터넷 커뮤니티 중 하나인 〈엠엘비파크〉(엠팍)에는 정부 찬양하는 글들이 늘 눈에 잘 띄는 곳에 배치되곤 합니다. 알고 보니 몇몇 사람들이 짜고 추천수를 조작한 결과였어요.

　네이버나 다음 사이트에서도 문팬들에 의한 댓글 조작이 일어나고 있습니다. 네이버야 사용자가 워낙 많아서 문팬들 뜻대로 안 되는 경우도 있지만, 다음 사이트는 문팬들이 완전히 점령했습니다. 민주당 소속 오거돈 부산 시장이 성추행으로 사퇴했을 때 "잘못을 시인하고 사퇴하다니, 미래통합당과는 클라스가 다르다"는 류의 댓글이 베스트 댓글이 되더라고요. 원하는 댓글이 베스트 댓글이 되도록 조작하는 이유는 네티즌들이 스스로 판단하지 않고 베스트 댓글을 보고 '많은 이들이 이렇게 생각한다면 이게 맞는 거겠지' 지레짐작하기 때문입니다. 일종의 집단 쏠림 현상인데요. 강양구 기자님이 쓰신『과학의 품격』을 보면 여기에 관한 재미난 얘기가 나오죠. 스위스에서 일어난 살인사건 건수를 예측하는 이야기! 무척 인상적이었어요.

강양구　아~ 그건 얀 로렌츠(Jan Lorenz) 박사팀이 집단 지성에 대해 연구하려고 스위스 취리히에서 한 실험이에요. 집단 지성을 이야기하는 분들이 한국에도 꽤 많은데요. 제 앞에 있는 진 선생님, 서민 선생님은 요즘 엘리트주의자라고 비판받고 계시죠. 왜냐면 두 분이 민주주의와 집단 지성을 부정한다고.(웃음)

진중권　제가요? 저는 그들이 '집단'이라는 사실은 부정 안 해요. 그 집단이 '지성'을 갖고 있다는 것만 부정할 뿐이지.(모두 웃음)

강양구 저는 이 실험이 지금 한국 상황과 딱 맞아 떨어진다고 봐요. 흥미롭습니다. 실험 설계를 굉장히 잘했거든요. 학생 144명을 모은 뒤, 금전적인 보상을 약속하고 몇 가지 질문을 하고, 답을 예측하는 실험을 한 거예요. "2006년 스위스에서 일어난 살인사건의 수는?" 이 질문은 논란의 여지없는 답이 확실히 있어요. 통계 숫자이기 때문이죠. 우선 주목할 대목은 144명이 독립적으로 있을 때에는 정답에 상당히 근접한 답변들을 내놓았다는 거예요.

진중권 그게 집단 지성이잖아요.

강양구 네, 맞습니다. 고전적인 집단 지성이죠.

진중권 근데 그해 스위스에서의 살인사건은 몇 건이었나요?

강양구 2006년 스위스에서 일어난 살인사건은 198건이었습니다. 흥미로운 대목은 그 다음부터입니다. 사회적 영향력이 작용할 때, 그러니까 서로서로 다른 사람의 답변을 참고하게 하고, 토론하게 했더니 정답이 왜곡되기 시작합니다. 이 실험 결과를 세 가지 함의로 나눠서 정리해 볼게요. 첫 번째는 다른 사람들의 판단을 듣는 것만으로도 예측의 다양성이 감소해버렸어요. 처음에 제가 정답에 가깝게 "200건 아닌가요?"라고 예측하면, 옆에 있던 서민 선생님이 "야, 그게 어떻게 200건 밖에 안 되겠어, 800건 정도는 되겠지" 하면 "어어~그런가" 이렇게 된다는 것이죠. 두 번째는 시간이 지날수록 예측이 한두 가지로 좁혀진다는 겁니다. 극단적인 예측으로 좁혀지는 것이죠. '200건파'와 '800건파'로요. 그러다 '800건파'가 많아지잖아요. 그러면 그쪽으로 쏠림 현상이 생겨요. 처음에 200건을 예측했던 사람도 800건의 쪽수가 많아지면 "아, 800건이 맞나 보다" 그래서 오히려 다수의 틀린 예측이 소수의 정확한 예측을 압도해버립니다.

서 민   흥미진진한데요. 그럼 세 번째 상황은요?

강양구   세 번째는 가장 심각한 상황이 벌어집니다. 이 상황은 우리들이 많이 토론해봐야 할 문제인데요. 제가 혼자서 비교적 정확하게 예측했어요. "200건 아닌가요?" 그 결과를 놓고서 다른 사람이 "정말?" 하고 반문합니다. 그러면, "아, 너무 적은가? 진짜 정답은 뭐예요? 함께 찾아볼까요?" 이렇게 반응합니다. 자기가 정답을 이야기해놓고도 자기 답을 확신하지 않는 태도를 보인다는 거죠. 그런데 쪽수가 많아지면 자세가 돌변합니다. "800건 아닌가요?" 틀린 답을 내놓은 다음에 우기기 시작해요. 심지어 이런 사람들은 나중에 정답이 198건이라고 말해 줘도 "그렇게 적을 리가 있어? 통계가 잘못된 것 아닌가?"라고 반박한다는 겁니다.

진중권   지금 우리가 그런 초현실적인 사회에 살고 있잖아요.

강양구 맞아요. "증거 가져와 봐요, 증거!" 그러니까 144명이 독립적으로 판단할 때에는 이른바 집단 지성에 걸맞게 비교적 올바른 판단으로 수렴되는데, 144명이 서로 영향을 주고받는 상황에서는 집단 지성이 나타나기는커녕, 개인의 판단보다도 못한 잘못된 결론을 내놓고도, 그것이 맞다고 우기는 상황이 발생한다는 걸 보여주는 게 바로 얀 로렌츠 실험이에요. 이들에게 미국 민주당 상원의원을 지낸 사회학자 대니얼 패트릭 모이니핸이 한 말을 들려주고 싶습니다. "모든 사람이 저마다의 의견을 가질 권리가 있는 것이지, 저마다의 사실을 가질 권리가 있는 것은 아니다."

프로파간다 머신

진중권 바로 그 쏠림을 만든 게 앞서 말한 〈나꼼수〉였고요. 지금의 〈알릴레오〉도 마찬가지고요. 이런 쏠림 현상은 다른 의견을 내는 소수의 존재를 말살해버리거든요. '맘카페', 〈클리앙〉 등등.

서 민 〈클리앙〉은 아예 신고를 해서 그 글이 없어지게 해요. 신고가 누적되면 글쓴이는 강제 탈퇴당하고요. 모두가 문 대통령만 사랑하는, 클린한 사이트가 만들어지는 거죠.

진중권　이런 현상이 실제 벌어지고 있습니다. 민주적 토론을 거치지 않은 '선포의 진리'잖아요. 누군가가 선포하면 신도처럼 따르는. 그러면서 집단은 점점 더 순수해지고, 점점 더 과격해지는 거죠. 그럴수록 집단은 더 자극적인 콘텐츠를 요구하고, 선동가들은 거기에 맞춰서 더 자극적인 이야기를 하다가 자신들도 감당할 수 없는 사태까지 가버립니다.

강양구　저는 이런 메커니즘이 마녀사냥 메커니즘과 연결된다고 봅니다. 유시민 씨나 김어준 씨 같은 경우, 그분들을 너무 높이 평가하는지 모르겠지만 사태에 대한 최소한의 객관적 판단들은 하고 있으리라 생각합니다. 하지만 그들은 자기 이해관계, 자기 정파의 이해관계에 따라, 자신들이 설정한 방향이 맞지 않고 틀렸다는 걸 알면서도 진영의 편을 드는 경우가 종종 있습니다. 정말로 선동을 하는 것이죠. 그들이 선동하면 쏠림 현상이 생겨 확~모이고, 틀린 방향 혹은 틀린 답을 가지고 '이것이 맞다'고 우기는 거잖아요. 이 순간 정답을 말하는 사람, 그들이 생각하는 것과 다른 방향을 얘기하는 사람이 등장하면, 그때부터 마녀사냥을 시작합니다. 지목하고 공격을 시작해요. 응징하는 것이죠. 응징은 대체로 메시지(message)를 공격하는 것이 아니라 메신저(messenger)를 망가트리는 방식으로.

진중권　신상 털기가 시작되죠.

"

그들이 선동하면 쏠림 현상이 생겨 확~모이고, 틀린 방향 혹은 틀린 답을 가지고 '이것이 맞다'고 우기는 거잖아요. 이 순간 정답을 말하는 사람, 그들이 생각하는 것과 다른 방향을 얘기하는 사람이 등장하면, 그때부터 마녀사냥을 시작합니다. 지목하고 공격을 시작해요. 응징하는 것이죠. 응징은 대체로 메시지(message)를 공격하는 것이 아니라 메신저(messenger)를 망가트리는 방식으로.

"

강양구 예~ 그것부터 시작해요. 사안의 메시지와 전혀 관계없는 메신저의 과거 과오, 행적 등을 찾아냅니다. 그런 틈새와 허점을 드러내 메신저를 쓰레기로 만들어 버리는 거죠. 어느 순간 그 사람의 메시지는 사라지고, 그 사람만 형편없는 인간이 되어버립니다. 이런 분위기가 만들어지면, 마녀사냥의 가장 안 좋은 효과가 나타나요. 다른 생각, 다른 의견을 가진 사람들이 무서워서 침묵하는 겁니다. 그러면 어떻게 될까요? 사회의 다양성 자체가 없어져 버립니다. 지금 우리 상황이 이런 게 아닌가 싶어요. 진보는 진보대로, 보수는 보수대로 극단의 목소리만 살아남고, 중간의 합리적인 목소리들은 거의 죽었거나 제대로 소리 내지 못하고 있습니다. 문재인 정부 들어 2019년 조국 사태를 비롯한 여러 가지 사회적 논쟁들이 항상 비슷한 패턴으로 가고 있습니다.

서 민 대형 인터넷 커뮤니티에서는 합리적인 의견 교환이 아예 불가능합니다. 누군가가 문재인 대통령을 비판하면 거기에 대해 반박을 해야 하는데, 강 기자님이 지적하신대로 메시지가 아닌 메신저를 공격합니다. 예전에는 '일베'라고 했는데요. 지금은 '토착왜구'로 바뀌었더군요. 보수에서 '빨갱이'라고 했던 것과 같죠. 의견, 견해, 메시지를 반박하는 게 아니라 딱지만 붙입니다. 정부가 명백한 잘못을 했을 때는 잠깐 조용해요. 왜 조용하냐면 자기들이 생각해도 이건 좀 너무했다 싶거든요. 그러다가 자기들이 좋아하는 뉴스나 유튜브에서 한 마디하면, 이걸 전문용어로 '지령'이라고 하는데요, 그것이 대응 논리가 되어, 그 논리로 일제히 쉴드를 치기 시작합니다.

강양구 그 논리를 제공해주는 사람이 유시민, 김어준 씨 등이죠. '프로파간다 머신', '아키텍트(architect, 설계자)' 역할을 하고 있죠.

진중권 유시민 씨는 이미 동양대 표창장이 위조라는 걸 알고 있었어요. 제가 알려줬거든요. 흥미로운 건 그가 취한 태도예요. 표창장이 실제로 가짜라 하더라도 큰 문제가 아니라는 거예요. '대안적 사실'을 제작하여 현실에 등록하면, 그것이 곧 새로운 사실이 된다는 거죠. 그게 가능하다며 '걱정 말라'고 불안해하는 나를 안심시키기까지 했어요. 이분이 이렇게 주관적 희망과 객관적 현실을 착각하는 경향이 있습니다.

　　반면 김어준 씨는 약간 사이비 교주 같아요. 자기가 말하는 것을 자신이 그대로 믿을 수도 있다고 봅니다. 왜냐면 웬만한 사람들은 거짓말을 할 때 겉으로 티가 나기 마련이잖아요. 김어준 씨는 그런데도 그냥 고(go)하거든요. 자기의 거짓말을 스스로 믿어버리는 거죠.

　　사실을 뜻하는 팩트(fact)의 어원은 라틴어 팍툼(factum)입니다. 팍툼은 '제작된'이라는 뜻이에요. 결국 사실은 '제작되는 것'이라는 얘기가 됩니다. 유시민 씨와 김어준 씨가 가진 '사실'의 개념은 여기에 가깝습니다. 다시 말해 저에게 사실이란 '이미 일어난 일로서 변경할 수 없는 것'이라면, 이 두 사람에게는 사실이란 '얼마든지 제작할 수 있고 언제라도 변경할 수 있는 것'인 셈이죠.

강양구　실제 〈김어준의 뉴스공장〉에 출연하는 것을 사람들은 '세례를 받는다'고 해요.

진중권　세례? 그게 뭐죠?

강양구　〈뉴스공장〉 청취율이 꽤 높잖아요. 12% 정도. 〈뉴스공장〉에 나오면 공론장에서는 제일 잘나가는 지식인, 기자가 되는 거예요. 과학자가 출연하면 '김어준이 아는 과학자'가 되는 거죠. 저에게도 주변에서 우스갯소리로 "강 기자도 김어준한테 세례 한번 받아야지" 하고 말해요.

진중권　나도 세례 받아볼까?

강양구　그러면 과거의 죄, 모두 사함을 받을 겁니다.(웃음)

진중권　한번 부르면 좋겠다. 나한테 질문하면 "왜 그렇게 질문이 하고 싶을까" 분석해드리죠. "그러니까 이런 답변을 유도하려고 하는 거죠?" 하면서.

서 민　그런 뉴스 프로그램이 신뢰도 2위를 달리잖아요.

진중권 그 신뢰도라는 게 전통적인 언론의 신뢰도가 아니라 선호도라고 봐요. 어린아이가 세상을 만날 때 가장 먼저 '좋다/나쁘다'로 경험하잖아요. 자라나면서 '나에게 좋게 느껴지는 게 실제로 꼭 좋은 것만은 아니구나!'는 것을 알게 되고, 또 '나한테 나쁜 게 실제로 꼭 나쁜 것만은 아니구나!'를 깨달으면서 성장합니다. 사람들의 정신 상태를 '이건 달아, 저건 써'라는 식의 정신적 구강기 상태로 만들어 버리는 현상이 지금 나타나고 있습니다. 제가 요즘 페이스북을 하고 있는데요. 페이스북에도 이모지라고 '좋아요', '싫어요', '화나요' 등의 감정 표현을 하잖아요. 미디어가 그런 현상을 기술적으로 조장하는 측면도 있고요.

서 민 논리적 판단보다는 감정적 느낌으로 판단해서 이모지를 붙이는 것이죠. 그렇다면 진 선생님, 디지털 사회와 감성은 어떤 연관이 있을까요?

진중권 저는 이 시대를 디지털 테크놀로지에 기반을 둔 미적 자본주의라고 봅니다. 이른바 오감 디자인, 감성 경영이라면서 감성을 적극적으로 끌어안잖아요. 그러면서 이성적인 부분은 약해지고 감성적인 부분만 강조되다 보니 확증편향이 심해지는 겁니다. 그러다 보니 사람들이 이질적인 것을 잘 못 받아들여요. 내가 알고 있는 사실과 다른 것이 등장했을 때 굉장히 번거로워합니다. 때에 따라서는 나의 사고 전체를 바꿔야 하잖아요.

이건 한편으론 경제적이지 못한 거예요. 예전에는 나이 드신 분이 그랬어요. 나이 드신 분은 자신의 생각을 고치는 데 드는 시간보다 살날이 얼마 안 남았으니, 원래 생각을 수정하지 않고 사는 게 더 나을지도 몰라요. 하지만 청년들은 살아갈 날이 많으니 잘못된 정보나 세계관을 갖고 살기보다는 빨리 수정하는 게 경제적으로만 보더라도 이득이잖아요. 그런데 지금은 청년이나 나이 드신 분 모두 비슷해지는 것 같아요. 이질적인 것이 들어오면 못 참아냅니다. 정보 처리를 제대로 못 해내는 거죠. 그러면서 점점 경직되고요. 맨날 듣는 이야기만 듣게 되니까 확증편향은 갈수록 심해지고요.

디지털 마약

서 민 강 기자님도 페이스북에서 활동을 꾸준히 하시니 경험이 많으실 것 같은데요.

강양구 제가 한동안 페이스북에서 점잖게 지내다가 조국 사태 때 본색을 좀 드러냈죠. 그러면서 다양한 유형의 사람들을 볼 수 있었어요. 조국 전 장관을 비판하는 글을 올릴 때마다 친구가 떨어져 나가고 심지어는 사정을 하는 분도 계셨어요. 댓글이나 페이스북 메신저로 "나는 강 기자님을 좋아한다. 제발 상처주는 글 안 쓰시면 좋겠다.", "제발 그런 무서운 글 안 쓰면 안 되냐."

진중권　감정이 충돌하는 거예요. 조국 전 장관도 좋고 강 기자님도 좋은데, 충돌하지 않으려면 강 기자님이 말을 하지 말아야 하는 거죠. 자기들 감정 관리를 해야 하니까요.

강양구　그런 분들은 제가 조용히 보내드렸어요. 심지어 반(半)농담으로 이렇게 공지한 적도 있었어요. "저에게 친구 신청 많이 하시는데 친구 신청하지 마세요. 저는 굉장히 위험한 사람이어서 심하게 상처받을 수 있어요"라고 알려드렸죠. 답답한 일이죠. '좋음'과 '옳음'이 어떻게 항상 같아요? 제가 서민 선생님, 진중권 선생님을 좋아하지만, 어떤 때는 의견이 같을 때도 있고, 또 다른 때는 의견이 다를 수도 있잖아요. 그런 불일치를 견뎌내지 못하는 사람이 너무 많아요.

서 민　저도 여기서 자유롭지 않습니다. 오랫동안 알고 지낸 친구가 있는데, 그 친구가 조국 전 장관을 옹호한다는 걸 알고 나니 같이 놀기가 싫더라고요.

강양구　의견이 같을 수도 다를 수도 있잖아요. 그것을 못 견디는 상황이에요. 사안을 판단할 때 '좋고 싫음'으로 나누다 보니까, 흰색/검은색이 아닌 회색의 가능성, 맥락에 따라서 전혀 다른 식으로 해석될 수 있는 가능성에 대한 여지가 없어져 버린 것 같다는 생각입니다.

서 민 자기 생각을 표현하면서도, 다른 생각 다른 의견을 경청할 때 그것을 토론이라고 하잖아요. 합리적인 토론은 어떻게 해야 하는 건가요? 다들 할 줄 몰라서 그런 것 같기도 하고요.

진중권 다 알잖아~요. 제가 대학에서 토론 수업하는 걸 예로 들어볼게요. 흔히 자기가 진보적이면 애들을 다 진보적으로 만들려 할 것이라 생각하기 쉽지만, 저는 학생들에게 자신의 사적인 정치적 견해를 강요해서는 안 된다고 봐요. 일종의 권력 남용이죠. 그래서 토론에서는 철저히 중립을 지킵니다. 다만 한쪽이 일방적으로 밀릴 때는 가끔 밀리는 쪽 편을 듭니다. 그러다 보면 나의 평소 신념과는 반대편에 서게 되기도 합니다. 결론이 어떻게 나든 논의를 치열하게 만들려면 할 수 없죠. 학생들 발언을 제지할 때도 있어요. 대개는 그 발언의 바탕에 노골적으로 혹은 은밀하게 차별과 편견과 혐오가 깔려있을 때죠. 그럴 때는 학생들의 발언이 이른바 '정치적 올바름(political correctness)'에서 벗어나지 않게 개입합니다. 가장 흔한 것이 못 사는 나라 사람들이나, 이주 노동자들에 대한 무의식적인 편견입니다. 또 다른 경우는 학생들이 합리적 논증 대신에 선동적 어법을 구사할 때입니다. 그럴 때는 바로 옐로카드를 꺼내 듭니다.

　A의 정치적 성향은 진보에 가깝고, B는 아버지의 영향으로 또래들에 비해 생각이 매우 보수적입니다. 한번은 A가 "적폐세력", "토착왜구"라는 표현을 사용하길래 바로 주의를 주었죠. B는 "문재인 정권은 친북좌파정권"이라 하길래 역시 주의를 주었죠. 이런 네

이밍 사용은 결국 "너를 없애버리겠다"는 선언이나 다름없으니까요. 교수의 임무는 성향이 진보적이든 보수적이든 자기 생각을 논리적이고 합리적으로 개진할 수 있게 도와주는 데에 있죠. 꼭 보수적인 학생의 생각을 억지로 진보적으로 바꿔놔야 사회가 진보하는 게 아닙니다. 보수적인 학생이 "친북좌파" 운운하는 선동적 어법을 버리고 자신의 보수적 생각을 합리적으로 표현하는 능력을 갖출 때, 사회는 진정으로 진보한다고 저는 믿습니다. 앞의 두 학생은 정치적 스펙트럼의 양쪽 끝에 있지만 토론엔 똑같이 열심히 참여했기에 모두 A+ 받았습니다.

서 민   토론을 시작할 때는 어떻게 해요?

진중권   토론은 특정한 이슈에 대해 손을 들어 찬반을 표시하는 것으로 시작합니다. 그렇게 찬성과 반대, 두 패로 나뉘어 논쟁을 합니다. 먼저 발제자가 자신의 입장을 밝히고, 그에 대해 반대편 학생들이 공격을 시작하면 먼저 발제자, 이어서 그의 편 학생들이 방어를 하지요. 결론은? 당연히 안 납니다. 그럼 토론은 쓸데없는 걸까요? 꼭 그런 건 아닙니다. 공방을 벌이다 보면 자신이 처음에 별 생각 없이 가졌던 그 신념이 실은 얼마나 취약한 근거 위에 서 있는지를 피차 깨닫게 되니까요. 토론으로 상대를 설득하기란 어렵습니다. 토론이 끝난 후에 물어보면, 토론의 결과로 생각이 바뀌었다고 대답하는 학생은 많아야 한두 명에 불과하거든요. 그래도 그 과정을 통해

학생들은 어떤 사안이든 맹신은 피해야 한다는 것을 깨닫게 됩니다. 또한 내가 못 보는 것을 상대가 보고, 내가 보는 것을 상대가 못 보는 경험을 하면서, 견해의 다양성이 얼마나 중요한지, 나와 다른 견해를 가진 이가 실은 얼마나 고마운 존재인지 깨닫게 됩니다. 그게 토론의 결론이라면 결론이겠죠.

서 민 네, 토론의 기본 자세, 진 선생님께 한 수 배웠습니다. 하지만 여전히 우리의 합리적 토론의 장은 부실합니다. 이런 현상들이 디지털 테크놀로지와 어떻게 연결이 될까요? 과학 저널리스트로서 강 기자님 의견이 궁금합니다.

강양구 마크 주커버그(Mark Zuckerberg)와 페이스북을 공동으로 창립한 숀 파커(Sean Parker)의 흑역사처럼 자주 인용되는 발언이 떠오르네요. 2017년 11월 9일에 영국 〈가디언〉이 이를 보도했는데요. 진 선생님이 말한 것과 비슷한 맥락입니다. 그의 말을 잠깐 인용해 볼게요. "(페이스북을 구축할 때 들어간 사고방식의) 핵심은 이것이었습니다. 어떻게 하면 사람들에게 자신의 시간, 그리고 의식적 관심을 여기에 가능한 한 많이 쏟아붓게 할 수 있을까? (…) 사람들에게 이따금 약간의 도파민이 분비되는 느낌을 받게 해야 한다는 것이었습니다. 그래서 사진이 됐든 게시물이 됐든, 누군가 와서 '좋아요'를 누르거나 댓글을 달게 만들어 놓았죠. 그러면 사람들은 콘텐츠 올리기에 더 열중하고 (…) 그럴수록 더 많은 '좋아요'와 댓글을 받게 됩니다." 그리고 파커는 이런 말도 덧붙입니다. "SNS가 우리 아이들의 뇌에 무슨 짓을 할지는 오로지 신만이 아시겠죠." 섬뜩하죠? 돈을 벌고자 인간 심리의 취약한 부분을 이용한 것입니다.

진중권 이른바 이것을 '디지털 마약'이라고 하는데, 게임에서도 많이 사용됩니다. 게임 제작자들이 플레이어들을 플로우(flow) 상태, 즉 몰입 상태에 빠져 게임 안에 더 오래 머물게 하려고 집어넣는 장치가 있습니다. 이를테면 '만렙'을 찍기 위해 밥도 안 먹고 밤낮없이 게임을 하게 만든다든가. 도파민 분비를 일으킨다는 페이스북의 '좋아요'도 그런 장치 중의 하나라고 할 수 있지요. 거기에 빠지면 헤어 나올 수 없으니 '마약'에 비유하는 게 지나친 비유는 아닐 겁니다.

강양구 구글 마케터 주영민 씨가 쓴 『가상은 현실이다』를 보면, 오늘날 디지털 기술의 중독성이 역사적으로 얼마나 이례적인지 잘 표현해 놓았는데요. 다소 길긴 하지만 인용해 볼게요. "오늘날 기술은 사용자가 더 많이, 더 오래 쓰도록 하는 중독성을 하나의 기능으로 가지고 있다. 우리는 중독적인 기술(Addictive Technology)에 사로잡힌 것이다. 이것은 인류 기술 역사에서 발견되는 매우 흥미로운 변화다. 이전까지 기술은 중독을 목표했던 적이 없기 때문이다. 기술은 인간이 마주한 특정 문제를 빠르게 해결하는 것에 초점이 맞춰져 있었다. 망치는 오래 쓰도록 디자인되지 않았다. 오히려 망치의 목표는 빨리 망치로부터 벗어나는 것이다. 초기 인터넷 소프트웨어 역시 유사하다. 구글 검색은 사용자를 원하는 사이트로 빠르게 이동시키도록 설계되었다. 구글로부터 빨리 벗어나게 돕는 것이 구글의 목표였다. 그러나 오늘날의 기술은 다르다. 기술은 망치가 아닌, 갈고리처럼 생겼다. 기술은 사용자를 빠져들게 하고 묶어두는 것(Hooking)을 목표로 삼는다. 소프트웨어와 하드웨어 상당수가 그렇다. 소셜 미디어와 가상현실 헤드셋은 모두 사용자를 기술에 더 오래 더 깊이 빠져들도록 유도한다. 결국 기술에서 벗어나지 못하게 중독시키는 것이 이들 기술의 궁극적인 목표다."▶

서 민　진 선생님께 다시 질문 드립니다. 디지털 문화는 우리 의식과 행동에 또 어떤 영향을 미치고 있나요?

진중권　여기 딱 들어맞는 유명한 말이 있습니다. "미디어는 의식을 재구조화한다(월터 J. 옹)." 이성이나 합리성, 토론, 논쟁들은 책(북미디어)을 기반으로 합니다. 문자문화죠. 지금은 영상미디어, 영상 중에서도 상호 연결된 네트워크 영상매체가 대세입니다. 제2차 구술문화죠. 디지털 문화는 1차 구술문화에 문자문화의 합리성을 결합시킨 2차 구술문화여야 하는데, 아예 문자문화를 배제해 버린 거예요. 이렇게 되면 다시 1차 구술문화로 퇴행하게 되죠. 즉 문자를 알지 못했던 사람들의 의식 수준으로 떨어지는 겁니다. 월터 J. 옹

▶　주영민, 『가상은 현실이다』, 어크로스, 2019년, 139~140쪽.

(Walter J. Ong)이 『구술문화와 문자문화』라는 책에서 구술문화 단계에 있는 사람들의 의식상태를 조사한 것이 있는데, 거기에 따르면 구술적 의식을 가진 사람들의 어조는 논리적이라기보다는 감정적이고 호전적이고 격정적이라고 합니다.

이른바 '개인주의'도 실은 문자문화의 산물입니다. 구술문화에 속한 사람들은 자신을 독립적인 '개인'이라기보다는 촌락공동체의 일원으로 여깁니다. 마셜 매클루언(Marshall Mcluhan)이 '지구촌'이라고 했지요. 이 촌락문화가 전자매체의 영향으로 지구적 차원으로 확산됐다고 할까? 아무튼 많은 사람들이 페이스북 친구가 뚝뚝 떨어져나가면 굉장한 상실감을 느끼고, 이렇게 살아서는 안 될 것 같고, 마치 공동체로부터 처벌을 받은 느낌 혹은 사회로부터 왕따를 당한 느낌을 받게 되죠. 또 하나 고려할 것은 조회 수입니다. 이것은 자신의 사회적 영향력, 심지어 금전하고도 연결되잖아요. 그러다 보니 자신의 존재감을 유지하기 위해 자기 견해를 되도록 사회적 평균에 맞추면서 조율할 수밖에 없죠. 그러다 보면 처음에는 '아, 이거 아닌데' 하다가 나중에는 평균적 견해가 아예 자기 확신이 되어버립니다.

서 민 왕따가 안 되려고 자기 견해를 사회적 평균에 맞춘다는 말씀, 공감이 갑니다. 커뮤니티에 글이 올라오면 맨 처음 달린 댓글에 우르르 쏠리는 걸 많이 보거든요. 그러다 누군가 '이건 아니지 않느냐?'고 하면, 그제서야 그 글에 대한 반론 댓글이 달리더군요.

진중권 저는 그런 것이 사회 전체가 종교화되는 것이라고 봐요. 신천지가 따로 있는 게 아니고 대한민국 자체가 신천지입니다. 그러다 보니 전 세계 사이비 종교 집단이나 대안 교회가 다 한국에 있어요. 대한민국에는 하나님이 20명이고요, 재림 예수가 50명이 있다고 해요.(웃음) 우리 사회의 사고방식이 종교화되고, 사회는 세속 종교가 되어 가는 것 같아요.

강양구 2020년 3~4월 코로나 바이러스가 한창 유행할 때, 제 페이스북과 진 선생님 페이스북 타임라인이 비슷했어요. 진 선생님이 강하게 이 정부를 비판하니, 문재인 정부에 비판적인 사람들이 친구 맺고 팔로우했어요. 그 사람들에게는 문재인 정부 방역당국(질병관리본부)은 당연히 못 해야 하거든요. 중국은 당연히 봉쇄해야 하고요. 어쨌든 모든 게 마음에 안 들어요. 그런데 진 선생님이 방역당국의 전문성이나 합리적 조치에 대해 "긍정적으로 평가할 것은 평가하고, 말도 안 되는 비판을 하지 말자"고 글을 올리니 그분들이 패닉에 빠지는 거죠. "진쌤 왜 그러세요.", "옛날로 돌아오세요." , "그건 진쌤 영역이 아니잖아요." 댓글에서 여전히 안타까움이 보이는 거예요. "진 선생님 돌아오세요."

진중권 사람들에게는 저의 이런 행동이 심리적 충격인 것 같아요. 그럼 그럴수록 '까놓고 이야기'해야 해요. 합리적 비판과 토론의 장을 다시 만드는 작은 몸짓이랄까.

서 민　진 선생님이 자기들 편이라고 생각했는데 다른 이야기를 하시니 사람들이 당황했던 것 같아요. 특히 코로나 때 외국인 입국금지 여부에 대해서는 과거처럼 논리적인 글 대신 링크만 건 글들이 여러 개 올라오니까, 혹시 납치된 것 아니냐는 말이 나돌기도 했어요.(웃음)

진중권　사람들이 편향적으로 생각하니, 편향적인 생각에 균형을 잡아주기 위해 반대되는 기사들을 찾아서 보여주는 것이죠. 그랬더니 혹시 계정을 '해킹' 당한 게 아니냐는 댓글이 올라 오더라고요.(웃음)

강양구　왜냐면 사람들이 여전히 버팀목을 바라고, 기댈 곳을 찾는 게 아닐까요. 살짝 화제를 전환해서 도움될 만한 얘기를 하나 드릴게요. 진 트웬지(Jean Twenge)라는 캘리포니아 대학교 샌디에이고 캠퍼스의 사회심리학자가 한 얘기인데요. 이 분이 2017년에 『#i세대(Igen)』라는 책을 냈어요. 대개 밀레니얼세대는 1982년부터 지금까지 태어난 이들을 일컫죠. 트웬지는 1995년을 기점으로 세대 구분을 또렷하게 다시 해야 한다고 강력하게 주장합니다. 그리고 1995년 이후 출생한 세대를 i세대라고 이름 붙입니다. 하필이면 1995년인가? 이들이 열두 살이 되었을 때가 2007년이잖아요. 이때 아이폰이 나왔거든요.

진중권　흥미롭네요.

강양구　이들은 10대 때부터 아이폰을 손에 쥐고 세상과 만난 세대입니다. 그리고 10대 때부터 소셜 미디어로 관계를 맺기 시작한 첫 세대예요. 페이스북, 트위터(2006년), 텀블러(2007년), 인스타그램(2010년), 스냅챗(2011년) 등의 소셜 미디어를 사용하면서 성장한 세대라는 거죠. 방금 우리들이 언급한 소셜 미디어의 여러 문제들이 10대 때부터 각인된 아이들입니다. 진 트웬지의 주장에 따르면, 지금은 20대 중반이 된 이 세대에게 불안증, 우울증, 강박증 등 정신 건강에 심각한 문제가 나타나고 있답니다. 전문가들이 이유가 무엇일까 연구해 보니 스마트폰 사용, 특히 소셜 미디어 사용과 관련이 있다는 거예요. 그럴 수밖에 없어요. 연결이 끊어지는 것에 대한 공포, 소셜 미디어를 통한 끊임없는 비교, 자기와 의견이 다른 타인을 인정하지 못하는 소셜 미디어 또래 집단의 문화 등등. 저희들이 이야기했던 여러 문제들이 모두 10대 때 이들이 경험한 것이죠. 당연히 정신 건강에 취약할 수밖에 없습니다. 남학생보다 여학생들이 훨씬 더 심하고요.

서 민　소셜 미디어로 인해 여학생들이 더 심하게 정신 건강에 영향을 받는다고 하셨는데, 왜 그런가요?

강양구　저자가 분석하기론, 일단 여학생들이 소셜 미디어를 더 자주 사용하고요. 또 여학생들이 특정인을 사이버상에서 집단적으로 따돌리거나 집요하게 괴롭히는 행위, 사이버불링(cyber bullying)을 겪을 가능성이 남학생들보다 2배 가량 높다고 합니다.

'비디오가 라디오 스타를 죽였다'

진중권 미디어적 관점에서 보면, 예전에는 정치 토론의 중심이 인터넷 게시판이었잖아요. 문자문화예요. 정교하게 글을 써서 올리곤 했죠. 인터넷 게시판에는 꽤 괜찮은 논객들이 있었습니다. 그때는 논객의 시대였잖아요. 저는 그분들이 매개자라고 봐요. 대중과 전문가를 매개하는 중간층이요. 이 분들이 사라져버린 거예요. '비디오가 라디오 스타를 죽였다'(Video Killed the Radio Star.)는 팝송 가사도 있잖아요. 〈나꼼수〉가 그들을 죽이고 그 자리를 차지한 겁니다. 하긴, 요즘 너무나 많은 정보들이 쏟아지고 있잖습니까. 정보과잉시대에는 필터링이 굉장히 중요해지거든요. 대중들이 긴 글보다는 압축과 요약만을 요구하다보니 사고가 단편화되는 경향들이 생기죠. 자크 라캉(Jacques Lacan)에게서 용어만 빌려올게요. 사실 제가 정신분석학을 그리 좋아하지는 않아요. 그 특유의 과잉해석 때문에. 그래서 때로는 "파이프는 때로는 그냥 파이프라니까"라고 투덜대기도 하죠. 하지만 이 상황을 설명하기 위해 라캉에게서 표현만 빌려오기로 합시다.

서 민 제가 스포츠신문 대신 라캉을 읽었다면, 이럴 때 할 말이 있었을 텐데요, 아쉽습니다.

진중권 라캉식으로 말하면 실재계, 상징계, 상상계가 있습니다. 상징계는 담론·이성의 영역이에요. 이것이 지금 무력화되었단 말이죠. 그래서 이미지로 구성된 상상계에 대중들이 사는 거예요. 실제 현실에서는 남들 사는 걸 보면서 상처를 많이 받지만, 인스타그램 안에서나마 "나 이렇게 사랑받으며 살아요"라면서 상상계를 만드는 거예요. 지긋지긋한 현실인 실재계에서는 세계 경제가 가라앉으면서 양극화가 계속 심해지고, 경쟁은 더욱 치열해지고⋯⋯ 이것을 대면하자니 답답하고 힘듭니다.

　　하지만 이런 것들은 의제화가 잘 안 돼요. 그것의 문제점을 지적하기 위해 글을 쓰고 또 써도 읽지도 않아요. 상징계로 넘어오지 않는 거죠. 수많은 사람들이 죽고 자살해도, 정작 현실적인 문제, 가령 비정규직이나 산업재해 이야기는 잊고만 싶은 거예요. "현실은 너무 비참한데, 그 비참한 현실을 내가 왜 또 봐야 돼?" 그게 괴로우니 사람들이 상상계로 도피하고 싶어 합니다. 하지만 그런다고 실재계가 사라지는 것은 아니거든요. 그래서 실재계에서 발생하는 고통은 끊임없이 그들의 의식 속으로 쳐들어올 수밖에 없습니다. 그것을 견딜 수가 없으니, 상상계로 도피하는 식으로 실재계를 스크리닝(screening), 즉 차단하는 거죠. 하지만 차단한다고 그게 사라지는 게 아니니, 그 스트레스가 우울증, 강박증으로 나타나는 거라고 봐요.

서 민 팔로워 늘리고 페친 늘리려고 정말 애를 많이 쓰더라고요. 조작도 하고요. 1년쯤 전 그랜드캐년에서 떨어져 다친 분이 있었어요. 위험한 곳에 가서 사진을 찍으려다 사고를 당한 건데, 그런 곳에 가서 찍은 사진을 올리면 다들 멋있다며 '좋아요'를 눌러 주거든요. 그래서 목숨을 던지다시피 하며 사진을 찍어서 SNS에 올립니다. 그러다 실제로 죽는 사람도 꽤 된다고 합니다. 그 '좋아요'가 뭐라고. 현실에서 만족하지 못하니 다른 데서 위안을 찾는 게 아닐까요.

진중권 현실에 존재하는 게 아니라 상상계에 들어가서 사는 것이죠. 그런데 그 상상계에서는 복제되는 수가 바로 그 사람의 존재감인 거예요. 복제가 많이 될수록, 클릭을 많이 받을수록, 그 사람은 그 세계에서 더 강렬하게 존재하게 되고, 더욱더 구체적으로 실재하게 됩니다. 그래서 거기에 목숨을 거는 것이고. 거기에 맞추다 보면 자극적인 행동이나 말을 하게 되죠. 글을 써도 자극적으로 쓰거나, 편향적으로 쓸 수밖에 없게 됩니다.

강양구 가상의 존재감이 얼마나 강력하냐면, 셀카 이미지를 들고 와서 성형 수술 해달라는 사람들도 있다고 합니다. '스냅챗 이형증 (snapchat dysmorphia)'이라고 하는데요. 이 말을 처음 만든 사람이 영국 런던의 성형외과 의사 티지언 이쇼입니다. 과거 성형외과를 찾는 사람들은 자신이 닮고 싶은 유명인, 가령 한효주나 정우성 사진을 들고 와서 자신의 눈·코·입을 이렇게 저렇게 바꿔 달라고 했어요. 요즘에는 스냅챗이나 인스타그램의 필터로 보정되어 미화된 자기 사진을 가져와서 "이 사진의 나처럼 만들어주세요"라고 요구한다고 합니다.

서민 저는 셀카 찍어서 보정해도 바뀌는 게 없던데…(웃음) SNS에 "직장 때려치울까요?"라고 올리면, 현실 친구들은 "절대 그만두지 말라"고 말립니다. 그만두고 난 뒤의 상황을 걱정해 주는 거죠. 그런데 SNS에서는 "당장 그만두라"고 말하고, 진짜로 그만두면 환호하고 '좋아요'를 마구 눌러줍니다. 또 "이혼할까요?" 하면 '좋아요' 꾹꾹 누르고 난리가 납니다. 이런 걸 보면 SNS 정말 덧없어요.

진중권 현실에서는 차마 할 수 없지만 상상 속에서나마 이루고 싶은 욕망일 겁니다. 상상계는 욕망의 세계니까요. 실재계에서 트라우마가 올라오니, 그 트라우마를 잊게 만드는 것이죠. 실재계에 있는 현실의 문제를 끄집어내서 사회문제화, 이슈화, 어젠다화 한 뒤 그 솔루션을 찾아 나가는 것을 언론이나 미디어에서 했잖아요. 이제는 언론이나 미디어마저 상상계를 만드는 데 봉사하고 있습니다. 왜냐면 그래야 돈이 벌리거든요. 이렇게 되다 보니 '대안적 사실'이 등장하는 것이죠.

2장
미디어의 몰락,
지식인의 죽음

사회　서 민
대담　강양구
　　　진중권

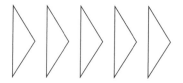 

언론의 편향성에 대해서 얘기를
나눠볼까 합니다. 지금은 우리 편,
다른 편 나눠 우리 편은
무조건 지킨다. 이렇게 되니…….

일종의 생존 게임인 거죠.
"이 권력이 지켜지지 않으면,
내가 다시 지난 9년처럼 될 수 있겠구나"하는
두려움에 기반을 둔 이해관계!

현대의 음모론은 '과학 이후'의 이야기라,
고대의 신화와 달리 나름 합리적
추론과 과학적 논증의 '외양'을 갖추고
나타나기 때문입니다.

서 민　그럼 이번에는 조국 사태로 상징되는 언론의 편향성에 대해서 얘기를 나누어 볼까 합니다. 대표적으론 MBC, KBS가 정권이 바뀔 때마다 권력 편을 드는 수호방송이 되었고요. 특히 MBC의 변신이 놀라울 정도입니다. 박근혜 대통령 탄핵 시기에, 다른 모든 언론은 최순실 씨 관련 보도를 하고 있을 때, MBC에서는 북한 미사일 소식 같은 게 항상 톱뉴스였어요. 오죽하면 '박근혜를 사랑하는 모임'이 애국 언론으로 칭송했겠습니까. 그런 MBC가 지금은 뭘 하고 있느냐? 〈PD수첩〉에서는 조국 전 장관 딸 표창장을 옹호하고, 〈스트레이트〉에서는 윤석열 검찰총장 장모 이야기를 무려 3회에 걸쳐 다루고 있습니다.

진중권　보수정권과 보수언론들이 하던 짓이었어요. '조중동'과 보수 정치인들은 인적으로 결합되어 있거든요. 그들의 하청을 받아 채동욱 검찰총장도 날렸잖아요. 그런데, 정권 바뀐 뒤 지금 똑같은 일을 진보언론을 표방하는 이들도 하고 있는 거 같아요. 조국 사태 때도 그래요. 언론사들로부터 뉴스 보도가 자발적으로 나왔다기보다는 애초 저들이 언론을 세팅했다고 봅니다. 동양대에서 정경심 교수와 5~6년 함께 근무했고, 나름 학교 돌아가는 것도 밖에 있는 다른 분들보다 조금 더 알고 있어서 하는 말인데요. 조국·정경심 교수 측에서 동양대 교수들 중 총장에게 불만을 가진 교수 딱 두 분, 하필 딱 그 두 분을 선택해 미디어에 연결시켰습니다. 그 두 분을 뺀 나머지 교수들은 내가 아는 한 모두 표창장이 위조됐다고 생각하는데, 딱 그 두 사람을 찾아낸 겁니다. 물론 정경심 교수가 연결시켜 줬겠지요. 그러면서 한 교수에게는 '다른 곳과 인터뷰 절대 하지 말고 〈연합뉴스〉하고만 하라'고 지시했다고 합니다. 용의주도한 언론 플레이를 한 거죠.

딸은 변호인단에서 정리한 거짓말을 숙지시켜 〈김어준의 뉴스공장〉 내보냈고요. 그 이후에 〈한겨레〉에서 무슨 짓을 했습니까. 윤석열 총장을 성접대 의혹에 엮어 음해하는 기사를 썼습니다. 이런 정황들을 보면 '조국 수난극' 프레임을 처음부터 그쪽에서 조직적으로 만들어냈다는 것을 알 수 있어요. 저는 이게 무서워요. 이 '연극'이 여러 주체들의 오해로 인해 자연 발생적으로 생겼다기보다는 처음부터 용의주도한 계획에 의해 인위적·의도적으로 제작됐다는 것. 세상을 날조할 수 있다고 믿는 사람들이 허구의 세계를 프로그래밍하고, 〈뉴스공장〉, 〈알릴레오〉는 물론이고 대다수 진보언론까지 그 거대한 허구를 날조하는 데에 적극적으로 가담했다는 것, 그 자체가 끔찍한 일이죠.

강양구 언론은 예전보다 더 망가졌어요. 노무현 정부 때만 하더라도 보수언론과 진보언론 모두, '언론'이라는 정체성에 대한 최소한의 합의 같은 게 있었습니다. 친정부든 반정부든 정치적 욕망을 노골적으로 드러내는 것에 대해서는 금기시하는 분위기가 있었고요. 보수든 진보든 어제까지 편집국장, 보도국장 하다가 바로 청와대 대변인으로 넘어가거나 공기업 사장으로 가는 것에 대해서 당사자부터 창피해하는 게 있었습니다. 그런 일이 벌어지면 속으로는 '나도 저랬으면 좋겠다'고 부러워해도, 겉으로는 '저래서는 안 된다' 이렇게 말하는 정도의 윤리적 합의는 있었던 겁니다.

그런데 이명박-박근혜 정권 9년이 지나고 문재인 정부가 들어서면서, 언론은 공론장에서 사회의 어떤 영역보다도 중요한 역할을 해야 한다는 책임감과 정체성이 사라졌어요. 그러면서 언론은 권력을 유지하거나, 권력을 찬탈하기 위해서 언제든지 활용될 수 있는 것, 일종의 프로파간다의 수단이 되고 말았습니다. 이것에 대해 언론 종사자들조차 별로 부정하지 않는 상황이 되어 버렸고요.

이명박-박근혜 정권 9년 동안 KBS, MBC 등의 구성원들이 잘리기도 하고, 파업 투쟁하다가 한직으로 밀려나기도 하고, 고생을 많이 하지 않았습니까. 문재인 정권이 들어서고 지난 9년간 고생한 언론인들이 KBS, MBC 등에서 사장이 되기도 하고 중요한 보직들을 맡았어요. 이 과정에서 이들에게 이런 욕망이 생겼습니다. 일종의 생존 게임인 거죠. "이 권력이 지켜지지 않으면, 내가 다시 지난 9년처럼 될 수 있겠구나"하는 두려움에 기반을 둔 이해관계! 심각한 문제예요. 사실 그러면 안 되는 거잖아요. 언론 민주화운동을 했던 것은 권력으로부터 독립된 언론을 만들기 위한 것이었잖아요. 그것이 어느 순간에 권력에 종속된 언론, 권력과 같이 가는 언론, 권력을 만드는 언론으로 바뀌어 버린 겁니다. 이를테면 지금 KBS나 MBC에 있는 상당수 구성원들이 "우리정부 지켜야 하지 않겠느냐" 이런 표현을 무의식적으로 말하는 걸 많이 들었습니다. 언론인들이 권력 종속에 대한 성찰이나 부끄러움을 모르는 상황이 되어 버린 거죠.

지루한 사실, 신나는 거짓

서 민 우리가 〈조선일보〉를 욕했던 이유는 편파, 왜곡을 마음 놓고 자행하는 집단이라 생각했기 때문이었잖아요. 그런데 지금 편파, 왜곡 면에서 진보언론이 자유롭냐면 별로 그렇지 않거든요. 공중파 라디오도 진행자가 누구냐에 따라서 논조가 좌지우지됩니다. YTN라디오 〈노영희의 출발 새아침〉 진행자였던 노영희 변호사가 김경율 회계사와 인터뷰 하면서 했던 말이 이랬습니다. "그런데 검찰의 공소장이라고 하는 것은 무죄나 유죄나 판결로써 확정되기 전까지는 검찰의 주장으로 보는 입장들이 있기 때문에 조심스럽게 접근하는 게 필요할 것 같네요. … 조국 전 법무부 장관의 부인 정경심 교수가 코링크PE가 운용하는 사모펀드에 출자하기 전에 조 전 장관하고 의논한 내용, 예를 들면 "남편에게 물어볼게" 이런 문자 같은 것들이 공개되지 않았습니까. … 그와 관련해서 회계 전문가 입장에서 보기에는 그 정도의 얘기가 오고가고 돈이 왔다갔다하는 내용을 보면 같이 공모한 것으로 볼 수 있다. (김경율 : 그렇습니다) 그런데 사실 돈에는 이름이 안 써 있어서 남편이 부인한테 몇 천만 원씩 필요에 따라서는 줄 수도 있는 것 아니에요? 그게 꼭 그렇게 투자한 것으로 연결시킬 수 있는 겁니까?" 김경율 회계사님이 대담을 참관하고 계시니 잠깐 여쭤보고 싶네요. YTN 노영희 변호사와 인터뷰했을 때 '편파적이구나'라고 느끼진 않았나요?

김경율 사전 질문지에는 그런 식으로까지 적혀 있지 않았습니다. 이 방송 인터뷰를 들은 지인들이 문자 메시지로 후기를 보냈어요. "뭐 그따위로 질문을 하냐." 그래도 저는 다 꿰고 있는 사안이라서 쉽게 반박했어요. 진행자가 재반박할 수 있는 능력은 안 된다고 생각을 하니 괜찮았어요. 사실 인터뷰를 여러 차례 했는데요. 그런 사례가 많아요. 사전 질문지에 없었던 내용이 많으니, 어떤 사실에 대해 제가 충분히 인지하지 않고 나갔다면, 자칫 자빠질 수도 있었다고 생각합니다.

강양구 제가 앞서 말했듯이 지난 9년 동안 핍박받고 박해받은 것에 대한 보상 심리로 '이 정부와 우리는 함께 가야하고, 정권 재창출하지 않으면 우리는 또다시 문제가 될 수 있겠구나'라는 아주 강한 위기의식을 느끼는 거 같아요. 이런 이해관계가 지금 진보언론 구성원들에게 아주 강력하게 작용하고 있습니다. 이 대목에서 또 다른 욕망도 덧붙이고 싶네요. '나꼼수 효과'입니다. 어쨌든 〈나꼼수〉 출신 멤버, 예를 들어 김어준 씨가 가장 신뢰하는 언론인, 가장 영향력 있는 언론인이 됐잖아요. 이들이 〈나꼼수〉의 패턴을 알게 된 것이에요. "아~ 〈나꼼수〉처럼 하면 나도 팬덤을 형성해서 영향력 있는 언론인이 될 수 있겠구나"라는 생각을 많이들 하는 겁니다.

서 민 과거에는 기성언론에서 〈나꼼수〉처럼 진행을 하면 문제가 되어서 징계나 하차해야 하는데, 그렇지 않더라고요.

강양구 모를 리 없죠. 다 알고 있어요. 레거시 미디어에서 언론은 이래야 한다는 것의 표상은 JTBC 손석희 사장입니다. 레거시 미디어에서 가장 성공했고, 가장 상징적인 인물이죠. 지금은 손석희 사장처럼 하면 안 먹히는 거예요. 언론의 정체성을 성찰하면서, 언론이 해야 할 일과 하지 말아야 할 일을 명확히 하면서, 팩트만을 좇으면 안 되는 거예요. 진중권 선생님이 강조했듯이 대중들이 듣고 싶은 얘기를 해줘야 대중들이 지지해주고, 환호해주고, 그래서 영향력이 생기는 선순환으로 이어질 수가 있습니다. 그것을 성공적으로 보여준 게 〈나꼼수〉이고 김어준 씨나 주진우 기자 등이죠. 뉴스·시사 프로그램을 진행하는 변호사, 저널리스트들이 그런 성공 모델을 좇아가는 거죠.

진중권 1930년대 서구의 당파적 저널리즘으로 돌아가는 겁니다. 그런 언론 탄압을 겪었으면 앞으로 그런 일을 겪지 않게 언론이 권력으로부터 독립할 수 있는 환경을 만드는 데 주력해야 되는데, 그냥 "고로 무슨 일이 있어도 정권을 뺏기지 말아야겠다" 이렇게 판단해버린 측면이 있는 거 같아요, 상층부는 더욱 그렇고요. 실제 프로그램 만드는 사람들도 시청률 때문에 대중이 원하는 콘텐츠를 생각하다 보니까 결국 '나꼼수 모델'을 채택할 수밖에 없었겠지요. 실제로 〈나꼼수〉 멤버들이 공중파로 진입하면서 레거시 미디어의 '나꼼수화'가 진행되었습니다. 나꼼수 멤버 정봉주는 SBS의 〈정봉주의 정치쇼〉, 김어준은 SBS의 〈블랙하우스〉와 TBS의 〈뉴스공장〉, 주진우는 MBC의 〈스트레이트〉, 김용민은 SBS 〈뉴스브리핑〉과 KBS의 〈김용민 라이브〉의 진행을 맡았었죠.

서 민 KBS 〈저널리즘토크쇼J〉 얘기도 해보았으면 해요. 과거에도 미디어비평 프로그램이 있었습니다. 미디어비평은 '조중동'을 많이 다루긴 했지만, 그땐 심각한 왜곡 같은 것을 주로 다뤘는데, 지금 〈저널리즘토크쇼J〉는 언론 왜곡 사례를 비판하는 게 아니라, 다르게 볼 수 있는 사안을 자기들이 믿고 싶은 진실로 선동하는 것 같아요. 예컨대 〈저널리즘토크쇼J〉에서 장자연 씨의 증인이었던 윤지오 씨 이슈를 다룬 적이 있어요. MBC 〈뉴스데스크〉 왕종명 앵커가 윤지오 씨에게 심층 질문을 했거든요. 윤지오 씨가 자신이 장자연 씨와 〈조선일보〉의 관계에 대해 뭔가 아는 것처럼 굴었지만, 실제로 말한 건 없었습니다. MBC에 출연했을 때도 계속 모호하게 말을 돌리니까 답답해진 왕 앵커가 이렇게 말해요. "이 자리에서 말해달라. 우리가 보호해 주겠다." 이런 얘기를 했는데, 윤지오 씨가 헛소리를 합니다. "그러다 내가 고소당하면 나는 더 이상 증인이 아닌, 피고소인으로 전락한다"라는 둥. 말도 안 되는 소리죠. 진실을 밝히겠다고 용기를 내서 우리나라에 왔다는 사람이 고소당하는 게 겁이 나서 말을 못 한다니, 도저히 이해가 안 되는 말이죠. 앵커가 시청자들의 알 권리를 충족시켜 주는 역할을 한다는 점에서 왕 앵커의 질문은 적절했습니다.

그런데 뉴스가 끝난 뒤 후폭풍이 엄청났어요. "왕 앵커 물러나라", "증언자에게 너무 심했다" 이런 여론이 빗발쳤어요. 〈저널리즘토크쇼J〉가 이 사건을 다룬다면, 앵커의 역할은 무엇이고 증인은 또 어때야 하는지 생각해보고 좀 객관적인 이야기를 하는 게 맞지 않습니까. 최소한의 균형은 잡아줘야 하는데, 거기 나온 패널들이 모두 입을 모아 왕종명 앵커를 욕했습니다. 왕 앵커가 "굉장히 부적절하고 무례하다"느니, "그런 행동은 해서는 안 되는 것이었다"느니. '〈조선일보〉를 잡으러 온 것이니 윤지오는 무조건 옳다' 이런 진영 논리의 결과였지요. 그런데 그 뒤 윤지오 씨가 사기꾼임이 드러났단 말이죠. 그럼 〈저널리즘토크쇼J〉에서는 자기 자신에 대한 비판과 함께 윤지오 같은 허술한 사기꾼에게 넘어간 언론에 대해 성찰하는 기회를 마련해주면 좋은데, 그런 게 없습니다.

진중권 이 사람들한테 중요한 건 그런 게 아니니까요. 옛날에는 신나게 욕하다가 나중에 사실이 아닌 걸로 드러나면 미안해하며 자숙의 기간이라도 가졌는데, 이제는 "어휴, 원래는 이길 수도 있는 싸움인데, 저놈들이 내부 총질을 하는 바람에 진 거야." 이렇게 정리가 되는 거예요. 옳은 말 한 사람은 끝까지 재수 없는 놈으로 남는 거죠. 왜냐면 판단의 기준이 진위(眞僞)가 아니라 호오(好惡)로 바뀌었거든요.

서 민 조국 사태 때 언론이 둘로 나눠서 싸우긴 했지만 어떤 특정한 사안은 도저히 변명이 불가능했어요. 아무리 정부 편향 언론이라도 그런 건 그냥 못 본 척하거나 풀이 죽은 채 사실만 간단히 옮기곤 했었는데, 그런 사안에 대해서도 〈아주경제〉는 끝까지 '조국 일가'가 옳다고 우기더라고요. 아예 사실관계를 왜곡하기까지 하는데, 그런데도 문팬들은 〈아주경제〉 기사를 근거로 자기 편을 옹호하더라고요. 그들은 〈아주경제〉 이외의 기사는 다 무시합니다. '믿고 거르는 조중동', '시방새(SBS) 안 사요', '한겨레·경향은 가난한 조중동'. 이렇게 다 빼고 나면 〈아주경제〉와 〈뉴스공장〉만 남는 거죠.

진중권 보통 사람들은 "이러이러한 논거로 인해서 결론은 이것이다"

"

옛날에는 신나게 욕하다가 나중에 사실이 아닌 걸로 드러나면 미안해하며 자숙의 기간이라도 가졌는데, 이제는 "어휴, 원래는 이길 수도 있는 싸움인데, 저놈들이 내부 총질을 하는 바람에 진 거야." 이렇게 정리가 되는 거예요. 옳은 말 한 사람은 끝까지 재수 없는 놈으로 남는 거죠. 왜냐면 판단의 기준이 진위(眞僞)가 아니라 호오(好惡)로 바뀌었거든요.

"

라고 하잖아요. 그런데 우리나라 언론은 논거를 제시하기 전에 이미 결론을 내려놓고 있습니다. 언론은 두 가지 기능을 하는데요. 하나는 팩트를 보도하는 거고, 다른 하나는 어젠다 세팅입니다. 진리에 두 가지 정의가 있습니다. 하나는 대응설적 진리(인식론적 진리)예요. "비가 온다", 진짜 비가 오면 참이죠. 이건 팩트의 문제입니다. 다른 하나는 아직 없는 걸 만드는 게 진리(존재론적 진리)라는 관념입니다. 예를 들어 스티브 잡스가 머릿속에 가지고 있던 게 현실이 됐잖아요. 진리란 이런 식으로 없는 것을 있는 걸로 만들어내는 거라는 겁니다. 이게 존재론적 진리인데, 언론에서 하는 어젠다 세팅이 여기에 해당합니다. 그런데 우리 언론을 보면 이 부분이 과도하게 정치화되어 있어요. 왜냐면 자기들에게 유리한 방향으로 끌고 가게끔 이미 결론이 내려져 있기 때문입니다. 거기에 따라서 자기들에게 유리한 팩트만 보도하고, 유리하지 않은 팩트는 보도하지 않습니다. 동일한 팩트를 보도하더라도 맥락을 이탈시키거나 왜곡시킵니다. 이런 것들을 레거시 미디어 중에서 특히 '조중동'이 심하게 해왔는데, 이제는 그들보다도 심하게 이쪽에서 하고 있는 게 문제입니다.

서 민　언론의 신뢰가 떨어졌기 때문에 소위 뉴미디어, 가령 팟캐스트에서 〈나꼼수〉, 유튜브에서 〈알릴레오〉 등이 등장하는 것은 당연한 귀결이라 생각합니다. 어차피 기성언론들이 '찌라시' 수준의 얘기를 많이 하는데 "그럼 나도 언론일 수 있겠다" 생각하고 〈나꼼수〉, 〈알릴레오〉가 나온 건데요. 그래도 레거시 미디어와 뉴미디어 사이에는 넘을 수 없는 차이가 있지 않습니까?

"진실 따위는 중요하지 않다"

진중권 큰 차이가 있다고 봅니다. 예를 들어 기성언론에 대해 쓰레기라고 하는 건 '경멸어'(pejorative)이지, 사실 판단이 아닌 거예요. 레거시 미디어는 사실이 잘못되면 정정을 한다든지, 아니면 중재 절차를 밟습니다. 데스크에서 스크리닝도 하고, 어느 정도 팩트 체크도 합니다. 그렇지 않으면 소송을 당할 수 있으니까요. 반면 뉴미디어는 그런 절차가 없습니다. 저도 팟캐스트할 때 "우리는 방송심의위원회의 심의규정을 준수하지 않습니다"라고 했단 말이에요. 그럴 의무가 없고 그렇기 때문에 "우리 얘기를 모두 사실로 받아들이지는 마세요"라고 말한 겁니다. 그런데 유시민 씨가 기성언론에 대해 한 얘기를 주관적 경멸어가 아니라 객관적 사실로 둔갑시켜 버리고, 자기들이 말하는 것만이 진리라고 왜곡해버리면서 중세 말 같은 현상이 일어나는 거죠.

재미있는 게 중세 때 교회의 공식 입장은 "마녀는 없다"였습니다. "마녀가 있다"는 주장이 이단이었어요. 왜냐면 이 땅에 하나님 외에 이적(異跡)을 행할 수 있는 존재가 또 있다고 말하는 것 자체가 이단이었단 말이죠. 그런데 흑사병이 돌고 흉작이 들다 보니 그 책임을 떠넘길 희생양이 필요하잖아요. 이때 마녀사냥과 종말론을 밀착시킨 게 정식으로 신학교육을 받지 않은 수도승들이었어요. 이들은 출신 자체가 민중이고 워낙 민중적 언어를 잘 구사하다 보니, 라틴어나 쓰는 성직자나 신학자들과는 비교할 수 없을 정도로 대중적 영향력이 컸습니다. 이들이 민중을 선동하고 다니니, 나중에는 교황청도 180도 입장을 바꾸게 됩니다. 이제는 "마녀가 있다"가 아니라 "마녀가 없다"는 주장이 외려 이단으로 몰리게 됩니다. 그러면서 마녀사냥이 시작된 거죠. 이 역전 현상이 우리 사회에서도 벌어지고 있는 겁니다. 레거시 미디어가 불신을 받고, 〈알릴레오〉나 〈뉴스공장〉과 같은 B급 매체가 신뢰를 받는⋯⋯.

강양구 우리나라가 모든 게 극단적이잖아요. 기존 미디어가 잘못한 것들이 많죠. 여러 불신들을 불러 왔고요. 그러면 이런 레거시 미디어에 대항해 등장하는 소셜 미디어 기반의 여러 '유튜브 언론'은 어떤가? 생각해봐야 합니다. 진 선생님이 말씀하신 것처럼 저널리즘은 기본적인 전제 조건들이 있거든요. 해야 할 일들이 있어요. 팩트의 진위를 확인하고, 팩트의 경중을 따지는 최소한의 큐레이션 즉 데스크 게이트 키핑을 하고, 그것을 보도했을 때 따라오는 여러 반론은 어떻게 할지, 팩트가 틀렸을 때는 어떻게 사회적 책임을 질 것인지, 이때 책임에는 법적, 공적 책임이 다 들어가는 거죠. '유튜브 언론'은 이런 것들로부터 자유롭습니다. 그러니 자기가 믿고, 자기가 알리고 싶은 사실, 만들고 싶은 사실을 마음대로 떠들어도 아무런 문제가 되지 않는 고삐 풀린 말이 되어 버린 거죠.

　미국 역시 트럼프 시대에 그런 문제들이 많잖아요. 〈뉴욕타임스〉에서 오랫동안 서평 전문 기자로 활동하다 퇴직한 일본계 미국인 미치코 가쿠타니라는 분이 있어요. 퓰리처상도 받으셨고요. 이 분이 퇴직한 뒤 맨 먼저 쓴 책이 『진실 따위는 중요하지 않다(The Death of Truth)』예요. 트럼프 이전에도 가짜 뉴스와 혐오 발언은 존재했지만, '트럼프가 가짜와 혐오를 주류 사회로 끌고 왔고 거짓은 더 이상 스스로를 부끄러워하지 않게 되었다'고 비판하는 책을 쓴 겁니다. 미치코 가쿠타니 입장에서 미국의 기성언론에 대해 쓴소리를 하고 싶은 마음이 왜 없겠어요. 기자 후배들이 마음에 안 드는 구석이 왜 없겠어요. 그래도 자신의 책을 "어디서든 뉴스를 알리려 애쓰는 저널리스트들을 위해" 바친다고 썼어요.

　저는 이게 정답이란 생각이 들어요. 기존 미디어가 문제라면 어떤 보도 행태가 잘못됐는지, 이런 상황으로 몰고 간 기자들은 누구인지 실명 비판하고, 그 다음에 잘하는 부분을 키워주면 되는 거잖아요. 그래서 안티조선운동에서 '조중동'으로 대변되는 족벌언론들을 비판하면서 "한겨레, 경향신문을 키워야 한다, 대안언론을 키워야 한다" 이런 말이 나온 거 아닙니까. 그런 흐름 속에서 1988년 〈한겨레〉가 창간되고 2000년대 들어서는 〈오마이뉴스〉, 〈프레시안〉 같은 매체들이 등장해서 어느 기간 동안은 일정 부분 긍정적인 역할을 했잖아요. 그런 식으로 가야 되는 거죠. 한국에서 언론을 통한 공론장 형성이 왜 이렇게 엉터리가 되었는지에 대한 문제의식이 있다면, 그 언론을 제대로 만들어 건강한 공론장을 어떻게 다시 만들 수 있을지에 대해 고민해야 하는 것 아닐까요. 균형 잡는답시고 더 엉터리 더 엉터리……. 그런 상황이 되면 그 공론장 안에서 그나마 합리적이고, 건강한 목소리를 냈던 저널리스트들이 있는데 그들이 마녀사냥 당해요. 그게 지금 현실입니다.

진중권 유시민 씨가 했던 일이 그거예요. 〈경향신문〉 유희곤 기자를 마녀사냥했고, 그 다음에는 말 한 마디로 KBS 법조팀을 날려 버렸잖아요. 무서운 사람입니다.

강양구 KBS 김귀수 법조팀장, 성재호 사회부장은 이명박-박근혜 9년 동안 고생한 언론인이에요. KBS에서 정통 저널리즘을 구현하려고 노력한 실력 있는 저널리스트인데 날려버린 거죠.

진중권 다 '기레기'라 부르고 있잖아요. 그러니까 아까 '경멸어' 얘기했잖아요. 그게 무슨 얘기냐 하면 이런 겁니다. 가령 내가 친구 보고 "이 개새끼야"라고 했을 때, 그가 정말 생물학적 개라고 주장한 건 아니거든요. 근데 그런 식으로 왜곡하는 거예요. '기레기'라는 경멸적 표현을 그대로 사실 판단으로 둔갑시켜 버리는 거죠. 언론에 더러 문제가 있지요. 하지만 그렇다고 자기들이 그 언론들보다 나은 건 아니거든요. 그런데 애먼 언론들을 쓰레기로 만들어 놓고, 깜냥도 안 되는 이들이 '참' 언론인 행세를 하고 있어요. 그것이 가장 큰 문제입니다. 이 전도된 세계의 원인이 거기 있는 거죠.

거짓 등가성의 오류

서 민 종합편성채널, 종편이 나오고 나서 극우 보수 패널들 불러서 하루 종일 정치쇼 하지 않았습니까. 그 뒤 뉴스와 예능의 조합이 대세 프로그램이 됐고, 공중파 TV들도 앞다투어 비슷한 프로그램을 만들어요. 주진우의 〈스트레이트〉나 〈김어준의 블랙하우스〉 같은 게 대표적인데, 이들이 종편을 욕할 처지가 못 되는 게 정권 편만 일방적으로 들고 있잖습니까. 주진우의 〈스트레이트〉가 웃겼던 게, 조국 교수 딸을 검찰이 수사할 때 문팬들이 주로 한 얘기가 뭐냐면 "나경원 아들은 왜 조사를 안 하냐?" 이렇게 물타기가 들어갔단 말이죠. 그런데 〈스트레이트〉에서 진짜 나경원 전 의원 아들에 대해 다룹니다. 뭔가 심각한 문제가 있는 것처럼 보도를 했단 말이에요. 의사가 될 실력이 안 돼서 증명서를 위조해야 했던 조국 전 장관 딸에 비하면 나경원 전 의원 아들은 특권층이 받을 수 있는 특혜에 불과한 데 말입니다. 물론 그런 것도 문제이긴 합니다만, 그래도 위조 같은 행위에 비할 바는 아니거든요.

진중권 주진우 씨는 솔직히 기자로서 자질이 의심스러운 사람입니다. 진실을 추구하고 사실을 보도하는 기자라기보다는 기사를 정치적 공격 무기로 활용해 정적을 끝까지 물고 늘어지는 사냥개 스타일이라고 할까. 이런 스타일이 MB를 만나서 갑자기 인기가 올라갔어요. 다시 논점으로 돌아가, 사실 두 개의 틀림이 하나의 올바름을 만들어내지는 못하는 거잖아요. 그 상황 속에서 언론은 어떤 걸 다뤄야 하는 걸까요? 나경원의 아들이냐? 조국의 딸이냐? 대답은 분명하죠. 지금 인사 청문회의 대상이 되고 있는 게 누구인가? 이렇게 물으면 자연스레 답이 나오잖아요.

__강양구__ 아! 이것을 조국 지지자들은 이해 못 하더라고요. "아니, 왜 강 기자는 나경원 아들은 언급 안 해?" 지금 나경원 아들을 왜 언급해요? 나경원이 법무부 장관되면 그때 언급하면 되잖아요. 이런 어처구니없는 행태를 거짓 등가성이라고 부르는데요. 저널리스트들이 균형을 진실과, 의도적인 중립성을 정확성과 혼동하고, '양측'을 모두 보여주라는 압력에 굴복한 결과인 거죠.

__김경율__ 아까 KBS 사회부장 성재호 기자와 관련해서요. KBS 기자를 제일 욕보인 게 〈뉴스타파〉에서 KBS에 복귀하신 분들이에요. KBS 내에서 이분들이 가장 극악하게 법조팀을 징계하고 있었거든요. 강양구 기자님이 말한 '조국 딸과 나경원 아들'의 거짓 등가성이 일반인들의 시각일 뿐만 아니라 〈뉴스타파〉의 시각이기도 해요. 제가 〈뉴스타파〉 회계 금융 이슈에 대해 많은 자문을 했었는데요. 당

시 저의 텔레그램 메신저로 〈뉴스타파〉에서 보내온 게 나경원 전 의원 관련 여러 서류나 문건이었어요. 박근혜 정권에서 언론 민주화 투쟁의 최전선에 섰던 그 사람들이 지금 적극적으로 나서서 그런 행각을 벌인다는 게 비참하더라고요.

서 민　〈스트레이트〉가 그 전에 조국 전 장관 딸 비판하던 프로라면, 나경원 전 의원 아들을 비판해도 균형 감각이 맞을 수도 있는데 그런 것도 아니잖아요.

진중권　조국 딸, 아들에 대해서 그 동안 전혀 보도한 적 없는데, 나경원 아들 건은 왜 갑자기 들고 나오는 건지.

강양구　제가 계속 강조했었던 게 그거였어요. 가끔 인권 따지기 좋아하는 법학자(대개는 조국 전 장관과 친분이 있었던 이들이죠)도 헷갈리는 글을 올려서 답답한데요. 그때 상황은 이랬어요. 문재인 대통령이 민정수석을 법무부 장관으로 임명하면서 인사 청문회를 앞두고 야당과 언론에서 의혹을 제기했고, 당시 조국 후보자는 그 의혹에 명확한 답변을 하지 못했습니다. 그 와중에 10여 건의 고소, 고발이 검찰에 의뢰된 상태였죠. 그때 검찰이 '정치적으로 판단해' 수사를 미루는 게 맞았을까요?
　　　예를 들어, 여야가 바뀌었다면, 그래서 박근혜 전 대통령이 우병우 전 민정수석을 법무부 장관으로 임명했을 때, 비슷한 이슈가 터지고 10여 건의 고소, 고발이 검찰에 의뢰된 상태였다고 가정해 봐요. 그때 만약 검찰이 압수 수색을 비롯한 아무런 조치를 하지 않았다면 지금 조국 전 장관의 검찰 수사에 분노하는 이들의 반응은 어땠을까요? 역지사지(易地思之)란, 이럴 때 해보라고 있는 옛 지혜죠. 실제로 경험도 했었잖아요. 우병우 수석 아들 사건. "우병우 아들이 코너링이 좋아서 운전병으로 뽑았다"는 의혹이 제기되어 지금 조국 전 장관을 옹호하는 분들이 분노했었죠. 사실 우병우 수석 아들 사건, 법적으로 근거 없는 걸로 나왔어요. 그때도 여러 언론이 아니면 말고 식으로 비판 기사 많이 썼습니다. 그때 누가 "왜 우병우만 비판하냐? 왜 조국은 안 파냐?" 이런 식으로 반문하면 "무슨 한심한 소리 하냐" 그럴 거 아니에요? 똑같은 상황이죠.

진중권 논리가 먹히질 않아요. 사람들을 세뇌시켜서 지금 이게 문제라니까.

강양구 2003년부터 지금까지 기자 생활을 하면서 저에 대한 독자의 평가가 정신분열증에 걸릴 정도로 극단을 오가요. 노무현 정부 때, 정부가 전폭적으로 황우석 박사를 지지할 때 그를 비판하니까 요즘 말로 '참기레기'가 되었죠. 그러다 황 박사의 연구가 사기극으로 밝혀지니까 '술 한 잔 사주고 싶은 기자'가 되었어요. '참기자'가 된 거죠. 노무현 정부 때 한미자유무역협정(FTA)을 반대하는 기사를 썼더니 '참기레기', 똑같은 내용을 이명박 정부 때 쓰면 '참기자'. 마찬가지예요. 조국 사태 때 조국 전 장관을 비판했더니 '참기레기', 최근 코로나19가 유행할 때 자기들한테 도움이 되는 글을 쓰면 '참기자'. 그러다가 김준일 기자가 진행하는 국민TV 〈핫 6〉에 출연했을 때, 김 기자가 "강양구 기자는 조국을 싫어하는 대표 기자"라고 말하자, 댓글에 곧바로 '기레기' 소리가 나오더라고요. 하도 많이 당해서 이제는 헛웃음만 나옵니다.

서 민 언론의 고유 기능이 정권 비판 맞죠? 참여정부 때는 진보언론들도 나름대로 비판을 잘한 거 같은데요. 보수와 진보 모두 노무현 대통령을 욕하니까 "이게 다 노무현 때문이다"는 말이 유행하기도 했습니다.

강양구 노무현 정부, 노무현 대통령의 긍정적인 측면이 많았죠. 하지만 사실 잘못한 측면도 있잖아요. 그런 것들은 당연히 비판을 했었어야 했고요.

진중권 저는 비판 많이 했어요. 그런데 그 사람들은 그 비판들 때문에 돌아가신 거 아니냐. 이런 식으로 얘기를 한단 말이죠. 노무현 대통령의 죽음 자체를 잘못 받아들이지 않았나 싶어요.

서 민 지금은 우리 편, 다른 편 나눠 우리 편은 무조건 지킨다. 이렇게 되니…….

강양구 대담 시작할 때 말씀드렸듯이 '언론이란 무엇인가'에 대한 근본적인 사회적 합의가 무너져 버렸어요.

나꼼수 모델

서 민 규모는 좀 다르지만 박근혜 정부 때 '세월호 사건'이 있었고, 문재인 정부 초기에 '제천 화재 사건'이 있지 않았습니까. 수십 명이 사망했고 소방관의 아쉬운 대처가 있었는데, 죽음을 대하는 태도가 언론이나 네티즌들이 많이 다른 거 같아요. 예를 들면 〈클리앙〉에서는 "세월호 사건은 여전히 해결되지 않는 미완의 과제이고 박근혜 정부가 고의로 침몰시킨 걸 규명해야 된다" 그런 소리를 하면서 '제천 화재 사건'에 대해서는 "제천 화재 유가족들은 돈밖에 모르는 애들이다" 이렇게 얘기하고, 비하하는 일을 서슴지 않더라고요. 똑같은 죽음인데 어느 정권에서 일어난 일인가에 따라 대응이 다릅니다.

진중권 심지어 세월호 고의 침몰 드라마를 믿는 사람이 있더라고요. 강연하면서 이 이야기를 예로 들어 말도 안 되는 얘기라고 하면 사람들이 "헉! 그게 가짜예요?" 내가 놀라서 "상상을 해 보세요. 박근혜 대통령이 뭐 하러 세월호를 침몰시켜요?" 인신공양설, 김어준 씨가 그걸 한 거예요. 음모론의 가장 극악한 형태를 보여준 건데 그걸 믿는 사람들이 아직도 있더라고요.

서 민 〈그날 바다〉라는 영화로까지 나왔고. 그게 굉장히 히트쳤죠.

진중권 최근 발표된 2탄 〈유령선〉에서는 세월호 항적을 속이려고 무려 1,000여 척의 선박데이터를 조작했다는 더 대담한 상상력을 펼치더라고요. 이런 음모론들은 인간의 의식을 과학에서 이야기의 시대로 되돌려 보낸 것인데, 이것은 단순한 퇴행이 아니에요. 현대의 음모론은 '과학 이후'의 이야기라, 고대의 신화와 달리 나름 합리적 추론과 과학적 논증의 '외양'을 갖추고 나타나기 때문입니다. 물론 합리적으로 사유하는 이들에게 그것들은 그저 사이비 논증과 엉터리 추론에 불과하지만, 거기에 빠진 대중을 설득하기 위해 그 오류를 일일이 지적하는 것은 매우 번거롭고 피곤한 일이죠.

서 민 언론 통제 부문으로 넘어가 볼게요. 예전에 〈세계일보〉의 정윤회 문건 유출 파동이 있었습니다. 최순실 씨와 그의 남편인 정윤회 씨가 국정에 개입했다는 내부문건을 〈세계일보〉가 입수해 보도했는데요, 그때 정권의 대응은 이랬습니다. 첫째, 유출된 문건을 '찌라시'로 폄하하고 문건 작성자인 박관천 경정을 구속시킨다. 둘째, 비슷한 시기에 발생한 대한항공의 '땅콩회항'을 대대적으로 보도한다. 셋째, 〈세계일보〉에 대한 세무조사. 이런 게 우리가 흔히 아는 언론 탄압이지 않습니까. 그런데 이것들 말고도 다른 언론 탄압도 있었습니다. 대중에 의한 언론 탄압이라고, 2005년 황우석 사태 때 처음 등장했는데요. 그때 진 선생님은 강의 때 황빠들한테 갇히고 그랬지 않습니까? 강 기자님 같은 경우는 쓰신 책 보니까 혈서도 받았다고 써 있더군요.

'문팬'의 계보학

강양구 황우석 사태가 한창이던 11월의 어느 날, 샌프란시스코에서 국제 우편이 하나 제 앞으로 배달되었더라고요. 궁금증 반 긴장감 반에 편지를 열었더니 하얀 종이에 핏빛 글씨가 가득했습니다. 성분 분석은 안 해 봤지만 검붉은 색이 피처럼 보이더라고요. "개양구, 너와 네 가족은 교통사고로… 뇌수가…" 어쩌고 하는 유치한 '행운의 편지' 수준의 내용이었지만, 순간 모골이 섬뜩했습니다. 그때부터였는데, 당시 제가 살던 연립주택으로 가는 지름길인 골목길을 더 이상 다니지 못 하겠더라구요. 골목길 모퉁이를 돌 때마다, 해코지를 당할까 봐 무서워서요.

진중권 당시 무서웠던 건 뭐냐면 황빠들에 의해 강의장에 갇힌 다음 날 아침에 제가 방송이 있었어요. 그때 경찰 2개 중대가 와서 같이 나가는데, 달리는 차 앞으로 몸을 던지는 거예요. (그때 분신도 두 명이나 했잖아요.) 거기에는 과거 NL(민족해방)계열, PD(민중민주)계열의 운동권 출신 황빠들도 있었는데, NL계열들은 "선생님도 운동하셨죠? 그때 우리 운동의 목적이 무엇이었습니까? 민족 자주화 운동 아니었습니까? 미제가 우리의 기술을 빼앗으려고 하는데 선생님이 어떻게 앞장서서 미제를 도울 수 있는 겁니까?" 하는데 황당하더라고요. 스님도 있었어요. 강연하는데 바로 앞에서 계속 목탁을 두드려요. 강의실 밖에서는 창문마다 사람들이 붙어서 욕하고, 계속 창문을 두드리고.

서 민 그 당시 황우석에 대해서 하는 말 중에 "미국에서 60조 준다고 했는데 황우석은 가지 않았다. 애국자이기 때문에 안 갔다" 이런 얘기도 있었어요. 과학자가 국가로부터 버림받았다 하더라도 능력이 있으면 바로 스카우트 되어 다른 나라로 갈 수 있습니다. 그런데 아무도 안 부르지 않습니까. 황우석 박사가 코요테 복제한 거 아시죠? 코요테 복제해서 황빠들이 난리 났었는데, 사실 미국에서 코요테는 너무 많아서 처치 곤란한 종이에요. 복제할 이유가 없는 거죠.

그분이 최근에는 맘모스 복제한다고 하던데, 왜 그러냐면 뉴스가 되기 때문이에요. 사실 맘모스 복제는 원천적으로 불가능합니다. 시베리아에 냉동된 채 묻혀 있는 맘모스 시체에서 조직을 채취해 복제한다는 건데, 그것도 말이 안 되는 거지만 이걸 복제하려면 코끼리 대리모를 써야 합니다. 코끼리와 맘모스는 종보다도 더 위 단계인 '속'이 달라서 가능성이 희박하기도 하고, 코끼리를 원하는 만큼 조달하는 것도 쉬운 일이 아닙니다. 그런데도 황우석 박사가 맘모스에 집착하는 건 뉴스를 통해 자신이 건재하다는 사실을 황빠들에게 전하기 위해서인거죠. 황우석 박사가 진짜 원천 기술이 있다면 줄기세포를 만들어서 재기하는 게 맞지, 맘모스 복제 같은 허황된 일에 매달리는 건 아니라고 생각해요. 그런데 황빠들이 맘모스 같은 뉴스에 열광하니, 계속 그리로 가는 거죠. 저는 황우석 사태를 보면서 이런 일이 우리나라에서는 다시 일어나지 않아야 한다고 생각했는데 똑같은 일이 문팬들 사이에서 벌어지고 있더라고요.

강양구 노무현 정부 때 노빠들과 황빠들이 많이 겹쳤어요. 그들 중에서 여전히 황우석 박사에 기대를 가지고 있는 분들이 지금도 있거든요. 그런 분들 가운데 이른바 문팬도 많죠.

진중권 황빠들 중에서 가장 극렬한 사람들이 노빠였어요.

강양구 당시 대표적인 황빠가 김어준 씨잖아요. 끝까지 반성하지 않았던 황빠가 김어준 씨였어요.(웃음)

진중권 "언어가 말을 한다(Die Sprache spricht.)" 하이데거의 말입니다. 사람들이 자기 생각을 하는 게 아니라, 어떤 프레임을 받아들이면 계속 그 프레임이 허용하는 말만 하게 된다는 거죠. 사람이 말하는 게 아니라, 뇌에 입력된 프레임이 그의 입을 움직이는 거죠. 또 하이데거는 "민중은 항상 창작을 한다(Das Volk dichtet.)"는 말도 했어요. 민중은 늘 이야기를 창작하고 싶어 합니다. 심지어 과학의 시대에도 민중은 모든 것을 스토리텔링으로 번안해, 그것을 현실로 여기고 싶어 합니다. 과학적 설명은 너무 복잡하고 짜증나잖아요. 게다가 현실은 그렇게 단순하지가 않잖아요. 그런데 이야기는 아주 단순하거든요. 그래서 황우석 때도 그런 이야기를 만들어낸 거고, 조국 때도 이런 얘기를 만들어낸 겁니다. 그러니까 아주 복잡한 두뇌 작용을 요구하는 현실에 대한 인식을 쉽고 재미있는 이야기로 대체하는 것. 이것은 사실 문자문화 이전 구술문화에 살던 사람들이 가졌던 특성입니다.

서 민　산부인과 교수님 말씀에 의하면, 황우석이 줄기세포를 만들 때 난자를 많이 사용하지 않았습니까? 그 난자는 산부인과병원에서 채취한 난자거든요. 아이를 갖고 싶은 불임부부의 여성이 고생해서 뽑은 거죠. 그런데 그 난자를 동의도 받지 않은 채 황우석에게 준 겁니다. 더 심각한 건 그 난자들 중 상태가 좋은 걸 줬다는 겁니다. 이건 윤리 위반이 아닌, 범죄죠.

진중권　그걸 병원에서 다 제공해준 거고. 그들은 서른 살이 넘은 여성들의 난자는 '쉰 난자'라고 했대요. 이십 대의 난자는 싱싱한 난자. 이걸 주로 시험했었고, 서른 살 넘은 여성들의 난자는 연습용으로 줬다고 합니다. 폭로자가 그걸 가지고 복제배아를 만드는 핵 이식 과정에서 우발적으로 줄기세포가 만들어진 거라고 보고를 했대요, 황우석한테. 어쩌다 이런 게 생겼는데 처녀생식(parthenogenesis)으로 보이니, 일단 테라토마(teratoma)인가 뭔가 검사를 해보라고 했답니다. 그런데 며칠 뒤에 갑자기 황우석이 실제로 줄기세포가 수립됐다고 발표를 한 거예요. 그때는 제보자도 '정말 수립됐나 보다' 생각을 했답니다. 그런데 과학적 실험이란 게 재현 가능해야 하잖아요. 그걸 만든 자기도 어떻게 했는지도 모르는데, 얼마 후 황우석이 느닷없이 줄기세포를 새로 열한 개를 만들었다고 발표했다는 겁니다. 그 순간 사기라는 걸 알았답니다. 만든 사람도 어떻게 만들었는지 모르는데, 그걸 열한 개를 만들었다고 하니.

서 민 줄기세포가 모조리 가짜였기에 망정이지, 한 개라도 진짜였으면 그 후로 십년 넘게 여자들이 난자 뽑으러 다녔을 거예요. 이게 정말 무서운 일인 게, 난자 채취는 정자 뽑는 것과 다르게 부작용도 상당하고 후유증도 남거든요.

진중권 어느 날 한 여성연구원이 배양접시를 실수로 엎었대요. 그랬더니 황우석이 그 귀한 난자를 왜 엎었냐고 "네 것을 뽑아서 다시 하라"고 해서, 연구원이 자기 난자에 자기가 주사 바늘을 꽂는 일도 있었답니다.

서 민 연구에서 윤리라는 것도 굉장히 중요한 건데. 그 당시 우리나라는 목적이 좋다면 윤리 따위는 무시해도 좋다는 분위기였죠.

강양구 아까 김어준 씨가 황우석 사태 당시 끝까지 반성하지 않았던 사람이라고 했잖아요? 2006년 2월에 썼던 아주 인상적인 글이 있어요. 지금의 김어준 씨를 예고하는 글이죠. 그때는 이미 황우석 사태의 진실이 다 밝혀진 뒤예요. 그런데도, 이 분은 황우석을 옹호했으면서도 '미안하다'는 소리 한 번 안 했고 오히려 이렇게 얘기했습니다. 그 중 한 대목만 인용할게요.

"황우석이 외친 국익이 과거 위정자나 자본가들의 허구와 어찌 그리 손쉽게 등가인가. 자신들의 공부는 사기꾼처럼 생겼다는 인상비평 수준에 머물면서 그의 생래적, 기질적 보수성에 어찌 그리 자신 있게 시대착오적 몰지성이란 딱지 붙이는가. 그 진정성을 왜 인정해줄 수 없는가. 그 진정성을 인정해준다 해서 그 과를 덮자는 것도 아닌데 말이다.

게다가 사건 이면에 작동하는 기득의 역학은 정말 꼼꼼히 따져보기는 하고 그리 자신 있는가 말이다. 어느 새 서울대가 피해자가 되고 미국이 정의가 되고 방송국이 약자가 되는 구도에 진보진영이 절대 기여하는 이 웃지 못 할 아이러니의 자초지종은 정말 제대로 헤아려보기는 했는가 말이다.

정치하지 못한 대중 언어와 세련되지 못한 대중 액션을 오로지 파쇼의 그것으로 해석하고 말아버리는 나태와 오만은 사태 초기 토해놓은 스스로의 말들 때문인가. 그거야 말로 진보진영이 그리도

학을 떼던 극우 꼴통의 단골 코스 아니던가. (…) 그래서 쓰고 또 쓴다. 내가 범 '우리 편'이라 굳건히 믿는 한겨레, 오마이, 프레시안의 늙은 진보가 슬프다. 그래서 쓰고 또 쓴다. 황우석 구실 삼아 쓰고 또 쓴다." ▶

　　　이게 〈나꼼수〉 나오기 5년 전에 쓴 글인데요. 김어준이 세상을 어떻게 바라보는지 담겨 있죠. 김어준 씨, 〈나꼼수〉 그리고 '나꼼수'에 열광하는 이들의 세계관이 요약되어 있는 글입니다.

진중권　제 경우 지금의 위험을 처음 봤던 것은, 진보진영의 가치 기준이 무너진 최초의 사건, 바로 곽노현 교육감 때였어요. 결정적이었어요. 나쁜 짓을 했거든. 그럼 정리를 해야 하는데 "그가 우리 편이니까 무조건 지켜 줘야 된다"면서 앞으로 전진. 그때 이미 진보의 가치는 무너지기 시작한 것이고, 그 일이 조국 사태에서 더 큰 스케일로 반복된 것뿐입니다.

서 민　사람들이 곽노현 사건은 이제 잘 기억 못하잖아요. 사건을 정리하자면 곽노현 교수가 서울시 교육감 선거에서 돈을 주고 후보를 사퇴시켜 결국 진보단일 후보로 교육감이 된 거 아닙니까. 그리고 대법 판결을 받고 그만뒀죠. 감옥에도 갔었죠?

▶　〈딴지일보〉, 2006. 02. 23, 김어준, 「황우석 보도 유감」.

진중권 감옥도 가고, 문제는 추징금이 엄청 났어요. 그때도 이거 지금 그만둬야 한다고 했고, 내가 〈나꼼수〉와 처음 싸웠던 게 바로 이 문제예요.

서 민 그땐 정권을 잡기 전이었기 때문에 그런 편들어주기가 이해되는 측면이 있었단 말이죠. 그런데 지금은 자기들이 입법, 사법, 행정 다 가졌으면서도 계속 피해자 코스프레하면서 우리 편 지켜야 한다고 하니.

진중권 황우석 사태 때 이미 "진위는 중요하지 않다"는 나꼼수 철학이 만들어진 것이고. "선악도 중요하지 않다"는 게 곽노현 사건 때 만들어진 거죠. 우리 편을 위해서 진실은 왜곡해도 되는 것이고, 우리 편을 위해서 선악의 기준은 버려도 된다는 포맷. 그것이 문재인 정권의 권력과 만나 증폭되면서 미증유의 사태가 벌어진 겁니다.

강양구 지금 방송 나와서 목소리 높이는 변호사가 여럿이에요. 다들 알 만한 이들인데 이름도 언급할까요?(웃음) 가끔 그들의 헛소리를 듣다 보면, '저들이 정말로 저렇게 생각할까' 하는 의심이 들 때가 있어요. 그냥 이 정부의 열성 지지자가 듣기 좋은 소리를 들려주는 거예요. '나꼼수'가 롤 모델이니까요. 저런 식으로 하면 방송국에서 불러주고, 팬덤도 생기고, 그러다 운이 좋으면 청와대도 들어갈 수 있고, 공천도 받을 수 있고. 이런 학습 효과도 있겠죠. 진중권, 김경율,

"

황우석 사태 때 이미 "진위는 중요하지 않다"는 나꼼수 철학이 만들어진 것이고. "선악도 중요하지 않다"는 게 곽노현 사건 때 만들어진 거죠. 우리 편을 위해서 진실은 왜곡해도 되는 것이고, 우리 편을 위해서 선악의 기준은 버려도 된다는 포맷. 그것이 문재인 정권의 권력과 만나 증폭되면서 미증유의 사태가 벌어진 겁니다.

"

서민처럼 하면, 집단 따돌림 당하고, 방송에서도 안 불러주고, 책 판매도 반으로 깎이고.(웃음)

김경율 〈뉴스타파〉 있을 때 협업도 많이 했던 제가 상당히 좋아하는 기자가 있는데, 페이스북을 보면 '어떻게 하면 자기 순위를 올릴까' 그런 글들 많이 썼어요. 라디오 청취율 순위를 어떻게 하면 올릴까? 그런데 그 방법이란 게 결국은 〈나꼼수〉, 〈뉴스공장〉과 같은 거죠.

서 민 네, 두 분 선생님들 말씀 잘 들었습니다. 마지막으로 자본을 비롯해 대중에 의한 언론 통제 얘기를 하면서 지식인의 역할과 언론의 미래에 대해서 말씀해주시면 좋겠습니다.

미디어와 지식 시장의 소비자들

강양구 새삼스럽게 고백을 하자면, 대학교 다닐 때 학생운동을 했어요. 얼마 전에 우연히 심상정 정의당 대표 차를 얻어 탄 적이 있었는데, 이런저런 이야기를 하다가 모교의 민주노동당 학생위원회 준비위원장이 저였다는 사실을 알고는 깜짝 놀라더라고요. 민주노동당 학생위원회를 후배들과 만든 게 대학 졸업하기 직전에 마지막으로 한 일이었습니다. 그 경험 때문이었겠죠. 사회 초년생 시절까지도 대중이 만들어가는, 민중이 만들어가는 역사의 방향에 대한 신뢰 같은 게 있었죠. 지금도 저는 여전히 민주주의자고, 민중에 대한 신뢰를 잃지 않으려고 노력합니다.

하지만 황우석 사태를 온몸으로 겪으면서 '때로는 대중과 싸워야 할 때도 있구나' 이런 점을 뼈저리게 느꼈습니다. 지식인이라는 정체성을 가지고 있는 사람은 때로는 대중과도 싸울 수 있어야 하고, 그들이 원하는 방향을 놓고서도 "노(NO)"라고 할 수 있어야 합니다. 이것이 저널리스트, 지식인이 해야 할 중요한 역할이 아닐까요. 그 뒤로는 모든 사람이 열광하고, 한 쪽 방향을 바라볼 때 '꼭 저 방향이 아닐 수도 있지 않을까' 한 번쯤은 회의를 해 봅니다. 그런데 자꾸 그렇게 회의를 해야 할 일이 계속 늘어나고 있어요. 언제부턴가 한국의 정치 현실에서 빼놓을 수 없는 '빠 문화'와 줄기차게 불화해 왔고요. 최근의 조국 사태도 그 연장선상에 놓여 있는 일이죠.

이것과 관련해서 대안 미디어를 놓고서도 여러 고민이 듭니다. 한때 많은 사람들이 이렇게 생각을 했었어요. 사주가 없는 미디어, 독자가 주인인 미디어는 정치 권력이나 자본 권력으로부터 자유로울 수 있지 않을까란 생각을 했었던 거죠. 그러면서 국민이 주주인 〈한겨레〉가 창간됐고, 시민들이 구독료를 주는 〈오마이뉴스〉 같은 모델도 만들어졌고, 시민이 직접 주인이 되면 어떨까 해서 〈프레시안〉이 협동조합으로 전환하기도 했습니다. 그 협동조합 전환을 앞장서 했던 기자가 저였고요. 저도 〈프레시안〉 다니면서 10년간 박봉을 쪼개서 매월 50만 원씩 부었던 적금을 타자마자 5천만 원을 협동조합 출자금으로 넣었죠.

현재 〈경향신문〉, 〈한겨레〉, 〈프레시안〉, 〈오마이뉴스〉 그리고 〈뉴스타파〉 등등의 많은 대안 언론들의 수익 구성을 보면 두 축으로 이루어져 있는데요. 하나는 대기업들이 주는 광고나 협찬이고 다른 하나는 구독료나 후원입니다. 그런데 양쪽 다 문제가 있는 거예요. 대기업 광고나 협찬이 가지고 있는 문제는 너무나 큽니다. 특히 삼성! 삼성이 광고나 협찬을 끊어버려도 보수언론은 진보언론 만큼 치명적인 타격을 입지는 않아요. 보수언론은 삼성을 제외하고도 다른 기업의 광고나 협찬이 있으니까요. 그래서 삼성이 광고나 협찬을 끊어도 숨은 쉴 수 있습니다. 하지만 많은 진보언론은 광고나 협찬 매출에서 삼성이 차지하는 비중이 너무나 높기 때문에 삼성 광고와 협찬이 끊기면 정상적인 회사 운영이 안 될 정도예요. 그렇기 때문에 많은 진보언론들이 삼성을 비판하는 것 같지만 그 비판 수위를 항상 조절합니다. 진보언론과 삼성 관련해서 계속해서 이슈가 나오는 것도 그런 거 때문이에요. 예를 들어 중도 정론 주간지를 지향했던 〈시사저널〉이 삼성 기사를 제대로 쓰지 못해서 문 닫고, 팀원들이 나와서 〈시사IN〉이 만들어진 것도 그것 때문이고.

진중권 나 그때 〈시사IN〉에 1천만 원 냈어. 그때만 해도 그게 내가 가진 돈의 전부였어. 아직도 어디에 주식이 있을 텐데.

서 민 철학자 김상봉 교수도 〈경향신문〉에 삼성 비판하는 글을 보냈는데 안 실렸죠.

강양구 그런 일들이 반복되는 것도 삼성 광고가 우리나라 언론, 특히 진보언론의 수익에서 차지하는 비중이 매우 크기 때문에 생기는 일이죠. 그런데 똑같은 일이 대중들의 압력에서도 생깁니다. 구매력을 갖춘 소비자들이 '깨시민'이라고 자신들을 호칭하면서 자기들 입맛에 맞지 않는 뉴스를 내보내거나, 자신들 입맛에 맞지 않는 어젠다를 내세우면 구독을 끊는 것으로 응징합니다.

　　예를 들면 〈뉴스타파〉 같은 경우에도 2019년 7월 윤석열 검찰총장 후보자 인사청문회 '위증' 관련된 통화 녹음 파일을 공개했다가 3천여 명이 후원을 끊었어요. 요즘에는 문팬들에게 윤석열 총장은 주적이지만, 당시만 하더라도 문팬들 사이에서 인기가 엄청 났거든요. 〈한겨레21〉 편집장이었던 안수찬 기자도 자신의 페이스북에 '덤벼라 문빠들'이라고 썼다가 〈한겨레21〉 구독자 수천 명이 빠져나갔죠. 결국 〈한겨레〉 신문은 홈페이지를 통해 사과문을 게재하고 안수찬 기자에게 '엄중 경고' 처분을 내렸고 안수찬 기자 역시 사과를 했습니다. 이 사과 게시물에도 댓글이 엄청 달렸고요.

　　수틀리면 구독 끊는 인원이 한 3천 명 정도 되는 거 같아요. 1만 원씩 내는 사람 3천 명이 순식간에 빠져 나가버리면 월 3천만 원이 빠져나가는 거예요. 그리고 〈한겨레21〉의 경우엔 1년 구독료가 18만 원 정도 되는데, 정기 구독자 3천 명이 빠져나가면 경영 차원에서 상당한 타격인거죠.

서 민 〈시사IN〉도 메갈리아를 옹호했다고 몇 천 명 구독 해지가 됐습니다. 이런 구독 취소가 해당 언론에는 상당한 압박으로 작용하는 거죠.

강양구 삼성 광고 때문에 삼성 눈치를 보느라 삼성에 대해 비판의 날을 세우지 못하는 것처럼, 구독 취소가 무서워서 구독자들의 상당 부분을 차지하고 있는 이른바 '빠'들의 눈치를 볼 수밖에 없는 상황이 지금 한국 언론의 현실입니다. 최근에 언론운동과 대안매체를 만드는 양쪽에서 중요한 역할을 했던 선배 언론인과 속이야기를 나눌 기회가 있었어요. 자신이 그런 매체를 주도해서 만들어서 중요한 성과를 냈음에도, 시민들의 자발적 구독 모델이 과연 맞았나, 하면서 회의를 하더라고요. 그러면 대안은 건강한 스폰서십이죠. 하지만 그런 건강한 스폰서십이란 게 우리나라에서 구현된 적이 없잖아요. 재력가의 돈으로 만들어진 독립 재단이 언론사를 후원하는 미국에서도 스폰서로부터의 영향을 완전히 차단하지는 못해요. 우리나라는 돈 대는 재력가가 끊임없이 자신의 영향력을 확인하고 싶어 할 테고요. 어려운 문제입니다.

진중권 디지털 시대는 커뮤니케이션 자체가 수평적 소통이에요. 그러다 보니 대중이 대두할 수밖에 없는 거예요. 대중은 단지 소비자가 아니에요. 발터 벤야민이 1930년대 얘기했듯이 "오늘날 글 쓰는 사람치고 자기 말을 공론화 못할 사람이 없다." 그러니까 엄청난 변화죠. 대중이 기자가 되고, 저자가 되고, 방송사가 되었어요. 문제는 이 대중이 파시스트적 추적군중이 될 수도 있고, 자율주의적 다중이 될 수도 있습니다. 이 자율주의적 다중이 이상적이에요. 그런데 지금은 파시스트 추적군중으로 완전히 굳어져 버렸단 말이에요.

강양구 소셜 미디어가 그런 것을 가속화하는 거 같아요.

진중권 정치가 있고 중간에 담론이 있고 그 밑에 세론이 있어요. 세론은 일반 사람이 하는 얘기. 담론은 합리적이고, 논리적이고, 전문가들도 좀 들어와 있고요. 이 담론을 받아 반영하는 게 언론입니다. 그런데 지금 문제는 정치권에서 여기랑 결탁해서 매개층을 날려 버린 거예요. 그렇게 되면 언론이 제 기능을 못하게 되고, 정치권에서 얘기하는 선동이 담론에 의해 걸러지지 않고 그대로 세론에 먹혀 들어가고, 거기에 세뇌된 이들이 권력에 자발적으로 동원되어 오히려 언론을 공격하는 형국입니다. 지금 상황은 한편으로 시장의 요구가 있고, 다른 한편으로 정치권력을 가진 사람들의 선동 요구가 있습니다. 이 두 요구가 만나서 비판적 독자들을 콘텐츠 소비자로 만들어 버리는 거죠. 이들에게 중요한 것은 '참·거짓'이 아닙니다. 이는 역사적으로 처음 접하는 새로운 상황이기 때문에, 이런 유형의 언론 탄압의 정도를 측정하는 기준 자체가 없어요. 기존의 잣대는 권력에 의한 탄압에만 초점이 맞춰져 있거든요. 그러다 보니 지금 겉으로 보는 언론자유지수는 상당히 높게 나오는데, 실제로 경험하는 상황은 매우 억압적이거든요. 유시민 씨 한 마디로 KBS 법조팀이 날아가는 것을 보세요. 요즘 기자들이 대놓고 말을 못하니 저에게 "잘 한다"고 격려문자나 보내고 있어요. 심지어는 페이스북 '좋아요'도 무서워서 못 누르는 상황들이 벌어졌는데. 이런 유형의 억압은 기존의 기준으로는 아예 파악 또는 평가가 안 되는 거죠.

서 민 SNS '좋아요'에 관한 에피소드 하나 말씀드리면, 지금은 은퇴한 리듬체조 손연재 선수가 소트니코바 사진에 '좋아요' 눌렀다가 작살난 적이 있어요. 소트니코바는 김연아 선수를 제치고 부정하게 동계올림픽 금메달 딴 친구인데, 그게 벌써 6년 전 일이거든요. 그러니까 소트니코바 인스타그램을 누군가는 계속 팔로우하고 있었고, 누가 '좋아요'를 눌렀는지를 계속 감시하고 있었던 거예요. 페미니즘 논란이 있을 때도 이런 일이 자주 벌어졌어요. 게임 그래픽을 담당하는 이는 여성이 많고, 대부분 프리랜서입니다. 그 여성들의 SNS를 네티즌들이 뒤지다 페미니즘 관련 글에 '좋아요'를 누른 적이 있으면 해당 게임업체에 항의를 합니다. "저 여자 페미다. 이 여자를 계속 쓰면 게임을 보이콧하겠다." 게임업체들은 남성 이용자들이 훨씬 많다고 생각하고 그들 눈치를 보기 때문에 이런 식으로 잘려나간 여성들이 한둘이 아닙니다. '좋아요' 눌렀다고 잘리는 건 좀 너무하지 않습니까. 그런데 SNS에서도 잘리지는 않을지언정 이런 비슷한 일들이 일어나요. '조국 전 장관 반대 글에 '좋아요' 누른 수백 명을 일

일이 파악해 그들과 친구관계를 다 끊었다', 이런 글이 SNS에 버젓이 올라오더라고요. 영향력 있는 분들이 '좋아요'를 누른 게 들통이 나서 곤욕을 치르는 일도 한두 번이 아닙니다.

강양구 저도 최근 비슷한 경험이 있는데요. 일 때문에 한 달마다 보는 지인과 저녁을 먹다 깜짝 놀랐어요. 그가 몇 차례 제가 쓴 조국 관련 글에 '좋아요'를 눌렀는데, 그의 지인들에게 "그 글이 진짜로 좋아서 누른 거야?"라는 추궁을 받았다는 거예요. 공감 가는 글에도 '좋아요'를 맘대로 누를 수 없는 상황을 하소연하더라고요. 정말로 병리적 상황입니다.

서 민 황우석을 지지한 황빠들을 조금 긍정적으로 본다면, "이 사람은 우리의 소중한 자산이니 지키자" 이런 마음이 있었다고 생각합니다. 그런데 지금 '문팬'들은 문재인 대통령을 지키는 것에서 한 발 더 나아가고 있습니다. 2019년 신년 기자회견 때 경기방송 김예령 기자가 이런 질문을 해요. "경제가 좋다 그랬는데 그 자신감은 어디서 나왔나요?" 이 질문했다가 작살났습니다. 그 다음에 KBS 송현정 기자가 문 대통령과 단독 대담을 했는데, 인상 좀 썼다는 이유로 엄청난 비판을 받았습니다. 문재인 대통령을 그들이 사랑해야 하는 이유가 박근혜 대통령과는 달리 '권위적이지 않다, 민주적인 대통령이다'라는 건데 자신들이 더한 권위주의를 체현하면서 작살내고. 2018년 신년 기자회견 때 조선일보 기자가 "기사 쓰면 누리꾼들이 너무 욕해서 기사 쓰는데 지장이 있다" 했는데 그게 '문팬' 얘기였거든요. 그런데 문 대통령이 "나만큼 욕먹는 사람이 있냐"며 문팬들을 옹호하는 답변을 했습니다. 기자가 정권을 비판하는 기사를 쓰면 욕이 달리고 신상이 털리면, 이런 것들이 기사를 쓰는데 상당히 지장을 줄 것 같아요. 멘탈이 아주 강하지 않으면 눈치를 볼 수밖에 없죠. 오죽하면 판사들도 여론이 들끓는 사안을 판결할 때는 부담스러워하지 않습니까. 이재용 부회장 석방하면 무조건 털리고, 조국 전 장관도 마찬가지고.

진중권 굉장히 중요한 포인트가 하나 있어요. 조국 사태 때 '서초동에서 집회를 했다'는 게 무척 중요합니다. 사법부에 대중의 압박을 직접 가하겠다는 의미예요. 이런 상황이 〈나꼼수〉 때 있었어요. 정봉주 의원 구속되는 날 집회를 해서 위력을 보여줬단 말이죠. 그때 이미 조짐이 있었던 게 아닌가 싶어요.

강양구 다만 그때는 권력이 없었지만, 지금은 권력이 있다는 것이 큰 차이죠.

진중권 그러니까 오래 지속됐던 거고.

서 민 지금은 대중 집회의 필요성이 예전보다 떨어지지 않았나요. 예전에는 김대중, 김영삼, 노태우 등이 나왔을 때는 누가 더 많이 모였나?로 경쟁했던 시대였고, 지금은 그럴 필요 없이 지지율 조사하면 금방 답이 나오는데, 왜 그렇게 광화문과 서초동에 나와서 집회를 하고 있는지…….

진중권 정치가 일종의 게임이 되었어요. 이른바 게이미피케이션(gamification)이라고 합니다. 게임이기 때문에 롤을 정해줘야 하는데, 게임에서는 누가 옳고 그른지가 없잖아요. 이편이든, 저편이든 무조건 옹호하고 이기면 됩니다. 그리고 게임에서는 참가자들의 적극적 역할이 요구됩니다. 플레이어들은 그 안에서 자기 역할을 하고 싶어 안달이 나 있죠. 게임의 본질은 '재미'거든요. 지금 정치권에서는 자기들 어젠다에 대중을 '동원'하지 않아요. 과거엔 억지로 돈까지 줘가며 동원하곤 했잖아요. 지금은 외려 대중이 제 돈을 써가면서 정치에 '참여'한다는 거죠. 디지털 시대의 정당은 지지자들에게 어떤 '미션'을 줄 수 있어야 합니다. 그것을 통해 그들로 하여금 정당활동이든 선거 운동이든 그 모든 과정이 자기들의 주도하에 이루어지고 있다는 착각을 하도록 만드는 게 중요하거든요.

서 민 이런 시대에 논객의 역할에 대해서 한 말씀해주세요. 성한용 기자가 "진중권 교수 같은 유력 논객들도 시간이 갈수록 과거에 가지고 있던 권위와 신뢰, 인기를 잃어가는 것 같습니다. 안타깝습니다." 이런 말을 했는데요.

'부아양'(voyant), 보는 능력을 가진 사람들

진중권 언제 내가 권위, 신뢰, 인기가 있기는 했나요? (웃음)

서 민 사실 진 교수님의 인기는 요즘이 더한 것 같은데, 성 기자가 이상한 글을 쓴 거죠. 그분이 하고픈 말은 진보 쪽에 있던 분이 왜 진보를 욕하냐, 그러니 〈조선일보〉 같은 곳에서 진 교수님을 이용하고 있지 않느냐는 건데요. 이건 진 교수님의 비판이 대중들에게 먹히니 당황해서 하는 소리죠. 그래도 그 글에서 건질 만한 대목은 "언론이 하고 싶은 말을 논객 말을 빌려서 대신한다"는 거예요. 진 교수님이 페이스북에 쓰면 그걸 그대로 기사화하는 언론이 한둘이 아니거든요. 이런 현상도 위에서 언급했던 것처럼 정권 비판에 따르는 비난을 기자 개인이 감당하기 어렵다 보니 나오는 게 아닌가 싶습니다. 진 교수님은 언론사에서 교수님 말을 가지고 뉴스를 만드는 것에 대해 거부감은 없으신 것 같은데, 권경애 변호사님은 "허락없이 가져가지 말라"고 페이스북에 경고해 놓으셨더라고요. 더 많은 분들이 읽었으면 하는 좋은 글들이 가득한데, 그렇게 하셔서 안타까웠어요.

진중권 〈한겨레〉야말로 권위와 신뢰의 상실을 고민해야 하지 않겠어요? 문팬덤에게 인기는 좀 얻었을지 모르지만, 요즘 완전히 어용이 되어서 저는 아예 뉴스 사이트에 들어가지를 않고 있습니다. 들어가서 그 망가진 모습을 보고 있으면 가슴이 너무 아프거든요. 아무튼 제 경우에는 언론 인터뷰에 안 나가고 있습니다. 그냥 페이스북에 글을 쓰는 게 그나마 내 발언의 왜곡을 막는 가장 좋은 방법이라고 보거든요. 언론들이 워낙 정치화되어 있어서, 내 말을 어떤 맥락에 써먹을지 모르니까요. 일체 기자와 인터뷰를 안 하고, 손석희 사장이 전화만 안 하면 방송 출연도 일절 안 하고 있습니다.

서 민　진중권 신드롬이 일다시피 했던 건 그동안 조국 전 장관을 반대하는 일반적인 민심을 대변하는 언론이 별로 없었기 때문 아닐까요?

진중권　보수에서 제대로 공격을 못하잖아요. 무조건 욕하는 게 비판이 아니거든요. 비판에서 가장 중요한 건 팩트가 맞아야 하고 논리가 정교해야 하는데요. 보수쪽 사람들은 무조건 덮어씌우기만 해온 거예요. 제가 정조준해서 제대로 쏘니, 그들이 호응을 한 것이고요. 그런데 저도 알아요. 저들이 지금은 호응하지만 제가 저들을 비판하면 다 돌아설 사람들이라는 걸. 이런 신드롬은 오래 가지 않을 겁니다. 저에게 중요한 건, 더 많은 사람들을 비판적 독자층으로 만들어나가는 것입니다. 양쪽 모두 세뇌된 사람들은 절대 다시 돌아오지 않거든요.

강양구　최근 진 교수님이 그랬잖아요. 양쪽 다 이상하다. 상태를 보니 똑같다.

진중권 그러다 보니 중간층이 있을 틈이 없는데, 이 중간층이라는 게 중도층을 말하는 게 아니에요. 보수든 진보든 간에 말 통하는 사람들이 모이는 걸 넓혀 가고, 여기에 기초해서 무엇이 되게끔 역할을 하자. 그 정도 생각을 하고 있는 거죠.

강양구 이 책을 사서, 뭔가 생각을 가지고 읽는 독자들인 거죠. 진 선생님이 말한 그 사람들이.

진중권 이번 4·15 총선의 특성은 어떻게 해서든 자신들에게 표 주지 말라고 경쟁하는 거잖아요. 누가누가 더 망가지나 경쟁하는. 이전에는 위선적으로라도 나아지는 모습을 보이려고 했는데요. 물론 선거 끝나면 입 씻었지만. 이젠 그것조차도 안 하고 오히려 더 망가지는 상황이에요. 이쪽저쪽 경쟁적으로 다 그러다 보니, 정치가 망가지면서 사회가 안 좋은 방향으로 가고 있는 거잖아요. 이것에 대한 문제의식을 느껴야 하는데, 어느 누구도 사회에 대해 책임의식을 가진 사람이 없다는 게 문제입니다. 다행히 겉으로는 말 못해도 속으로 끓고 있는 사람들이 있다고 봐요. 저는 그 사람들에게 하나의 장을 열어준다는 정도의 생각을 하고 있습니다.

서 민 과거의 많은 논객 중에 유일하게 살아남아 계속 활약하고 계신데, 논객이 많아지는 게 좋은 겁니까?

진중권 논객이 있는 게 낫죠. 왜냐면 그들은 견해가 달라도 말은 통해요. 비판이 맞으면 받아들일 줄 알죠. 그런데 세뇌된 사람들은 말이 안 통합니다. 저분들은 무슨 얘기를 하든지 간에 똑같은 말만 반복하거든요. 논객들은 그래도 맥락들을 잡아주었어요. 아마추어도 있었지만 전문가들도 꽤 들어와 있었거든요. 안티조선운동 때 '프랑스 철학 담론은 사기다'는 도발적 주장을 한 소칼(Sokal)논쟁까지 했어요. 지금 그런 수준 높은 논쟁이란 게 있을까요.

서 민 안티조선운동 때부터 논객들이 많았는데, 그 층이 사라져버렸어요. 그때 활약했던 분 중 특히 기억나는 분은?

진중권 한 사람 기억납니다. 지금은 보수논객의 상징처럼 되었죠. 안티조선운동을 비즈니스 모델로 만들자고 하더라고요. 제가 왜 안 되는지 말했어요. 첫 번째 이것은 시민운동이기 때문에 사익을 추구해서는 안 된다. 두 번째는 논객으로는 밥 못 먹으니, 밥그릇은 다른 데서 챙기고 논객질은 순수한 시민운동으로 해야 한다. 그러니깐 저더러 "시장경제를 모르고, 386이라서 반자본주의적 생각을 가지고 있다"며 투덜투덜 대더라고요. 그 당시 인터넷 토론사이트와 정치권의 연결이 이루어진 곳이 〈서프라이즈〉였죠. 노무현 대통령이 〈서프라이즈〉를 보고 있었어요. 그러다 보니 공천 받으려는 사람들이 이 매체와 인터뷰를 하려 했지요. 그 대가로 매체에서 돈을 받은 것으로 압니다. 그게 수익 모델이었던 거죠. 그러다가 결국 다 망가졌어요.

서 민　누구인지 알 것 같습니다. 박근혜 정부 때 제가 "저렇게 열심히 하는데 저분한테 일자리 하나 안 주느냐?"고 글을 썼다가 고소를 당한 적도 있었죠. 그분이 그때 저한테 뭐라고 했냐면, 다른 이를 고소해서 버는 돈을 무슨 수익 모델처럼 생각하고 있더라고요. 근데 그보다 한참 전부터 수익 모델을 찾으려 애썼군요.

진중권　그렇게 글 쓰다 보면 원고 청탁한 곳의 논점을 맞춰줘야 해요. 그러면서 조금씩 변해가게 되죠. 개인이 조직을 못 이기거든요. 저에게도 과거에도 지금도 보수신문에서 여러 제안들이 많았지만, 안 쓴다고 거절합니다. "내가 당신들에게 글을 쓰는 순간 나의 발언력은 떨어질 것입니다. 제안은 감사하지만 쓰지 않겠습니다." 논객이 버티려면 기본적인 에토스(ethos)가 있어야 한다고 생각합니다. 저는 정치적으로 했던 활동의 대가는 대부분 정치적인 곳에 환원해왔습니다.

서 민　참고로 저도 보수신문들에서 칼럼 연재 제안 여러 번 받았는데, 다 거절했습니다. 저는 그런 사람이 아닙니다.

강양구　지인 중에도 안타까운 경우가 여럿이 있어요. 1980년대생 논객 가운데 비교적 균형 감각 있는 목소리를 계속해서 내왔던 친구가 어느 순간에 〈조선일보〉에 글을 쓰더라고요. 분명히 생계 문제도 있었겠죠. 더해서 이른바 '문팬'의 비이성적인 행태에 지치다가 결국 진영 논리의 희생양이 된 거예요.

진중권 보수신문의 방식이에요. 진보적인 사람 데려다가 귀순용사를 만들어 버리는 겁니다.

서 민 지식인은 어떤 분야의 전문가, 즉 자기 분야의 지식 생산과 권력 비판, 이 두 가지를 해야 한다고도 합니다. 이 두 가지를 하지 않고, 권력 비판만 하면 자기 지식 생산 부분에서 문제가 생기고, 지식 생산만 하다보면 사회, 문화, 정치에 대한 비판적 발언을 못하게 되는데요. 우리 사회에서는 이 두 가지를 같이 할 수 있는 분들은 흔하지 않는 것 같습니다.

강양구 독립적인 저널리스트, 독립적인 지식인 그리고 독립적인 언론이 계속해서 정치권력, 기업권력, 대중권력을 상대로 자신들의 목소리를 낼 수 있는 건강한 물적 토대가 있어야 되는데요. 제가 생각하기에 한국 사회는 그런 건강한 물적 토대를 만드는 실험을 여러 가지 해왔지만 사실 다 실패했거든요. 그렇기 때문에 자꾸 회유가 들어가고, 유혹에 넘어가고 그래서 정파의 치어리더가 되거나 언론권력의 치어리더가 되거나.

서 민　원고료가 너무 적어서 그런 거 아닐까요? 더글라스 케네디 (Douglas Kennedy) 책 읽어보니까, 미국은 일주일에 한번 칼럼만 써도 충분히 생활이 가능하던데요. 칼럼 원고료가 우리보다 훨씬 더 많은 것 같더라고요.

강양구　저도 그 이야기 듣고 깜짝 놀랐는데요. 노벨 경제학상 수상자 폴 크루그먼(Paul Krugman)은 대학교수 연봉보다 〈뉴욕타임스〉에 한 달에 두 번 쓰는 칼럼 원고료가 더 많대요. 1년에 스물네 번 쓰는 신문 칼럼 원고료가 최소한 10만 달러(약 1억 2천만 원)은 된다는 거잖아요. 한국에서 칼럼 한 편에 500~600만 원씩 받는 지식인이 있을까요?

진중권　저도 그런 수준 높은 칼럼을 매일 페이스북에 쓰는데 무료로.(웃음) 논객들도 훈련해야 하거든요. 정치철학이라든지, 경제학의 기초라든지 이런 소양을 갖춘 다음에 논객을 해야 되는데, 지금 그게 아니라 조회 수만 높이려고 하니.

강양구　그러니까 자극적인 소재, 자극적인 주장만 있는 거잖아요.

진중권　기본적으로 판단 자체가 잘못된 경우가 너무 많습니다. 쉽게 말해 이 사람이 어떤 사람인가, 사안의 성격이 무엇인가, 여기서 올바른 것 또는 적절한 태도는 무엇인가에 대한 판단 자체가 안 되는 사람들이 쓰고 편들어주고 이런 단 말이죠. 실력도 안 돼요. 뭐랄까 공부를 안 하는 것 같아요.

강양구 어느 순간 신문 칼럼의 힘이라는 게 굉장히 약해졌잖아요. 최근에 드물게 회자되는 게 진중권 선생님의 칼럼 밖에 없는 거죠.

진중권 물론 좋은 칼럼 쓰는 이들도 아직 있습니다. 다만 빤한 칼럼 쓰는 사람들의 칼럼이 빤한 데에는 이유가 있지요. 신문사에서 원하는 걸 써주기 때문입니다. 늘 당파적 입장에 치우쳐 있다 보니, 읽는 사람들은 그냥 '한 소리 또 하는구나'라고 생각하고 넘어가게 되죠.

강양구 그리고 또 다른 분들은 생활 수필, 『좋은 생각』이나 『샘터』에 나올법한 그런 이야기들, 정서적으로 호소하는 칼럼을 씁니다. 사회적으로, 정치적으로 마구 혼재되어 있는 현상들을 칼럼을 통해서 정리하고, '아~ 이런 식으로 갈무리할 수 있구나, 아~ 이것 때문에 헷갈렸구나' 하는 통찰을 주는 글을 보기 힘들어졌어요. 진중권, 서민 선생님 글을 읽으면서는 그런 헷갈림이 해소가 되는 때가 많은데요.

진중권 칼럼리스트는 기자가 아니잖아요. 진짜 훌륭한 무기는 팩트거든요. 칼럼은 견해에 불과해요. 팩트 가지고 싸우는 게 기자들이고요. 저 같은 경우는 견해인데, 쉽게 말하면 팩트를 어떻게 보는가, 하는 문제잖아요. 불어로 '부아양'(voyant)이라는 말이 있어요. 시인

랭보의 말인데, '보는 사람'(見者)이라는 뜻입니다. 이 '부아양'이 되어 대중한테 이러이러한 팩트에 기반해서 사안을 어떻게 봐야 할지 시각을 조직해주는 게 칼럼니스트의 역할이거든요. 이 보는 능력을 가진 사람들이 없는 거죠. 능력도 부족하지만 또 하나는 의도 자체가 특정 정치세력의 치어리더가 되는 것이기 때문에, 애초에 그런 시각 자체를 가질 필요가 없는 겁니다. 그냥 그들과 한 패거리가 되어 그들이 원하는 얘기만 해주면 되니까.

서 민 '미디어와 지식인'이라는 주제로 열띤 토론을 벌여주신 두 분 선생님 감사합니다. 사회가 발전하고 신기술이 도입됨에 따라 기성 언론이 처한 환경은 예전보다 훨씬 더 열악해지고, 그러다 보니 언론이 현실과 더 쉽게 타협하는 것 같습니다. 언론의 신뢰도가 떨어지는 것도 이런 데서 비롯된 게 아닐까 싶네요. 여기에 대해 어떻게 대안을 마련해야 하는지, 마지막으로 한 말씀 부탁드립니다.

강양구 지금 한국의 미디어와 지식인을 둘러싼 담론이 가진 문제점을 여러 각도에서 짚어봤어요. 하지만 정작 그 대안을 놓고는 푸념만 늘어놓다가 그친 느낌입니다. 그런 점에서 지금은 양쪽의 위기예요. 일단 지금의 공적 담론이 심각한 '문제'가 있다는 걸 공감하는 사람의 숫자가 적어요. 우리처럼 문제를 인식하는 사람이 소수라는 게 바로 그 증거죠. 오늘 대화를 통해서 지금의 문제가 무엇인지 직시하는 사람이 조금 더 늘어났으면 좋겠습니다. 그리고 함께 다음 위기를 극복하는 실천으로 넘어가면 좋겠어요. 오늘 짚은 문제를 극복할 수 있는 대안적 공적 담론을 만들어나가는 실천이 필요합니다. 일단 우리 다섯 명(강양구, 권경애, 김경율, 서민, 진중권)에서 시작했지만, 좀 더 많은 지식인과 저널리스트가 동참해서 느슨한 플랫폼을 만드는 것도 의미가 있겠죠. 그 과정에서 자연스럽게 한국에서 건강한 스폰서십이 가능한지도 실험할 수 있으면 금상첨화일 테고요. 어렵더라도 다시 시작해야 합니다.

진중권 메뚜기도 한철입니다. 민주주의라는 제도도 초기에 제대로 이해되지 못해 수많은 시행착오를 겪으면서 안착이 됐잖아요. 우리가 보는 이 모든 현상이 디지털 시대의 본질을 제대로 이해하지 못해 발생하는 현상이라고 봅니다. 저는 천성이 낙관적이라서, 시간이 지나면 이런 문제들도 차차 해결될 거라 봅니다. 가상현실(VR) 게임이 아무리 재미있어도, 평생 그 안에 들어가 살 수는 없잖아요. '포스트 트루스' 현상도 거대한 VR 게임이라고 생각합니다. 지금이야 다들 그 게임에 몰입해 있지만, 언젠가 정신 차리고 밖으로 나오겠지요. 게임 열심히 하다 보면 배도 고프잖아요. 밥 먹으려면 HMD(Head Mounted Display) 벗고 부엌으로 가거나 식당으로 가야죠. 가상이 아무리 강렬해도 우리의 몸은 여전히 현실에서 살아야 합니다. 그 고해(苦海)에서 벗어날 수 있다면 얼마나 좋겠어요. 이 거대한 정치적 VR 게임도 실은 현실이라는 고해에 일어나는 작은 파도인지도 모릅니다.

3장

새로운
정치
플랫폼,
팬덤 정치

사회　　강양구
대담　　진중권
　　　　서　민

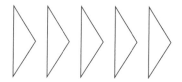 

이상적인 정치인은
시민을 '편드는' 정치를 하는 사람이잖아요.
그런데 우리나라 정치인은 시민에게
'편들어 달라'는 정치를 하고 있어요.

아이돌도 아닌 대통령 생일 축하 광고가
나왔다는 건 팬덤 문화와 정치가
서로 중첩되어 버렸다는 걸
상징적으로 드러내는 사건입니다.

팬덤이 대통령을 지키겠다고 나서는 순간,
정권에 대한 건설적 비판마저 봉쇄하는
친위대로 전락할 위험이 있습니다.

강양구 미디어와 지식인을 테마로 한 대담에서 '문팬' 이야기들이 간간히 나왔는데요. 이번에는 팬덤 정치에 대해 본격적으로 얘기를 나눠보면 어떨까 싶습니다. 원래 이상적인 정치인은 시민을 '편드는' 정치를 하는 사람이잖아요. 그런데 우리나라 정치인은 시민에게 '편들어 달라'는 정치를 하고 있어요. 이렇게 정치인이 대중을 선동해서 본인 개인의 사익을 챙기는 모습과 그 결과가 바로 팬덤 정치가 아닐까요?

진중권 이어서 말씀드리면, 팬덤 정치라는 게 이상한 사람들 몇몇의 문제가 아니라, 전 세계적으로 유행 중인 현상입니다. 팬덤 정치가 하나의 정치 플랫폼이 되어가고 있습니다. 우리 사회에서는 특히 팬덤 정치가 상당히 부정적인 형태로 나타나고 있기 때문에 꼭 한번 짚어볼 필요가 있습니다.

팬덤, 정치를 하다

서 민   팬덤 정치라는 게 '정치인들도 아이돌처럼 대중들에 의해 뽑혀서 나오고, 대중들이 또 아이돌 팬처럼 정치인을 대한다' 이런 의미죠? 정치인이라고 해서 팬덤이 있으면 안 된다는 건 아닙니다. 언제든 자신을 믿고 지지해주는 팬덤의 존재는 해당 정치인에게 큰 자산일 수 있는 건 당연하니까요. 하지만 팬질하는 지지자가 어떤 외부 비판도 허용하지 않거나 팬덤의 대상이 되는 정치 권력이 클수록 얘기는 달라집니다. 그 정치인이 대통령이라면 더 말할 것도 없고요. 대통령은 우리나라에서 가장 힘 센 존재잖아요. 팬덤이 대통령을 지키겠다고 나서는 순간, 그 팬덤은 나치 때 게슈타포가 그랬던 것처럼, 정권에 대한 건설적 비판마저 봉쇄하는 친위대로 전락할 위험이 있습니다. 지금 소위 문팬이라 불리는 문 대통령의 팬덤이 보이는 모습이 바로 그렇습니다.

진중권   대통령 생일 축하 광고 보신 적 있으시죠? 현직 대통령의 생일 축하 광고가 처음 지하철역에 등장한 게 문 대통령 취임 후 2018년 첫 생일부터입니다. 지금까지 해마다 꾸준히 이어지고 있고요. 재작년 66번째 생일부터인데, 광화문 역을 비롯해 10여 개 역에 "1953년 1월 24일. 대한민국에 달이 뜬 날, 66번째 생일을 축하합니다"라는 문구가 적힌 축하 광고가 게재되었습니다. 그 해에는 뉴욕

타임스퀘어에도 "We vow to protect you. Have confidence in us!(당신을 지켜드리기로 맹세합니다. 우리를 믿으세요!)"라는 생일 축하 광고가 등장하기도 했습니다. 올해 초에도 광주 지하철역에 박수치고 있는 문 대통령 사진 옆에 "밝은 달은 우리 가슴 일편단심일세"라는 광고가 실렸고요. 정치 중립성 논란 때문에 나흘 만에 철거되긴 했지만요. 저는 홍대 근처 사니까 팬들이 돈 모아 만든 아이돌 스타들의 생일 축하 광고를 많이 봤어요. 그런데 아이돌도 아닌 대통령 생일 축하 광고가 나왔다는 건 팬덤 문화와 정치가 서로 중첩되어 버렸다는 걸 상징적으로 드러내는 사건입니다.

서 민　디지털 시대와 연결된다는 거군요.

진중권　디지털 시대는 현실과 가상의 중첩입니다. 가령 가상현실(VR)이나 증강현실(AR) 체험을 할 때 우리는 뻔히 허구인 줄 알면서도 마치 진짜 현실인 듯 받아들이잖아요. '왈츠 오브 더 위자드'라는 가상현실 공간에서 마법사가 돼 보는 게임이 있어요. 출시 당시에는 콘트롤러를 활용하도록 설계되었는데, 이제는 그냥 맨손으로도 가상현실 속에서 마법을 조합하고 쓸 수 있다고 합니다. 이렇게 오른손을 들어 손가락을 '딱'하고 튕기기만 해도 적들을 해치울 수 있는데, 그러려면 플레이어는 가짜를 진짜처럼 대하고, 마치 마법사가 된 것인 양(as if) 온 몸으로 적들과 싸워야 합니다. 이것이 디지털 시대의 일반적인 특성입니다. 대중문화라는 것도 어떻게 보면 허구의 세계잖아요. 라캉 용어로는 상상계라고 하죠. 꿈의 세계. 이것이 아주 절실한 현실의 문제를 논하는 정치 영역과 중첩되어 나타난 것입니다. 팬덤 정치는 이러한 배경 속에서 등장한 것이라 할 수 있습니다.

그러다 보니, '정치의 팬덤화'는 소셜 미디어가 발달한 곳에서는 어디서나 나타나곤 합니다. 2004년 미국 민주당 후보 경선에서 하워드 딘(Howard Dean)이 엄청난 팬들을 몰고 나왔던 사례가 대표적입니다. 2008년에 버락 오바마(Barack Obama)가 팬덤 덕분에 대통령으로 당선됐다고 해도 과언이 아니고, 가장 최근에는 버니 샌더스(Bernie Sanders)가 팬덤 정치로 덕을 보고 있습니다. 샌더스 지지자들이 '문팬'과 약간 비슷해요. 하도 극성스러워서 오히려 지지자들을 잃게 한다는 측면에서 닮은 부분이 있습니다.

강양구   팬덤 정치의 기원은 누구일까요?

진중권   디지털 시대의 등장과 소셜 미디어의 확산으로 팬덤 정치가 최근 증폭된 측면은 있지만, 그 기원을 거슬러 올라가면 이런 현상이 제일 처음 나타났던 시기는 존 F. 케네디(John F. Kennedy)때였습니다. 그 당시 케네디와 닉슨(Richard Nixon)이 대선 토론을 했는데, 이때 토론 내용이 두 가지 다른 매체를 통해 대중들에게 전달됐습니다. 하나는 라디오였고요, 하나는 텔레비전이었어요. 라디오를 들은 사람들은 닉슨이 압승을 했다고 느꼈습니다. 논리적으로 닉슨이 앞섰거든요. 텔레비전으로 본 사람들은, 케네디가 좀 생겼잖아요, 그러니까 케네디가 토론에서 완전히 압승한 걸로 여겼던 거죠. 그때부터 케네디를 아이돌 비슷하게 여기는 대중들이 등장하기 시작했던 겁니다.

강양구 존 F. 케네디와의 대결에서 패배한 충격 때문이었을까요? 리처드 닉슨은 (케네디의 막냇동생) 에드워드 케네디 상원의원에게, "형처럼 대선 출마를 진지하게 고려하고 있다면 몸무게부터 10kg 줄이라"고 충고했다더라고요. 에드워드 케네디는 1962년부터 2009년까지 상원의원만 하다가 세상을 떴지요.

진중권 닉슨이 뒤늦게 정신 차린 모양이네요. 앞서 말한 것처럼 최초로 텔레비전이라는 대중매체를 통해 대통령이 된 사람이 존 F. 케네디라면, 최초로 인터넷을 통해 대통령이 된 사람은 바로 노무현 대통령입니다. 노무현 대통령이 대선 후보가 되기 전까지만 해도 민주당에서 비주류였잖아요.

서 민 네, 비주류 중의 비주류였죠. 얼마나 비주류였냐면, 2002년 국민경선에서 노무현 후보가 돌풍을 일으키며 대통령 후보로 선출이 됐는데, 민주당 내에서 "노무현 후보를 인정하지 않겠다, 정몽준으로 단일화를 해야 한다"는 소위 '후단협'(후보단일화협의회)이 만들어졌을 정도였어요. 자기 당 후보를 자기들이 부정하는 코미디 같은 일이 벌어진 거죠.

진중권 민주당은 대개 호남 쪽이었잖아요. 노무현은 경상도 사람, 그 것도 꼬마 민주당에 있던 사람이고, 정말 비주류였는데, 이 비주류가 팬들의 힘을 업고, 민주당 대선 후보가 되고나서 저쪽의 가장 강력한 보수 세력을 꺾고 대통령까지 됐습니다. 그때 노사모의 역할이 없었다면 불가능했을 겁니다. 이것은 제가 말하는 '팬덤 정치'랑은 좀 달라요. 노무현 대통령의 당선은 '팬에 기초한 정치(fan based politics)'예요. 팬에 기반한 것입니다. 팬에 기반한 것이지 팬덤 정치는 아닌 게, 왜냐면 욕망이 다르거든요. 노사모의 토대는 후보의 철학에 대한 '이성적 지지'라면, 문팬덤의 토대는 후보의 이미지에 대한 '정서적 유착'이예요. 노사모는 그래서 상당히 논리적이고 합리적이었어요. 왜 노무현 후보가 좋은 후보인지에 대해 뭔가 이유를 다 갖고 있었거든요.

강양구 사실 '이성적 지지'와 '정서적 유착'을 세심하게 구분하는 일이 쉽지는 않아요. 무엇을 '선택'하는 행동은 논리적 사유의 결과가 아니라 직관적 감정의 결과일 때가 많습니다. 대다수 사람은 특정 정치인을 지지할 때 '좋고' '싫고'의 문제로 접근합니다(정서적 유착). 그러고 나서 좋은 이유, 싫은 이유를 덧붙이지요(이성적 지지). 그러니까, 처음에는 한 정치인의 경험, 업적, 비전 등을 근거로 지지를 했다가도 나중에는 정서적으로 유착될 수밖에 없어요. 그리고 일단 그렇게 정서적으로 유착되고 나서는 '좋은' 감정에 먼저 불이 들어옵니다. 개인적인 경험을 이야기해볼까요? 저는 전라남도 목포가 고향입니다. 김대중 대통령의 정치적 고향인 곳이죠. 어렸을 때부터 어른들이 김대중 대통령을 맹목적으로 사랑하는 모습을 보면서 자랐습니다. 그런 모습 때문에 저는 오히려 거리감이 생겼던 것 같습니다. 나중에 철이 들고 나서 그가 얼마나 훌륭한 정치인인지 좀 더 알게 되고, 때로는 직접 경험하기까지 했습니다만, 그분이 세상을 뜰 때까지 정서적 유착에는 실패했어요.(웃음)

1997년 대선 투표 때가 생각납니다. 그때 저는 급하게 꾸려진 진보 정당(국민승리21) 후보의 대학생 선거 운동원이었습니다. 선거운동을 했으니 당연히 진보 정당 후보에게 표를 던졌죠. 하지만 그때 김대중 후보에게 표를 줬던 (진보 정당 후보의 선거운동을 함께 했던) 호남 출신 선배를 여럿 알고 있어요. 아마도 그분들은 저보다 훨씬 더 정서적으로 김대중 대통령에게 유착되었겠죠. 지금으로서는 약간 아쉽기도 합니다. 그때 김대중 대통령에게 정서적으로 유착되는 경험을 강하게 했었더라면, 다음에는 노무현 대통령에게, 다음에는 문재인 대통령에게 계속 정서적으로 유착되면서 세상 편하게 살았을 텐데.(웃음) 저는 그게 안 됩니다. 하긴 어렸을 때 연예인이나 스포츠 선수 같은 유명인을 열렬하게 좋아한 적도 없기는 합니다. 서민 선생님은 어떠셨어요?

서 민 저는 노무현 광팬이었어요. 노사모라고 해서 무조건 이성적인 지지만 있었던 건 아닐 거예요. 노무현 후보가 워낙 감성을 자극하는 능력이 뛰어났잖아요. 그의 팬클럽이 생기게 된 것도 강고한 지역주의에 도전하는 '바보 노무현'의 모습에 사람들이 감동했기 때문이거든요. 하지만 전반적으로 봤을 때 이성적 지지가 훨씬 더 많았던 건 맞습니다. 모든 사안을 활발한 토론을 통해 결정했던 것도 그 증거죠. 당시 노사모 게시판은 다른 어떤 사이트보다 좋은 글들이 올라왔고, 그래서 노무현을 지지하지 않는 사람들도 들어와 글을 읽곤 했으니, 제가 노사모라는 사실이 그저 자랑스러웠죠.

정서적 유착, 이성적 지지

진중권 우리 사회가 산업사회에서 정보화사회로 넘어갈 때 결정적 역할을 한 분이 김대중 대통령인데, 김대중 대통령도 당 운영은 사실 제왕적으로 했거든요. '선생님 문화'잖아요. 이것을 디지털 시대에 맞는 수평적 네트워크로, 네트워크형 소통 커뮤니케이션으로 만든 게 노무현 대통령입니다. 계급장 떼고 평검사들과 토론하고. 그때는 논객들의 전성시대였고, 〈100분 토론〉의 전성시대였고, 이랬단 말이죠. 노사모들이 활동할 때는 이러한 시대정신이 반영되어 있었기 때문에, 노무현 후보를 지지하는 이유들을 아주 논리적으로 정리해서 말했거든요.

심지어 다른 인터넷 커뮤니티 들어갈 때는 도덕 코드가 있었어요. 예의 코드, 매너 코드가. "다른 커뮤니티 들어가서 절대 정치 얘기 먼저 하지 마십시오. 먼저 들어가서 허락을 받으십시오. 허락을 못 받으면 바로 나오십시오. 얘기하다가 반론이 나와도 절대 싸우지 마십시오." 이런 코드가 있었단 말이죠. 노사모들이 자발적으로 이 사이트 저 커뮤니티에 다 들어가서 정말 모범적으로 활동해서, 거기서 많은 지지자를 얻었고, 그 힘을 가지고 나갔던 겁니다. 이게 정치예요.

이 사람들이 정치적으로 훌륭한 가치관을 가졌다는 걸 보여주는 장면이 하나 있는데요. 노무현 대통령이 당선자가 되어서 "아, 제가 당선됐습니다. 여러분은 이제 어떻게 하실 건가요?"라고 물었더니 그 지지자들이 뭐라고 했는지 아십니까? "감시! 감시! 감시!"라고 외쳤어요. 이것은 팬덤의 태도가 아니거든요. 팬덤은 무조건적인 사랑입니다. 지지하는 게 아니라 사랑하는 거예요. 그런데 노사모는 그게 아니라 '노무현 대통령이 공약을 잘 지키는지, 정치를 잘 하는지, 우리가 이제부터 감시하겠다'는 거잖아요. 이것은 분명하게 이들의 코드가 정치적이라는 거죠. 그러고 나서 노사모를 해체시켰어요. 해산을 딱 해버렸어요.

서 민   팩트가 조금 틀린 부분이 있습니다. 노무현 후보가 대통령이 된 2002년 말, 노사모의 존속 여부가 이슈가 됐죠. 열띤 토론 끝에 해체 여부는 결국 투표를 통해 결정하기로 합니다. 제 기억에는 존속에 찬성한 분들이 60%를 넘겨서, 노사모는 그대로 존속하기로 했어요. 많은 해체파들이 탈퇴했고 저도 그랬습니다만, 남아 있는 분들이라고 해서 무조건적인 지지를 한 것은 아니었습니다. 지금도 기억나는 게, 노무현 후보가 대통령 되고 난 뒤 미국이 이라크와 전쟁을 벌였어요. 그때 노 대통령은 이라크에 군대를 파병했습니다. 요즘 어용 지식인을 자처하며 맹활약하는 유시민 씨는 당시 이라크 파병에 적극 찬성했고요. 놀랍게도 노사모는 여기에 반대하는 시위를 벌입니다. 당시 언론에 '노사모가 이라크 파병에 반대했다'고 큼지막한 기사가 실렸는데, 이는 지금 문팬들에겐 전혀 기대할 수 없는 모습입니다. 문재인 대통령의 결정에 반대하는 것은 상상도 못하고, 심지어 친문 스피커들의 말까지 무조건 옹호하는 게 바로 문팬들이니까요. 하지만 시간이 갈수록 노사모는 점점 방향성을 잃기 시작하고, 회원 수도 점점 줄어들었죠. 노 대통령 집권 후반기인 2006년 기사를 보면 노사모를 해체하느냐 마느냐에 관한 기사가 나올 정도였어요. 그래도 결국 해체는 안 하고 유지하기로 했는데, 이때는 '노사모가 설립 당시에 꿈꿨던 초심을 잃고 대중과 유리됐다' 이런 비판을 받고 있었죠.

진중권　제가 볼 때는 마지막까지 노사모에 잔류한 사람들이 문팬의 한 축을 이루고 있어요. 이 사람들은 노무현 대통령에 대해서 정서적 유착 관계가 생긴 거예요. 나머지 사람들은 그런 정서적 유착 관계가 중요한 게 아니거든요. 이들은 '노무현은 정치인이고, 정치는 당연히 지지도 받지만, 잘못했을 때는 비판도 받아야 한다'고 생각했기 때문에 "자, 우리 역할은 끝났다. 우리는 물러서겠다. 우리가 너를 대통령으로 만들어줬으니까 똑바로 해라. 네가 약속한 것을 그대로 지켜라. 너를 지지한 우리가 창피하지 않게 잘 해라." 이런 태도란 말이죠. 반면 어떤 사람들은 "우리가 뽑았으니까 끝까지 지켜야 한다"고 믿었는데, 그 사람들이 뭐라고 했는지 한번 들어보세요. "우리가 뽑아놓고 지켜주지 않아서 노무현 대통령이 저렇게 됐다." 그 얘기란 말이죠. 제가 볼 때는 이분들이 문팬의 중요한 한 줄기로 들어와 있습니다.

문팬의 또 한 줄기는 '맘카페'입니다. 이 맘카페 회원 중 일부는 20여 년 전에는 H.O.T나 god나 젝스키스 팬클럽에서 활동했던 분들이고, 지금 주로 이분들이 팬덤 정치의 문화적인 표현을 만들어내고 있어요. 대통령 생일 광고 하는 것도 '우리 오빠 생일 광고'하는 거 딱 그거잖아요. 그리고 '이니굿즈'라고 해서 굿즈 만들어서 팔죠. 이런 것들이 전형적인 옛날 팬클럽 활동 방식입니다. 옛날에 고등학교 때 팬클럽 활동했던 분들이 지금은 구매력을 갖춘 주부가 된 거죠. 이분들이 이제는 아이돌 좋아할 나이는 지났잖아요. 그러니까 옛날 팬클럽 활동을 문재인 대통령에게 옮겨와서 지금 맘카페에서 그대로 하고 있는 겁니다. 그 내부에서는 문재인 대통령이 옛날 아이돌과 같은 거예요.

노사모의 일부 사람들, 맘카페 일부 회원들이 문팬의 두 축을 이루고 있고, 또 하나의 축이 뭐냐면, 물질적 이해관계가 걸려 있는 사람들입니다. 이 사람들은 원래 팬은 아니에요. 이들은 누구라도 좋아. 지금 당장 이쪽이 대세고, 이쪽에 붙어야 먹고살기 때문에 들어와 있는 사람들입니다. 쉽게 말하면 그 의원들, 그 지역구 사무실들 있죠. 거기에 딸린 식구들. 정권 바뀌면 몇 천개씩 공공기관 자리가 낙하산으로 떨어지잖아요. 거기 얽힌 이해관계를 가진 사람들과 앞서 말한 노사모 일부와 맘카페 회원들이 결합되어 나타난 게 문팬이라고 할 수 있습니다.

서 민　『팬덤이거나 빠순이거나』에서 이민희 씨는 팬질과 정치의 연관성을 이렇게 얘기합니다. "팬덤은 나의 가수를 사랑하는 한편 남들의 가수를 미워해본 경험이 있기에 정치를 안다. 여론 혹은 세상을 어떻게 설득해야 하는지, 또 무엇을 어떻게 배척해야 하는지를 안다. 분란을 예측하고 만드는 방법을 안다." ▶ 팬덤 정치를 이해하는데 시사점을 얻을 수 있는 말인 것 같아요.

강양구　진중권 선생님께서 정치인 팬덤, 특히 이른바 '문팬'을 세 부류로 나눠서 설명하셨고 서민 선생님이 팬질과 정치의 유사성에 대해 시사점을 주는 말을 소개해주셨어요. 거기에는 지극히 세속적인 '욕망의 정치'가 작동하고 있다는 사실도 덧붙일 필요가 있어요. 지금 소셜 미디어에서 정치인 팬덤의 중심은 중산층입니다. 사실 먹고 살 만해야 팬덤도 할 수 있습니다. 강준만 교수도 이런 얘기를 했었죠. "열성 지지자들은 먹고사는 문제에 대한 구속이 비교적 덜한 젊

▶　이민희, 『팬덤이거나 빠순이거나』, 알마, 2013년, 103쪽.

은 층이었는데, 이들의 뜨거운 분노와 그에 따른 열화와 같은 지지는 주로 '이데올로기적 쟁투'에서 비롯되었기 때문이다. 반면에 사회경제적 이유에 민감한 서민층은 인터넷을 들여다볼 시간조차 없을 정도로 먹고사는 일에만 몰두하느라 자신들의 목소리를 낼 수 없었으니, 그런 대표성 왜곡으로 인한 문제가 노무현 정부의 성찰과 자기교정을 방해한 것이다."▶ 강준만 교수가 2011년에 펴냈던 『강남 좌파』에서 노무현 정부의 실패에 열성 지지자, 그러니까 정치인 팬덤의 책임이 있다는 이야기를 하면서 지적한 말입니다.

　　　지금 시점에서 이 대목에서 주의 깊게 살펴야 할 것은 중산층의 욕망에 좌지우지되다보니 정작 사회·경제적 이슈에 둔감하게 된다는 거예요. 문재인 정부가 들어설 때만 하더라도 이명박-박근혜 정부 9년간 추진했던 시장과 대기업 중심의 정책이 바뀔 것이라는 기대가 많았습니다. 하지만 앞으로 다음 장에서 권경애 변호사님, 김경율 회계사님이 목소리를 높이시겠지만 실망스러운 대목이 많습니다. 팬덤의 목소리가 과대평가되면서 정부의 성격이 보수화되는 결과가 나타났습니다.

서 민　그런데 제가 팬덤과 팬의 차이에 대해 잘 모르겠는데, 둘은 어떻게 다른가요?

▶　강준만, 『강남 좌파』, 인물과사상사, 2011년, 122~123쪽.

진중권   팬덤과 팬은 달라요. 내가 누구 팬이라고 하면, 그 사람 CD 를 사서 노래를 듣고 나 혼자 좋아하고 끝나잖아요. 그런데 팬덤은 어떤 특성이 있냐면 자기들끼리 모여서 하나의 집단을 만들어요. 팬 덤이 팬질을 하는 대상을 '팬 오브젝트(fan object) 혹은 팬 객체'라고 합니다. 그런데 팬 객체 자체 보다 그 팬 객체를 사랑하는 사람들의 공동체에 소속된다는 느낌이 더 중요합니다. 기억하실 거예요. 팬클 럽마다 이름이 다 있잖아요. '신화창조'나 BTS의 '아미' 이런 것들이 죠. 거기 멤버라는 게 굉장히 중요합니다. 이들은 단순히 소비만 하 고 끝나는 게 아니라 자기들의 팬 객체 콘텐츠를 스스로 가공합니 다. 제작사에서 주는 거 받아먹고 굿즈 사고 끝내는 게 아니라 자기 들이 직접 만들어요. 가령 팬픽이나 팬아트를 만듭니다.

문팬들도 아이돌 팬클럽처럼 똑같이 문재인 팬픽이나 팬아트 를 제작합니다. 그리고 요즘에는 조국팬들도 그러는데, 조국 교수가 딸 생일 케이크 사들고 귀가하는 뒷모습을 그린 그림을 만들어서 자 기들끼리 공유하고 그러잖아요. 자기들끼리 면티 같은 것도 굿즈로 만들어서 판매까지 하고요. 아이돌 팬클럽이랑 똑같습니다. 팬덤에 빠진 사람들 중에는 공연장마다 쫓아다니면서 아이돌 사진을 찍어 요. 사진기자들보다 더 좋은 장비를 갖고 있더라고요. 사진을 찍어 서 그걸로 브로마이드로 뽑아서 판매하거든요. 이게 꽤 짭짤합니다. 한편으로는 ' 팬 객체에 대한 정서적 유착', '자기들 편이라는 강한 소 속감'이 있고, 여기에 '돈벌이'까지 접목되어 있는 겁니다.

팬덤과 달리 팬은 배타적이지는 않아요. 나랑 취향이 다르면

할 수 없는 거잖아요. 그런데 팬덤은 뭉쳐 있기 때문에 "우리 H.O.T 오빠들을 놓고 어떻게 젝스키스를 좋아할 수가 있는 거야." 이러면서 서로 쌈질을 시작하는 거죠. 〈응답하라 1997〉 보면 나오잖아요. 팬들 싸움 나오죠. 비 오는 날 우비 입고 H.O.T 팬하고 젝스키스 팬이 딱 붙잖아요. 일단은 인터넷에서 패싸움을 하는데, "H.O.T가 뭐가 좋냐", "젝스키스가 뭐가 좋냐", "저것들이 우리 오빠를 욕 했어" 하면서 난리를 칩니다. 그렇게 막 서로 공격하다 결국은 어디서 만나냐면 공연장 있죠, 거기서 만납니다. 라디오 공개 방송이나 연말 시상식 같은 거 할 때, 여러 가수들이 다 같이 공연할 때가 있잖습니까. 그럼 거기서 세 싸움이 벌어지는 거예요. 이쪽은 노란색, 저쪽은 하얀색 풍선을 들고 난리치다가, 결국은 밖에 나가서 물리적 충돌까지 벌입니다. 이 둘이 죽자 살자 서로 싸우지만 공동의 적(?)이 있어요. 이 아이돌 저 아이돌을 다 좋아하는 그들 말로는 '잡스럽게' 좋아하는 이른바 '잡팬'은 혐오의 대상입니다. "박쥐처럼 기회주의적으로 여기저기 붙어 다닌다"면서 재수 없어 하거든요. 이게 바로 팬덤입니다.

서 민 노사모는 '팬'이고 문팬은 '팬덤'이군요. 어쩐지, 문팬들과 이성적인 대화가 안 되더라고요. 문 대통령의 잘못을 지적하면 '박사모' 낙인을 찍거나 '일베' 운운하니까요. 그들이 어찌나 선전선동을 했는지 저를 박사모라고 알고 있는 사람이 의외로 많습니다. 그런데 2008년 글로벌 금융 위기가 발생하고 세계 여러 나라가 전부 혼란에 빠져서 어수선할 때 미국이나 유럽에서 포퓰리즘이 등장하지 않습니까. 이런 포퓰리즘의 등장과 성장도 팬덤 정치와 맞물려 있나요? 제가 보기에는 둘 다 비슷해 보이는데요.

진중권 비슷하죠. 포퓰리즘과 팬덤 정치 둘 다 비슷한 맥락이 있는 것은 분명합니다. 하지만 팬덤이라는 건 아무래도 중심이 젊은 층이에요. 포퓰리즘은 그보다 윗세대들이고요. 그리고 기본적인 작동 방식이 좀 다른데 그 이야기는 심도 깊게 따로 해야 할 거 같은데, 우선 여기서는 짧게만 말씀드릴게요. 이렇게 예를 들어 보겠습니다. 이재명 지사 같은 경우에도 강한 팬덤을 갖고 있잖아요. 이 사람은 한편 팬덤도 있지만 포퓰리스트적인 면모도 강하게 갖고 있습니다. 그래서 그게 서로 교차하지만 완전히 겹치지는 않는 교집합을 이루고 있습니다.

　　　　지난 대선 때를 한번 생각해보세요. 팬덤 간 전쟁이 벌어졌거든요. 이재명 쪽에는 '손가락 혁명군'이 있었고, 문재인 쪽은 '달빛 기사단', '문꿀오소리'가 있었잖아요. 그 둘이 맞붙었는데, 사실 처음에는 팬층들 간의 싸움은 아니었고요. 왜냐면 박근혜 탄핵 때문에 민주당 대선 후보 경선이 갑작스럽게 치러진 거잖아요. 그러다 보니 팬층이 활동하고 말고 할 게 없었어요. 그때 붙었는데, 사실 경선이면 후보들끼리 서로 비판할 수 있는 거잖아요. 그것을 정상적인 것, 당연하게 생각해야 하는데, 팬덤은 그게 용서가 안 돼요. 네가 내 팬 객체를 공격했다는 것 자체가 납득이 안 돼요. 그들은 그게 정서적으로 용납이 안 됩니다.

용서받지 못할 자들

강양구 당시 민주당 대선 후보 경선은 어차피 문재인 후보가 유력한 상황이었어요. 그런 상황에서 이재명 후보가 문 후보를 강력하게 비판하면서 도발했습니다. 예를 들어, "나는 공직 이용해서 아들 취업 시키기", 또 "돈벌이에 공직 이용하기" 같은 일은 "안 했다"(2017년 1월 15일) 같은 비난을 개인 소셜 미디어 계정(트위터)에서 했어요. 당시 상대 당에서 문재인 후보를 계속해서 비방했던 소재(아들 문준용 씨 취업 특혜 의혹, 부산저축은행 수임료 의혹 등)를 받아서 활용한 거예요. 이재명 후보의 팬덤도 문 후보를 깎아내리려 여러 차례 도발했어요. 가장 자극적인 예로, 문재인 후보를 놓고서 건강 문제(치매)를 언급하면서 대통령 후보감이 아니라고 주장하기도 했습니다

서 민 그래서 이재명 후보가 용서받지 못할 자가 된 거군요.

진중권 그때 완전히 찍혀버린 거죠. 상식적으로 생각하면 문재인 후보나 그 팬덤도 이재명 후보를 공격했잖아요. 서로 공격하고 방어하는 것 자체가 경선 과정이잖습니까. 그런 과정을 통해서 민주당에서

더 좋은 후보를 뽑는 거고. 그런 게 없으면 더 좋은 후보가 나올 수 없는 거잖습니까. 그때 서로를 향한 비판이야말로 더 좋은 후보를 뽑기 위한 당연한 절차인데, 여기서부터 어그러지기 시작하는 거예요. 팬덤의 정치와 기존의 정치 문법이 안 맞는 거죠. 그러다보니 기존의 정치 논리가 망가지기 시작합니다. 그때 제일 먼저 당한 게 안희정 후보였어요. 문팬들이 안희정 후보를 엄청 공격해서 나중에 "질린다"라고 했을 정도였잖아요. 온갖 문자 폭격부터 마타도어(Matador) 공격까지. 그렇게 해서 떨어져 나갔죠. 그리고 이재명 후보가 문제가 됐던 게 뭐였냐면, 그분이 말을 좀 얄밉게 하잖아요.

서 민 당시 지지율에서 문재인 후보가 훨씬 앞서 나가고 있었으니, 이재명 후보로서는 문재인 후보에게 비판을 집중할 수밖에 없었어요. 그렇다고 이재명 후보가 문 대통령의 사생활을 공격했다든지 저열한 방법을 사용한 것도 아니거든요. "사드 문제에 대해 왜 모호한 태도를 취하느냐?", "일자리 만들기 재원은 어떻게 할 거냐?" 이런 비판을 했습니다. 이 정도 비판도 못하면 선거는 어떻게 합니까?

진중권 이재명을 사이다라고 그러잖아요. 이재명 후보는 사이다라고 하는데, 문재인 후보는 답답한 고구마였잖아요. 그냥 때려대니까 문팬들이 볼 때는 약 오르거든요. 저쪽은 사이다인데 이쪽은 고구마. 그러니까 기껏 하는 얘기가 "사이다만 먹고 살 수 있나. 고구마도 먹어야죠." 그래서 그때 이재명이 문팬들에게 찍혀버린 겁니다. 그다음에 본격적으로 팬덤이 모습을 드러낸 게 2018년 지방선거 때부터예요. 이재명이 경기도지사 후보로 나왔죠. 저쪽 편에 전해철 의원이 나왔고. 전해철이야말로 '친문' 실세이고 '3철' 중 하나입니다. 그 전해철이 문팬들을 방조하면서 이용한 측면이 있어요. 이른바 '혜경궁 김씨', 별것도 아닌 걸 가지고 고소하고 그랬잖아요.

서 민 문팬들이 돈을 모아서 각 언론사에 혜경궁 김씨에 관한 광고를 싣기까지 했습니다. 정말 황당한 것은 그들이 그렇게 저주하던 〈조선일보〉에까지 이 광고를 실었다는 거예요. 혜경궁 김씨 말고 이재명 지사가 김부선 씨와 바람을 피웠다, 이거 가지고도 문팬들이 엄청나게 공격했었지요. 이것도 근거가 희박한 것이, 김부선 씨가 1년 넘게 사귀었다고 주장을 했는데, 같이 찍은 사진 한 장도 제시하지 못했습니다. 그런데도 사람들은 그 선동에 넘어가 "이재명이 불륜을 했을 것이다"라고 믿는 이가 상당수 있었어요. 심지어 특정 부위에 점이 있는지 없는지 검증까지 받아야 했는데, 검증 후에도 불륜 의혹은 사라지지 않았어요. 그때 참 문팬들이 정치를 더럽게 한다 싶었습니다.

진중권 네, 맞습니다. 그때 제가 이런 문팬들의 행동을 반대했거든요. 이거 위험하다고, 이렇게 가면 안 된다고, 방송에서도 제가 지적하고 그랬는데. 전해철 후보는 일단 세력이 약하잖아요. 그래서 당장 이기기 위해서, 이재명 후보를 꺾기 위해서, 문팬의 힘을 빌려온 겁니다. 그렇게 하면 안 되는 건데 빌려온 거죠. 결국 자기가 고소를 한 거예요. 나중에 취하했지만 그건 의미가 없죠. 정당 정치를 하는 사람들이 이런 팬덤 활동에 면죄부를 줘버린 거예요. 이들이 신났죠. 근데 사실은 택도 없죠. 전해철 후보를 누가 알아요. '실세' 이렇게만 알지, 대중적 소구력이 없다 보니까, 결국은 경선에서 떨어졌죠. 그다음엔 어떻게 되느냐. 이재명 후보를 안 찍어요. 그들 중에는 당시 새누리당 후보 남경필에게 표를 던지기도 했어요. 이게 팬덤이에요.

강양구　그러니까 팬덤은 이념이나 정책을 지지하는 것이라고도 보기 어렵군요?

어른들을 위한 테디 베어

진중권　맞아요. 팬덤 정치는 이념이나 정책이 아니라 팬 객체를 지지합니다. 그렇기 때문에 이 팬 객체를 위해서라면 당이고 뭐고 그건 결코 중요한 게 아닙니다. 그 사람들한테 중요한 것은 자기의 욕망이고 자기의 쾌락이에요. 이렇게 다른 원리를 갖고 있는데, 일단 민주당에서 자기들을 막 지지해주니까 좋잖아요. 그러다 보니 처음에는 같이 편승했는데, 정당 정치의 문법과 이들이 움직이는 동력 자체가 다르거든요. 여기서 충돌이 계속 일어나는 겁니다.

보통 사람들이 언제 팬질을 하느냐에 대해서 여러 가지 이론이 있는데, 대표적인 이론이 정신분석학의 나르시시즘에 관한 이론이에요. 나르시시즘은 자기를 사랑하는 거잖아요. 보통 유아 같은 경우는 완전히 자기밖에 모르잖아요. 이걸 자기 성애라고 합니다. 왜냐면 외부가 없어요. 오로지 자기 안에 갇혀 지내다가, 언젠가 외부 세계랑 접촉해야 하거든요. 엄마를 통하든 다른 타인을 통해서든 외부 세계랑 접촉을 시작하는데 그때쯤 자기에 대한 사랑을 타인에 대한 사랑으로 옮겨가는 과정에 누구나 겪는 게 나르시시즘이라는 거죠. 나르시스트들은 자기 몸을 막 만져요. 자기 얼굴 보면서 좋아하고요. 자기를 타인 사랑하듯이 하는 겁니다. 이 과정을 누구나 다 거친대요. 자기 성애에서 타인 성애로 옮겨가는 과도기 현상인 거예요. 아이는 그것을 통해 타인을 사랑할 준비를 시작하는 셈이죠. 문제는 어떤 사람들은 이게 오래 지속된다는 거예요. 그게 나르시시즘입니다. 나르시스트 같은 경우에는 팬 객체가 자신이에요. 팬 객체에 투사한 자신의 이상적 자아를 사랑하는 겁니다.

보통 사람들이 남을 사랑하는 거랑, 팬들이 팬 객체를 사랑하는 건 달라요. 이 사람들이 굉장히 남다르게 사랑하는 건 바로 자기의 이상적 자아가 거기 있기 때문입니다. 그러니까 자아 사랑이거든요. "나는 저 사람을 사랑하지만 다른 이들은 저 사람을 사랑하지 않을 수도 있지." 이게 당연한 거잖아요. 그게 진짜 타인을 사랑하는 겁니다. 왜냐면 타인이 타인임을 인정하는 것이니까요. "내가 사랑

"

팬덤 정치는 이념이나 정책이 아니라 팬 객체를 지지합
니다. 그렇기 때문에 이 팬 객체를 위해서라면 당이고 뭐
고 그건 결코 중요한 게 아닙니다. 그 사람들한테 중요한
것은 자기의 욕망이고 자기의 쾌락이에요.

"

하는 저 사람은 나랑 다른 사람이야. 그래서 나는 저 사람을 좋아하지만, 남들은 저 사람을 안 좋아할 수도 있어." 예컨대 내게 여자 친구가 있는데, 딴 애들은 내 여자 친구를 별로 안 좋아해. 그런다고 내가 상처받아서 멱살 잡고 이렇게는 안 하잖아요. 그런데 팬덤은 팬 객체가 바로 자기이기 때문에 누군가가 저 사람은 네가 아니라 타인이라는 걸 얘기하면 엄청나게 반발합니다. 내가 맨날 얘기하는 게 "너는 문재인 대통령이든 민주당이든 그들하고 달라." 이러면 팬덤은 굉장히 상처받아요.

서 민   스타랑 자신을 동일시하다 보니 그 스타를 욕하는 게 곧 자신을 욕하는 것이 되고, 그래서 저항감이 생기는 거군요.

진중권   네. 팬덤에 빠진 사람의 저항을 정신분석가와 내담자와의 관계를 빌려서도 설명할 수 있어요. 정신분석이 통하려면 내담자와 그에 맞는 관계가 형성되어야 합니다. 이걸 라포르(rapport)라고 해요. 정신분석가들이 치료할 때, 내담자가 동일시 한 저 사람이 네가 아니라 타인이라는 걸 계속 얘기해주잖아요. 그러면 내담자가 굉장히 강한 반발을 하면서 정신분석가와의 라포르를 끊어버립니다. 차단해버리는 거죠. 팬 객체라는 게 자기가 투사된 거잖아요. 그 안에는 완전한 자아가 있거든요. 처음에 라캉도 그런 얘기를 합니다. 유아 같은 경우에는 자기 몸을 마음대로 움직이지 못하잖아요. 자기 자신을 전체가 아니라 분절된 파편들로 느낍니다. 눈으로 자기 몸을 봐도 부분들만 보이고, 몸도 자기 의지대로 잘 안 움직여지니까요. 그런데 거울을 보면 자기의 온전한 자아가 있잖아요. 그것처럼 팬 객체가 자기의 온전한 자아인 거예요. 그래서 그게 무너지면 내가 무너지는 것이니, 자기도취 이런 게 있는 거죠. 여기엔 쾌락이 있거든요.

　　재밌는 건 '팬 객체는 테디 베어 같은 것이다'고도 할 수 있습니다. 어린 아이들이 테디 베어를 안고 다니잖아요. 테디 베어가 어린 아이와 외부 세계의 접점입니다. 왜냐면 테디 베어는 내가 아니면서도 아직도 나 자신인 그런 접점과 같은 존재거든요. 이러다 보니 자기의 테디 베어에 대해 과대망상이 생긴다는 거예요. 여기에 소원을 빌면 모든 게 다 이루어진다는. 자기가 세계를 객관적으로 지배할 힘이 없을 때, 테디 베어를 통해서 세계를 지배할 수 있다는 망상을 갖게 되는 겁니다. 영화에서 흔히 애들이 테디 베어한테 온갖 고민 다 얘기하고 소원 빌고 그러잖아요. 팬 객체는 테디 베어 같은 겁니다.

서 민　사극, 드라마에 등장했던 지푸라기 만들어 바늘로 찌르는 주술 같은…….

진중권　그렇죠. 인류의 유년기 때 주술이라는 게 있잖아요. 주술의 객체를 만들어서 이것으로 세계를 지배할 수 있다고 믿었던 것과 마찬가집니다. 이 팬 객체가 일종의 주술적인 힘을 갖고 있는 거고, 문재인 대통령이 마술사인 거예요. "이니 하고 싶은 대로 다 해"라는 게 여기서 나오는 겁니다. 그리고 이게 옛날 주술과는 달리 너무 현실적이거든요. 대통령한테는 권력이 있단 말이죠. 대통령이 자신의 권력을 잘 사용해야만 국정 운영이 잘 될 거잖아요. 문팬들에게는 이건 상관없는 거예요. 문 대통령은 주술적 객체니깐 대통령을 지키기만 하면 되는 겁니다. 무슨 짓을 하든지 간에 지키기만 하면 된다는 거죠. 그러니까 대통령에 대한 올바른 비판마저도 아예 못하게 합니다. 이게 팬덤의 정치입니다.

강양구　왜 갑자기 이런 팬덤 정치 현상이 사춘기 청소년도 아니고 다 큰 성인들 사이에서, 특히 한국의 정치 문화 속에서 나타났을까 하는 궁금증도 생깁니다.

진중권　이런 현상들이 대개 어떤 나라에서 나타나는지 봤을 때 영미권하고 한국이거든요. 일본은 없습니다. 일본은 아예 정치가 다르잖아요. 거긴 할아버지들이 하는 정치니까요. 유럽도 포퓰리즘이 있을지 몰라도 팬덤 정치가 있다고 보지는 않습니다. 독일 같은 경우는 합리적이고 건조하게 정치를 하니까요. 팬덤 정치가 두드러진 나라들을 보면 대개 대중매체와 팝문화가 매우 발달한 나라들입니다. 두 번째는 인터넷이 또 엄청나게 발달한 나라들, 인터넷 사용을 많이 하는 나라들이에요. 이런 발달한 인터넷 망과 그것을 통해서 세계 최초로 대통령을 만들었던 정치 문화가 우리에게 있거든요.

　전통적으로 대표적인 조직 형태가 군대이고, 또 하나가 가톨

릭교회, 그리고 정당입니다. 중앙당, 도당, 지역국, 이렇게 수직적으로 내려오던 게 수평적 네트워크형 정치로 제일 먼저 진화한 게 대한민국입니다. 우리 사회에 그런 인프라가 딱 있는 거죠. 게다가 지금 한국은 대중문화가 엄청 발달해 있죠. BTS니 블랙핑크니 세계적으로 난리잖아요. 영화도 그렇고. 이런 발달한 영상 문화가 앞서 말한 수평적 네트워크 정치와 중첩돼 있습니다. 그런데 옛날 팬덤의 대상이던 H.O.T는 그냥 상상계이고 그저 허구일 뿐이라서 좋아해도 현실하고는 잘 연결이 안 되었거든요. 이제는 어른이 돼서 현실 속에서 살잖아요. 그 꿈을 실현시켜 줄 수 있는 팬 객체를 찾는데, 미디어를 통해 자주 만나는 게 대통령인 거죠.

서 민 문팬들을 관찰해보면 대충 이런 논리더군요. "문재인은 절대 선이고 항상 옳아. 나는 그런 문재인을 지지하지. 그렇다면 나도 정의로운 사람이야." 그러니까 누군가가 문재인 대통령의 잘못을 들춰낸다면, 그건 곧 자신에 대한 공격처럼 느껴지는 것이고, 격렬한 반응이 나올 수밖에 없어요.

진중권 이 사람들은 삶에서 굉장한 불안감, 공포감을 갖고 있는 거예요. 어떤 사람들은 교회에 가서 푸는 거고, 어떤 사람들은 팬질로 푸는 거죠. 그냥 믿는 겁니다. "저 사람만 내가 지켜주면 모든 문제가 다 풀릴 거야"라는 일종의 자기소외 상태에 빠지는 겁니다. 이게 자연히 성장하면서 팬덤 정치로 가게 된 거예요. 옛날 청소년 때는 사회고 정치고 뭐고 관심이 없잖아요. 오로지 오빠들이 만들어낸 자기들의 세계란 말이죠. 어른이 되고서는 현실에 들어와서 살아야 하잖아요. 육아 문제를 어떻게 할 건지, 특목고를 만드니 자사고를 없애느니, 입시를 어떻게 할 건지 모두 다 현실 문제잖아요. 이런 현실적 고민들과 팬덤이 만나서 만들어진 게 정치의 팬덤화입니다.

강양구   이 대목에서 답답한 마음이 생깁니다. 팬덤 정치가 한국 사회가 한 걸음 더 나아가는 데도 심각한 장애물이거든요. 말씀하신 것처럼 한국 사회는 여러 문제가 있습니다. 가만히 생각해보면 많은 사람이 도저히 벗어날 수 없는 촘촘한 폭력의 그물에 갇혀 사는 것처럼 보이거든요. 그런데 폭력의 그물을 그대로 둔 채 사는 사람은 바로 우리 자신입니다. 그런데 우리는 그 그물을 안에서 찢고서 나갈 생각을 하지 않아요. 대신 밖에서 누군가 찢어주기만을 기다립니다. 바로 메시아죠. 대통령 선거를 앞둘 때마다 "내가 메시아다!" 하는 사람이 등장하고, 그런 사람을 중심으로 '○○○ 현상'이 생기고, 그 연장선상에서 지독한 팬덤이 형성됩니다.

슈도(pseudo) 팬덤

진중권   이런 강한 유착 관계의 또 다른 부작용도 있습니다. 쉽게 말

하면 소속감을 갖고 노는, 정서적인 유착감과 재미가 있어요. 왜냐면 그걸 통해서 자기의 폭력적인 본성들을 마음껏 분출할 수 있잖아요. 옛날 같으면 남의 홈페이지 들어가서 쌍욕하고 이런 사람들, 미친놈이라고 욕먹었는데, 이제는 이런 짓을 한 사람을 '전사'라고 커뮤니티 내에서는 잘했다고 칭찬하고. 또 하나는 아까 말했던 돈벌이인데요. 그런 사람들은 내가 볼 때 팬은 아니에요. 그런 사람들은 팬 문화, 팬덤을 이용해서 장사를 하는 거죠.

전체적인 현상으로서의 팬덤이라는 것은 내가 돈을 벌기 위해서가 아니라 내 돈을 써 가면서까지도 그걸 한다는 거예요. 몇 억 그냥 모이잖아요. 가령 '조국백서'같은 경우죠. 근데 문제는 뭐냐면 그걸로 돈 버는 사람들이 있는 거예요. 팬덤이라는 게 소비 니즈가 있는 겁니다. 팬 객체에 대한 니즈가 있는 거고, 그 콘텐츠를 제공해 주면 돈을 벌 수 있다는 생각으로 들어와 있는 사람들이 있습니다. 그게 금전일 수도 있고, 권력일 수도 있는 거죠. 공천일 수도 있고. 앞서 말했듯이 팬덤의 정치를 이루는 세 갈래 중의 하나이긴 하지만, 이들은 실제로는 팬덤이라기보다 '슈도(pseudo, 사이비/가짜) 팬덤'이라고 할 수 있습니다. 팬인 척하면서 실제로는 권력이나 금전 쪽에 더 관심이 많은 사람들이죠.

강양구 문팬들 얘기하면서 자연스럽게 '조국 팬덤'으로 넘어온 것 같아요. 팬덤 정치 현상이 조국 전 법무부 장관 한 사람으로 투영돼서 '조국 사태'가 일어났다고 볼 수 있겠네요.

진중권 그렇게 보면 그런 거죠. 잘 생각해보세요. 조국 전 장관을 왜 못 놓았느냐. 이상하지 않아요? 오케이, 처음에는 밀어붙인다, 처음에는 그거였겠죠. 정치 공학적으로 생각할 때는 문재인 대통령의 뒤를 이어서 대통령이 될 사람이잖아요. 차기 정권 재창출을 위한 소재였던 거죠. 그렇게 보면 그건 합리적 판단인 거예요. 얼굴 잘생겼지, 뭐했지, 뭐했지……. 솔직히 말하면 이번 사건만 아니었다면 법무부 장관까지 무사히 마치고 다음 대선에 나왔다고 하면 그냥 바로죠. 나는 당선까지도 그냥 갔을 거라고 봐요. 근데 일단은 그 카드가 날아갔잖아요. 일반적으로 카드를 딱 깠는데 온갖 흠집이 나 있으면 일단 손절하잖아요, 정치적인 문법에서는. 빨리 판단해서 빨리 접고 플랜B로 넘어가야 하지 않습니까.

그런데 이 사람들이 그걸 안 했단 말이에요. 상식적으로 납득이 안 되잖아요. 왜냐면 자기들도 바보가 아닐 텐데. 그런데 이 사람들이 택한 건 바로 허위와 날조를 통해서 조국이 죄를 안 지은 다른 세계로 가는 길을 창조한 거였어요. 그게 팬덤 내에서는 가능해요. 왜냐면 그 사람들은 뭐든지 믿어줄 준비가 되어 있거든요. 그런데 다른 사람들 보기에는 뜨악한 거죠. "쟤들 왜 저래?" 그게 바로 뭐냐면 민주당 자체가 팬덤 정치에 갇혀 있다는 거예요. 그들이 볼 때 세상 사람들은 다 팬덤인 겁니다. 뭐든지 자기들이 빌미만 던져주면 다 믿을 준비가 되어 있고, 아무리 그 믿음에 반하는 사실이 외부에서 들어온다 하더라도 이들은 그걸 안 믿어요. 왜냐면 팬덤은 호감, 내가 좋아하는 사람이거든요. 그러니 이들한테 아무리 사실을 말해줘도 그 좋아하는 마음을 없애지는 못해요. 지지는 철회할 수 있어도 사랑은 철회가 안 되거든요.

강양구   그 대목에서 많은 사람이 놀랐습니다. 만약 김대중 정부나 노무현 정부 때의 민주당에서 조국 사태 같은 일이 벌어졌다면 어땠을까요? 아마도 김대중 대통령이나 노무현 대통령이 나서서 정리했을 거예요. 확신컨대, "부끄럽다"고 고백했을 가능성이 큽니다. 당연히 막무가내식 팬덤과도 거리를 뒀을 거예요. 그런데 지금 민주당은 오히려 그런 팬덤과 손을 잡았어요. 당내에서 "팬덤과 거리를 두자"는 목소리는 거의 찾아볼 수 없습니다.

진중권   일단 팬덤이 있고 나를 열렬히 지지해주는 건 좋잖아요. 내가 그 사람들이라 하더라도 팬덤의 도움을 받고 싶어 할 거 같아요. 저렇게 충실하게 내가 무슨 짓을 하더라도 보호해주고 옹호해주고 싸워주는 사람이 있다는 건 굉장히 든든하지 않습니까. 그런데 잘 생각해보세요. 이미 민주당 대선 후보 경선 때 팬덤의 폐해에 대한 지적이 나왔거든요. 아마 나도 참여했던 걸로 기억나는데 KBS에서 대선후보 검증 프로그램 했었잖아요. 그때 패널들이 문재인 당시 후보에게 뭐라고 질문했느냐면 "지금 당신 팬들이 너무나 극성스러워서 이견을 가진 사람들한테 자꾸 매번 문자 보내서 패악질을 한다. 여기에 대해서 어떻게 생각하느냐?"라고 했더니, 자기도 그런 걸 당한다면서 "경선을 더 재미있게 만드는 양념 같은 것이다"라고 답하더라고요.

　그때 저는 뜨악했어요. 왜냐면 노무현 대통령이라면 그때 그 자리에서 이렇게 얘기했을 거예요. "그것은 저를 욕보이는 짓입니다. 하지 말아주십시오"라고. 문재인 후보는 안 그러더라고요. 그때 완전히 놀라 '이 사람 뭐지?'라는 생각이 들더라고요. 이분은 애초에 정당정치 문법이 아니라 팬덤 정치에 올라타 있었던 겁니다. 팬 객체가 오래가면 괜찮은데 이게 지금 몇 년짜리예요? 5년짜리인데 벌써 3년을 넘겼거든요. 보통은 어떠냐면 오바마 때도 그렇고 대통령 당선된 다음에는 팬심을 잃어버려요. 노무현 대통령도 그랬거든요. 보통 팬심을 잃어버려요. 노무현 대통령 당선된 다음에 뭐라고 그랬는지 기억나실 겁니다. "그를 찍은 내 손가락을 잘라버리고 싶다." 저 사람이 나랑 다르다는 걸 깨달아버린 거예요. 그럼 굉장히 강한 적개심을 보입니다. 이게 어떻게 보면 당연한 건데, 문재인 대통령의 경우에는 그 팬덤의 시간이 너무 짧았어요. 경선 과정이 너무나 급했잖아요. 그러니까 당선된 다음에도 계속 그러는 거예요. 그러다가 결국은 유효기간이 딱 지났죠. 그래서 이제 갈아줘야 되는데, 그게 조국 전 장관이었던 거예요. 보면 괜찮잖아요. 아무나 팬 객체가 될 수 있는 건 아닙니다. 팬 객체는 뭐가 있어야 되냐면, '호감성(Likeability)'이라는 게 있어야 해요. 사람들이 좋아할 만한 매력적인 구석이 있어야 하거든요.

서 민　팬덤이 어려울 것 같은 정치인들 몇 사람이 떠오르네요.

진중권 잘 생각해봐요. 청와대 F4 기억나세요? 사실 문재인 대통령이 잘생겼잖아요. 젊을 때 사진 보면 정말 영화배우 같잖아요. 거기다 공수부대. 여성 팬들은 잘생겼다고, 남자들은 공수특전단이라 좋아했어요. 이렇게 팬심을 가질 만한 부분이 있잖아요. 그 다음 조국. 얼마나 잘생겼어. 학벌 좋죠, 거기다 좌파인데 강남 살아. 강남 사는데도 좌파야. 이런 거잖아요. 임종석 비서실장도 지금은 좀 나이들어 보이지만 옛날 전대협 의장할 때 여고생들이 얼굴 사진을 책받침으로 만들어 썼다는 일화도 있어요. 거기다 문 대통령 경호원도 굉장히 잘생겼다고 해서 사진이 나돌고⋯⋯. 일본에서는 멋진 남자, 잘생긴 남자를 '이케멘(イケメン)'이라고 그래요. 이케멘이 바로 조국이거든요. 조국을 완전히 믿고 있었는데, 윤석열이 날려버린 거예요. 윤석열을 검찰총장으로 자기들이 뽑았으면서, 검찰에 대해 엄청 반발하는 이유가 뭐냐면 자기들의 상상계를 파괴한 놈이거든. 조국이 자기들의 이상적 자아인데, 조국을 강제로 타자화해 버린 거예요.

그 다음에 금태섭 전 의원. 이 사람은 더 용서가 안 되는 거예요. 배신자예요. 조국이 자기들의 이상적 자아인데 그의 잘못을 청문회에서 얘길 하니까 그때 딱 찍혀버린 겁니다. 얼마나 집요한지 보세요. 민주당도 정당이고 상식적으로 정당에는 다른 말을 하는 사람도 하나씩 있는 게 좋은 거 아니에요. 그래야 구색도 맞추고, 이게 당연한 정당 논리거든요. 민주당은 그러고 싶었던 거예요. 그런데 금태섭 의원 지역구에 처음에 팬덤을 업고 누가 나가냐면 정봉주 전 의원이에요. 딱 나갔는데 저들이 볼 때도 너무 아닌 거예요. 진중권

"

일본에서는 멋진 남자, 잘생긴 남자를 '이케멘(イケメン)' 이라고 그래요. 이케멘이 바로 조국이거든요. 조국을 완 전히 믿고 있었는데, 윤석열이 날려버린 거예요. 윤석열 을 검찰총장으로 자기들이 뽑았으면서, 검찰에 대해 엄 청 반발하는 이유가 뭐냐면 자기들의 상상계를 파괴한 놈이거든. 조국이 자기들의 이상적 자아인데, 조국을 강제로 타자화해 버린 거예요.

"

이 가만히 안 있겠다고 지랄을 하기도 하고.(웃음) 이러니까 쳤어. 그래서 누가 나갔냐면 김남국이 나가요. 김남국 씨가 한 게 뭐에요? 개싸움 한 거잖아요. 조국 지키기 개싸움 국민운동본부. 팬덤 세인 거예요. 그래서 그것도 공격을 했죠. 날아갔습니다. 그다음에 나온 게 강선우라나. 이름도 처음 들어봤거든요. 근데 당선되잖아요. 문팬들이 움직이면 이렇게 된다는 겁니다.

문제는 민주당에서 이제 당혹스러운 거죠. 민주당에서도 그때 둘 날렸잖아요. 정봉주 날렸으면 그때 그냥 금태섭 단수공천 주면 되는 거예요. 근데 후보 공모를 다시 받았어요. 연장했잖아요. 그게 저쪽 판 사람을 끌어들인 거죠. 일반 유권자들 어쩌고저쩌고 하는데, 민주당 일반 유권자들에서 응답률 5% 나왔거든요. 어떤 분들이 응답했겠어요. 문팬들이지. 당원 투표나 일반 유권자나 다를 리가 없는 거죠. 결국은 이 팬덤이 움직이게 되니까 되더라는 겁니다. 민주당 입장에서 황당한 건데, 이것도 팬덤 정치가 정상적인 정당 정치를 왜곡하는 예가 되는 거고, 지금의 주적은 윤석열 총장이죠. 그의 죄는 죽음으로도 못 씻어요.

서 민 그래서 윤석열 총장을 그렇게 날리려고 하는 거죠. 장모 비리에 대해서 주진우 기자마저도 〈김어준의 뉴스공장〉에 나와서 이미 대법원까지 끝난 일이고, 거론하는 것 자체가 명예훼손이라고 한 적 있거든요. 청문회 당시 야당에서 문제제기 했을 때만 해도 민주당 애들이 무슨 말도 안 되는 소리를 하냐는 분위기였고요. 윤석열이 검찰총장이 됐을 때 문팬들이 환호하면서 이렇게 말했던 기억이 나요. "자유한국당 너네들, 다 죽었다!" 그런데 그 윤석열이 조국을 법무부 장관에서 낙마시키니까 갑자기 묻었던 장모 이야기를 꺼내 윤석열을 공격하고 있으니, 이 얼마나 치졸합니까. 새로운 비리를 개발해서 공격한다면 성의라도 있다고 할 텐데 말이죠.

진중권 장모부터 무조건 날리고 다음은 윤석열 총장이겠죠. 민주당에서 왜 날리려고 하냐면 지금 라임 사태 막 터져 나오지, 여기에 누군가 다 연루되어 있잖아요. 수사 인원 두 명 보충해달라고 했더니 못 보내준다고 얘기하는 걸 보면. 그다음에 또 뭐가 있습니까. 울산시장 선거개입 수사가 있단 말이죠. 이제부터 계속 비리들이 터져 나오는데, 문제는 윤석열 총장이 통제가 안 된다는 거예요. 이 사람 칼날이거든요. 어떤 식으로든 날려야 되는 겁니다. 이들의 이해관계가 있는 거죠.

그런데 정치권에서만 날리려고 하면 당장 욕먹거든요. 사람들이 다 "뭐하는 거냐." 당장 반발하죠. "결국은 너희들 수사 안 받겠다는 거 아냐" 이렇게 비판을 받을 수 있으니, 미리 자기들에게 유리한 여론을 형성하는 데 문팬덤을 동원하는 겁니다. 문팬덤은 윤석열 총장에 대해서 강한 반감을 갖고 있거든요. 이 팬덤을 이용하면 여론의 일정 부분을 먹고 들어갈 수 있는 거죠. 그러면 해볼 만한 싸움이 된다고 판단하는 겁니다.

지금 보면 언론들도 덤벼들잖아요. 〈한겨레〉도 덤벼들고 거기다 MBC도 KBS도. 장모 관련 일이 벌어졌을 때 윤석열 총장은 좌천된 시기잖아요. 힘을 쓸 수 있는 시기가 아닌데도 어쨌든 흠집을 내야 해요. 왜냐면 기소가 돼도 문제고, 기소가 안 돼도 문제거든요. 기소가 안 되면 "윤석열이 봐줬다"고 그럴 거고, 기소가 되면 "가족이 기소됐는데 넌 왜 그 자리 지켜?" 이렇게 공격할 거라는 거죠. 이런 식으로 정치권이 자기들의 사적인 이해관계를 실현하는 데 팬덤을 동원하는 거예요. 그러니까 이 팬덤을 어떤 식으로든 존중할 수밖에 없고, 그래서 이들의 요구에 따라서 금태섭 의원 지역구 공천 과정에서 후보 공모를 연장해주었던 겁니다. 게다가 정당까지 만들어졌죠. 이 팬덤 정당이 바로 열린민주당이에요.

팬덤 정당, 열린민주당

서 민 열린민주당의 윤석열 공격은 정말 가관이더군요. 최강욱 의원하고 황희석 씨가 투톱이었는데, 최강욱 의원은 '윤석열이 공수처 1호 대상'이라고 협박까지 했지요. 사람들은 그게 윤석열 총장한테 기소당한 것에 대한 복수심 때문이라고 합니다만, 도대체 이해가 가지 않습니다. 최강욱은 조국 아들에게 하지도 않은 인턴 확인서를 허위로 만들어준 혐의로 기소됐잖습니까. 그걸 부탁한 이가 바로 정경심 교수, 그러니까 조국 부인이에요. 사정이 이렇다면 부당한 일을 시킨 조국 부부에게 원망하는 마음을 갖는 게 정상일 텐데, 왜 윤석열 총장을 못 잡아먹어서 안달인 걸까요?

MBC도 문제가 있어요. 어용언론으로 정부 편드는 건 어쩔 수 없다 해도, 이번에 보니까 완전히 선을 넘더라고요. 수조 원의 돈을 날리고 수없이 많은 피해자를 낳은 라임펀드와 신라젠, 민주주의의 근간을 뒤흔든 울산시장 선거개입 등에는 하등의 관심이 없으면서, 총선을 앞두고 윤석열 총장 장모 이야기를 〈스트레이트〉라는 시사프로에서 무려 3회에 걸쳐서 내보내더군요. 이게 다가 아닙니다. 신라젠 사건을 조사하던 채널A 기자가 저지른 취재윤리위반을 '검언 유착'으로 몰아가 윤석열 총장을 죽이려는 공작까지 꾸미는 걸 보면 해도 너무합니다. 물론 여기에 대해 아직 조사 결과가 나온 건 아니지만, 윤석열 총장을 타깃으로 삼고 저런다는 게 딱 보이더라고요.

강양구 오랫동안 검찰 권력을 강하게 비판해왔던 처지로서는 문재인 정부와 검찰 사이의 갈등, 또 윤석열 검찰총장에 대한 이 정부 팬덤의 극적인 입장 변화는 연구를 해보고 싶을 정도입니다. 알다시피, 이명박-박근혜 정부에서 검찰은 권력에 적당히 아첨하면서 조직 권력을 유지 강화해왔잖습니까. 그런 상황에서 거의 유일하게 검찰다운 검찰의 모습을 보여온 검사 집단이 윤석열 검찰총장과 그 휘하의 특수통 검사였습니다. 그리고 이들은 문재인 정부가 들어서자마자 '적폐 수사'의 최전선에서 당시 조국 민정수석 등과 호흡을 맞쳐 왔어요. 그래서 검찰총장으로 임명한 거잖아요.

서 민   궁금한 게, 청와대 문재인 대통령이나 그 측근들은 그렇다 치더라도 민주당 사람들이 한두 명이 아닌데 진 교수님을 비롯해 여러 사람이 이렇게 강력하게 반발할 정도라면 "이건 우리 좀 문제 있는 거 아냐? 잘못된 거 아냐?"라고 생각하고 어느 정도 내부적으로라도 서로 티격태격하고 갑론을박하고 "야, 우리 좀 이렇게 가면 안 될 것 같아. 달리 좀 생각을 해봐야 될 것 같아"라고 해야 되는데, 그런 목소리가 전혀 없습니다.

진중권   옛날에는 어느 당이나 주류와 비주류가 있었잖아요. 그 말 들어본 지 오래됐죠? 민주당 비주류들은 국민의당 만들어지면서 떨어져 나간 거예요. 그러다 보니까 당 전체가 친문으로 균질화돼 버렸습니다. 더군다나 금태섭 의원 지역구에서 일어난 일은 거기서만 일어날 법한 일이 아니에요. 모든 지역구에서 다 일어날 수 있는 일이에요. 그러니까 그 사람들이 금태섭처럼 하면 어떻게 되는지 알게 된 거죠. 절대 자기 목소리를 낼 수가 없는 겁니다. 일단 공천권을 친문 실세들이 다 잡고 있잖아요. 거기다 시스템 공천이 말이 시스템 공천이지 유권자들하고 진성 당원들을 대상으로 하는 건데, 그 진성 당원들 투표라는 게 어차피 극성스러운 팬덤한테 장악이 돼 있단 말이죠.

　　　노무현 대통령만 해도 지도부와 의견이 달라도 자기 팬들을 가지고 이길 수가 있었단 말이에요. 근데 지금은 지도부랑 팬덤이 결탁이 돼 있는 상태거든요. 예를 들어서 내가 지도부랑 싸우면 당원들이 "잘했어. 역시 소신 있어" 박수를 쳐줘야죠. 지도부랑 딱 대립하면 "저 사람은 배신자"라고 공격당하니깐, 모든 사람들이 입을 다물 수밖에 없게 된 거죠. 결국 지금 20대 국회 민주당 의원들 130명이 그저 거수기인 셈인 겁니다. 그나마 다른 의견을 말해 왔던 게 금태섭 의원인데 날려버렸잖습니까. 조응천 의원 등 몇몇이 제법 제 목소리를 내긴 했지만, 그들도 팬 객체는 절대 안 건드렸던 거예요.

서 민 과거에는 소위 소장파라는 분들, 나이가 젊은 의원들이 나서서 당론과 다른 소신 발언을 했었죠. 김대중 대통령 때인 2001년, 당시 여당인 새천년민주당에서 천정배, 신기남, 정동영이라고, 소위 천-신-정이라 불리던 이들이 당내 소장파를 규합해 정풍운동을 벌였습니다. 이들은 당내에서 절대적인 헤게모니를 쥐고 있던 동교동계를 공격했고, 그 결과 김대중 대통령이 당 총재직에서 물러납니다. 2014년에는 민주당이 야당이었는데, 그때 당 정비 차원에서 이상돈 중앙대 교수를 영입하려 했어요. 그런데 초·재선 의원을 중심으로 한 소장파는 이 교수가 당시 여당이던 새누리당 비대위원을 지냈다는 전력을 들어 반대운동을 벌였습니다. 이런 광경을 보면서 민주당 지지자들은 "아, 내가 지지하는 정당에 희망이 있구나"라며 차기를 기대하게 됩니다. 그런데 지금 이런 일이 불가능해졌지요. 당 지도부와 다른 목소리를 내면 일단 문자 폭탄이 오고요. 당내 경선 등등에

서 불이익을 받습니다. 금태섭 의원의 사례를 보면서 누가 감히 당
지도부에 반기를 들겠습니까.

강양구 전통적인 민주당 지지층 가운데 팬덤은 여전히 과대평가되고
있다고 생각합니다. 진 선생님, 팬덤이 어느 정도나 있다고 보시나요?

넛지와 프레임

진중권 제가 정확히는 모르겠지만, 정말 극성스러운 팬덤 자체는 그
렇게 많지는 않다고 봐요. 문제는 이들이 넛지(Nudge) 역할을 한다
는 겁니다. 툭 건드리기만 하면 그쪽으로 싹 쏠리는 거예요. 네이버
같은 포털에 기사가 오르면 첫 댓글이 무척 중요하거든요. 그 첫 댓
글을 부정적으로 붙이냐, 긍정적으로 붙이냐에 따라서 쫙 갈라지
고, 그러다가 치열한 싸움이 벌어지는 거잖아요. 그 넛지 역할을 하
기에 팬덤의 수는 충분하다고 봅니다. 여기저기 흩어져서 막 댓글을
쓰게 되면 보통 처음에는 견해가 없던 사람들도 거기로 쏠리게 되거
든요. 그런 역할을 하면 민주당 지지층의 상당 부분이 이들에 의해
서 움직여주는 거고. 그러니까 조국 사태 때 그 많은 사람들이 나온
겁니다. 생각해봐요, 멀쩡했던 사람들이 그러잖아요. 옛날에 시민운
동하고 노동운동하던 멀쩡한 사람들도 나오더니 이성을 잃었잖아

요. 넛지에 의해서 이렇게 돼버린 겁니다.

어쨌든 한 가지 확실한 건, 저들이 열성 지지자들 외에는 별로 필요 없다고 판단할 정도는 된다는 거예요. '이쪽만 믿고 가도 크게 지장 없다'는 생각을 하고 있는 겁니다. 성한용 기자가 〈한겨레〉에 민주당 핵심 당직자의 말을 옮겨 와서 쓴 거 보셨어요? "중도층은 미신이다. 쟁점마다 다른 투표를 하는 스윙보터(swing voter)층이 있을 뿐이다. 중도층이라는 것은 존재하지 않는다. 조지 레이코프(George Lakoff)의 프레임 이론에 따르면 그렇다." 레이코프라는 사람이 그런 얘기를 했대요. 레이코프를 잘못 읽은 건데, 이 사람들의 사고 방식이 이런 겁니다.

__강양구__　조지 레이코프의 『코끼리는 생각하지 마』가 2006년에 나오면서 화제가 되었죠. 그 책을 여의도 정치인 여럿이 탐독한 것으로 알고 있습니다.

__진중권__　레이코프는 "중도층이 존재하지 않는다"고 말한 적이 없어요. 그 역시 미국에는 35~40%의 보수층, 35~40%의 진보층, 그리고 20~30%의 중도층이 있다고 말합니다. 그의 얘기는 보수적 관념과 진보적 관념만 있을 뿐, 그 중간 어딘가에 어정쩡한 "중도주의라는 이념은 없다"는 거예요. 레이코프에 따르면 이른바 '중도층'은 특정 사안에서는 진보적 정책, 다른 사안에서는 보수적 정책을 지지하는 '이중관념'(biconceptualism)을 가진 사람들이라고 합니다. 결국

선거의 승부는 이 이중관념을 가진 층을 누가 사로잡느냐에 달려 있는 거죠. 이 대목에서 레이코프는 중도층의 표를 얻겠다고 이념과 정책의 방향을 어설프게 중간으로 옮겨서는 안 된다고 합니다. 그럴 경우 자신의 메시지가 희석되어 거꾸로 지지를 잃기 십상이기 때문이죠. 진보라면 진보로서 제 가치관을 뚜렷이 드러내는 가운데 자신과 몇몇 가치를 공유하는 스윙보터들의 지지를 끌어내려고 해야 하는 겁니다. "중도는 없다"는 말은, 한 마디로 "진보로서 자신의 도덕적 정체성을 뚜렷이 하라"는 뜻인데, 민주당에서는 "중도층을 무시하라"는 뜻으로 해석하는 거죠.

강양구 '좋다', '싫다'의 차원에서는 중도층이 없는 게 맞긴 해요. 정재승 카이스트 교수와 동료들이 지난 2017년 5월 대선을 앞두고 했던 재미있는 실험이 있는데 제 식으로 재구성해서 소개해 볼게요. 우선 자신이 부동층, 그러니까 스윙보터 역할을 하는 중도층이라고 믿는 참여자 106명을 모집했어요. 그러고 나서, 그들에게 아주 단순한 게임을 시킵니다. 모니터 왼쪽에는 '문재인' 오른쪽에는 '안철수'라고 적힌 버튼을 띄웁니다. 그리고 문재인 얼굴 사진이 나오면 왼쪽 버튼을, 안철수 얼굴 사진이 나오면 오른쪽 버튼을 누르게 해요.

　대다수 참여자는 이런 게임을 몇 차례 반복하면 거의 자동적으로 문재인과 안철수 얼굴 사진에 따라 왼쪽, 오른쪽 버튼을 누르게 됩니다. 바로 이 대목에서 실험 환경이 살짝 바뀌어요. 문재인 사진이 나오면 눌러야 할 왼쪽 버튼에 '좋다', '싫다' 혹은 좀 더 극적으로 '좋은 사람' '나쁜 사람' 같은 단어가 나온다면 어떨까요? 안철수 사진이 나오면 눌러야 할 오른쪽 버튼도 마찬가지입니다.

여기 자신도 모르게 마음속에 문재인 후보에게 호감을 가지고 있었던 참여자가 있어요. 애초 문재인 사진이 나올 때 '문재인'이라고 쓰인 왼쪽 버튼을 누르는 데에 거침이 없었던 그 앞에 '싫다' 혹은 '나쁜 사람'이라는 단어가 나온다면 어떻게 될까요? 자신도 모르게 머릿속에는 이런 경고가 켜지겠죠. '감히 달님을 어떻게 싫어해!', '감히 달님에게 어떻게 나쁜 사람이라고 하는거야!' 실제로 실험 결과 주춤하는 머뭇거림이 있었어요. 정재승 교수의 실험 결과의 중요한 의미는 이렇습니다. 자신을 부동층이라고 믿거나 혹은 그렇게 답하는 과반수, 즉 60% 정도가 사실은 내심 마음속으로 염두에 두고 있는 혹은 호감을 가지고 있는 후보가 있었어요(문재인 48.9%, 안철수 14.9%) 실제로 앞의 게임 참여자에게 실제 투표 결과를 알려 달라고 요청했더니, 일치도는 78.6%였어요. 부동층의 속마음을 80% 가까이 읽어낸 것입니다.

정재승 교수가 나중에(2017년 4월) 좀 더 욕심을 내서 홍준표 후보까지 추가해서 비슷한 실험을 하고 나서, 실험 결과를 염두에 두고 실제 선거 결과 예측도 시도했어요. 예측값은 문재인 42.7%, 홍준표 22.8%, 안철수 19.1%. 실제 선거 결과는 문재인 41.1%, 홍준표 24%, 안철수 21.4%. 거의 흡사하죠? 그런데 이런 실험 결과를 놓고서 그러니까 목소리 큰 팬덤에 맞춤 정치를 하면 충분하다는 식으로 해석하면 안 됩니다. 흔히 부동층으로 여겨져 온 사람도 정치인 또 정당의 평소 정치 활동과 상호 작용하면서 마음속에 어떤 선호가 새겨져 있고, 그런 선호가 선거 캠페인으로 쉽게 바뀌기는 어렵다는 것이죠. 그러니까, 평소에 '정치인 또는 정당이 자신의 정체성을 또렷이 하라'는 레이코프의 주장과도 일맥상통하는 실험입니다.

진중권　이번에도 한번 보세요. 정치개혁연합(정개련)▶이라는 데 있잖아요. 정개련이 완전히 바보 됐잖아요. 이 사람들이 잘못 생각했던 거예요. 아직도 자기들이 지지하던 민주당이라고 생각했던 거예요. '옛날에 민주화운동했던 그 세력, 옛날에 시민단체, 노동운동단체와 같이 했던 그 사람들의 당이니깐 우리말이라면 들을 거다'라고 착각했던 겁니다. 이 사람들은 그나마 민주당에 호의가 있는 사람들이에요. 원칙적으로 얘길 하면 "위성정당 안 된다"고 할 사람들이거든요. 안 된다고 얘길 해야 하는데, 안 된다고 얘기하질 않았잖아요. 그래서 대안으로 만든 게 정개련인데, 민주당이 딱 보니까 "쟤들 뭐야?" 싶은 거죠. 민주당은 더 이상 이 사람들을 유의미한 지지 세력으로 보지 않는 겁니다. 그런데도 정개련은 민주당이 노무현의 민주당, 김대중의 민주당이라고 믿었던 거죠. 그때 하승수씨가 뭐라고 했나요. "김대중의 민주당이 아닙니다. 노무현의 민주당이 아닙니다." 그거 제가 언제부터 얘기했습니까? 진작에 얘기했던 거잖아요.

▶　2020년 4월 총선 당시 군소정당의 원내 진출을 돕는다며 민주당이 녹색당 등과 연합정당을 만들어 비례대표에 참여하려 했으며, 이를 주도한 곳이 정개련이다. 하지만 민주당은 판을 깨고 나가 더불어시민당이라는 독자적인 위성정당을 만들었다.

가장 중요한 것은 실제로 지지층이 바뀐 거예요. 이 사람들에게 전통적으로 민주당을 지지하던 그 사람들이나 나 같은 사람은 '입진보'야. 아무것도 안 하고 주둥이만 터는 인간. 우리가 세상을 만드는 동안 한 것은 아무 것도 없는 놈. 그들의 철학은 "우리는 현실을 만든다"라는 거예요. "너희들은 현실을 연구하고 우리는 현실을 만들어. 너는 언젠가 우리가 만든 현실을 연구하게 될 거야". 이런 자신감이라는 거죠. 함세웅 신부 이런 분들 그냥 '썹선비'예요. 노동운동? '수구 좌파'야. 녹색당? '트렌스젠더' 이런 거예요. 걔들은 그렇게 생각해요. 옛날에 우리가 수구꼴통이라고 생각하는 애들 있잖아요. 걔들의 멘탈리티를 그대로 갖고 있는 겁니다. 그게 새로운 민주당의 지지층이에요.

서 민　민주당과 통합당이 둘 다 문제투성이고 엉망진창이라고 하면 어떻게 해야 하느냐. 계속 이놈 나쁜 놈, 저놈 나쁜 놈으로 끝나야 하느냐. 우리는 행동해, 이렇게 직접 뛰어. 너희들, 말로만 떠들어봐야 뭘 어떻게 할 건데? 우리 아니면 쟤들 찍는 거밖에 별 거 있어? 이런 식이라는 거예요.

진중권　그거 하나 믿는 거죠.

서 민　그 상황을 타파하지 않으면, 진 선생님이나 저나 맨날 여기 앉아서 '입진보'니 뭐니 하는 소리 듣고.

신보수 또는 신주류의 탄생

진중권 걔네들이 하는 일도 사실 입으로 떠드는 것밖에 없어요. 나도 촛불집회 나가고 인터넷에서 글 쓰고, 그들과 하는 일은 똑같은데, '자기들은 현실을 만든다'고 착각하고 있어요. 과대망상이잖아요. 나는 그런 착각은 안 하는 거고. 문제는 옛날에 이게 기울어진 운동장이었잖아요. 그게 반대로 기울었어요. 쉽게 말하면 어차피 진보는 옛날부터 소수예요. 그런데 상당 부분 보수층들이 자기를 진보라고 착각하면서 진보라는 쪽으로 가 있어요. 그리고 진보라고 스스로 칭하는 이들도 10년 동안 정권 잡으면서 기득권이 돼버렸습니다. 양정철 씨 뭐 했던 사람입니까? 옛날에 낙하산 꽂아주면서 "장관 배째 드릴까요?" 이랬던 사람이잖아요. 이런 애들이 돌아와 버린 거고, 이렇게 다 연결이 돼 있기 때문에 이들이 신(新)보수죠. 우리가 보수 정당을 두 개 갖게 된 겁니다. 쉽게 말하면 구(舊)적폐 세력과 신(新)적폐 세력을 갖게 된 겁니다. 구(舊)보수, 이 사람들은 미래에 대한 비전조차 완전히 잃어버리고, 지금 하는 것 보면 믿음이 안 가죠. 그러니, 저쪽에서 이런 똥볼을 차는데도 못 찾아 먹잖아요. 지지층이 구보수쪽으로는 안 가거든요. 그러다 보니까 민주당이 자신만만한 거죠. "그래서, 너희들 그쪽 찍을 거야?" 이거 하나 믿고 저러는 거죠.

강양구 2020년 4월 총선이 그 분수령이었다고 생각합니다. 간단히

만 언급하면 한국에서 기득권의 대이동이 벌어졌음을 적나라하게 보여준 선거 결과라는 생각이 들어요. 박근혜 전 대통령의 적폐 세력이 여전히 목소리를 높이는 구보수가 영남 특히 대구–경북 지역당으로 쪼그라들고 말았어요. 반면에 '586세대'로 대표되는 신보수가 정치권력을 가져온 사건이라고 생각합니다. 한편으로는 선거 결과를 보고서 '다행이다', 이런 생각도 했었어요. 만약에 민주당이 선거에서 좋은 성적을 못 냈으면 어땠을까요?

진중권 그때는 내가 욕먹었겠죠. "저 자식이 초 쳤어". 나를 아무것도 아니라고 얘기하다가 그때부턴 이제 내가 다 한 게 되는 거죠. 절대로 반성은 없습니다. 민주당이 선거에서 졌다고 해서 저들이 저 태도를 바꿀 거냐? 절대 안 바꿉니다. 이미 그렇게 돼버렸거든요.

서 민 희생양을 찾는 거죠.

진중권 나 같은 놈이 초친 게 되는 거고, 정의당 이런 데가 진보의 배신자가 되는 겁니다. "다 이긴 게임인데 너희들 때문에 졌어." 이렇게 되는 거예요. 이기면, "봐라, 너희들 별 볼 일 없었잖아." 동일한 상황 가지고도 자기들 편한 대로 해석하는 게 그들이기 때문에, 이게 고쳐지기가 힘들어요. 이게 고쳐지려면 그 내부에서 반발하는 세력이 있어야 되잖아요. 반발 세력 자체를 완전히 말살해서 거의 북한 같은 사회를 만들어 버렸으니. 어느 정도 내부에서 다른 목소리를 낼 세력이 있어야 "봐라, 너희가 저렇게 하니까 이렇게 됐지 않느냐" 책임을 묻고 "당 대표 물러가라" 이럴 텐데, 지금 그럴만한 세력이 민주당 내에 아예 없어요. 바로 찍혀서 아웃되어 버리기 때문에. 이건 정상적인 정당이 아닙니다.

강양구 더 심각한 문제는 시민 사회마저 비판 기능이 작동 안 되는 상황인 것 같아요. 시민 사회 정책 메이커의 다수가 문재인 정부나 문재인 정부 지방자치단체장과 인적 네트워크와 정책 네트워크로 얽혀 있잖습니까. 친구, 선후배, 예전의 조직 동료니 대놓고 심한 비판을 못하고. 저부터도 주저주저해지거든요. 어떤 경우는 이런 비판자의 다수가 결국은 예비 정무직 공무원(어공)이고. 그 가운데 어떤 사람은 이런 사정 때문에 의식적으로 청와대나 정부의 정책 행보 비판을 꺼립니다. 이 정부가 능력보다는 코드를 우선한다는 사실을 가까이서 봤으니 누구보다 잘 알기 때문이죠.

진중권 네. 맞아요. 시민 사회의 비판 역량이 점점 더 줄어들고 있는 상황입니다. 갈라치니까. 자꾸 양쪽으로 갈라치고, 지난번에 정당 구조를 딱 보게 되면 4당이었잖아요. 이게 총선이 끝나면서 양당 체제로 다시 돌아갔잖아요. 사실상 우리나라의 발전 정도에 따르면 양당 제도로는 힘듭니다. 그 폐해가 나타나고 있는데도 불구하고 다당제로 갔다가 다시 양당제로 돌아가고 있고, 갈라치기를 해서 이쪽 갈라치고 저쪽 갈라치고 하면서 중도에 있는 사람들이 서 있을 여지가 없어지거든요. 자꾸 선택을 강요하잖아요.

강양구 팬덤 정치에 대해서 여러 이야기가 많이 나왔네요. 마지막으로 마무리 발언 듣고 이번 대담은 마치도록 하겠습니다.

서 민 간단히 말씀드리죠. 정치에서 팬덤은 한국 정치를 후퇴시키는 나쁜 문화입니다. 팬덤과는 어느 정도 거리를 둬야 정상적인 정치가 가능하건만, 정부·여당은 팬덤을 이용하는 데 재미가 들린 나머지 팬덤에 먹혀버렸고, 지금은 팬덤에 이끌려 표류하고 있는 중이고요. 더 나쁜 건 소위 문팬이라는 팬덤은 비교적 조용히 태극기만 흔들었던 박사모보다 훨씬 시끄럽고 뻔뻔스러운 존재들이라는 점이예요. 아마도 우리 국민은 문 대통령 집권 후반기에도 힘든 나날을 보내야 할 듯싶네요. 하기야, 우리 국민이 편했던 적이 거의 없긴 하네요.

4장

금융시장을 뒤흔든 사모펀드 신드롬

사회   진중권
대담   김경율
        권경애

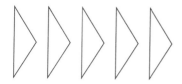 

사모펀드는 2020년대 대한민국을
들여다보는 핵심 키워드인 것은 확실합니다.
이번 기회에 그 세계의 큰 그림을
파악하고 싶습니다.

자본시장 플레이어들이 익명으로 하는
불투명한 투자활동이나, 경영에 참여한 회사의
자금 횡령을 돕는 가림막 역할을 한 것이
사실상 사모펀드 제도였잖아요.

금융자본의 핵심은 사모펀드인데,
조국 사태는 사모펀드 플레이어들의
실체를 들여다볼 좋은
케이스 스터디 소재입니다.

진중권 　안녕하세요. 진중권입니다. 오늘 대담은 저 같은 인문학자에게는 굉장히 어려운 경제 분야입니다. 신자유주의, 금융자본 같은 낱말은 자주 들어 익숙한데, 2019년 조국 사태 때 등장한 '사모펀드'라는 말은 참 낯설었습니다. 솔직히 그게 뭔지 잘 몰랐고, 지금도 크게 다르지 않습니다.

　　삼성바이오로직스 분식회계를 5년 동안 추적한 끝에 파헤쳐낸 김경율 회계사님과 한미FTA, WTO쌀협상 등 15년 이상을 통상과 금융 분야에서 활약하고 있는 권경애 변호사님을 모시고 '사모펀드'에 대해 이야기 나눠 보겠습니다.

　　김경율 회계사님은 참여연대 집행위원장, 경제금융센터 소장을 지내셨죠. 삼성바이오로직스 분식회계 사건, 다스 비자금 사건 등 거대 권력, 경제 권력을 파헤쳤던 참여연대의 대표적인 인물로 기억하고 있습니다. 1998년부터 2019년까지이니 21년 동안 참여연대에서 보내셨고요. 2019년 9월 29일 아침 6시 반, 페이스북에 긴 글을 포스팅하고 뛰쳐나오셨죠.

김경율　당시는 조국 전 장관에 대한 이슈가 극대화되었을 때였어요. 참여연대에서 이 이슈에 대해 문제 제기를 해야 한다고 강하게 주장했지만, 문제 제기가 더 이상 불가능하다고 판단해서 뛰쳐나왔습니다. 하고 싶은 말이 무척 많은 때였어요. 이른바 조국펀드, 사모펀드에 대해서 여러 날 밤샘을 하면서 파헤쳤어요. 나름의 확보된 증거도 있었고, 권력 감시 기능을 담당하고 있는 시민단체라면 반드시 문제 제기해야 한다고 생각했습니다. 제가 하고 싶었던 말은 "조국 민정수석은 법무부 장관 역할을 수행하는데 적합하지 않습니다"였어요.

진중권　당시 저는 조용히 입 다물고 있었는데 … 회계사님께서는 어떤 경험과 이유로 적합하지 않다고 판단하셨나요?

김경율　조국펀드, 사모펀드에 대해 말씀드리기 전에 적폐청산TF에 관해 먼저 말씀드릴게요. 조국 교수는 정권 출범과 함께 법무부 장관 내정 시점까지 민정수석이었죠. 문재인 정권 출범과 함께 부처별 적폐청산위원회(부처별로 각기 이름은 다른 것으로 알고 있다)를 만들고, 그 총괄을 민정수석실이 했습니다. 제 경험에 비추어, 또 적폐청산TF에 대한 몇몇 평가들에 따르면, 적폐청산은 실패했습니다. 이 실패는 관료와 기득권의 저항으로만 설명될 수 없어요. 더구나 이것을 주원인이라 설명하는 것은 창피한 일입니다. 이런 저항이 있을 줄 몰랐을까요? 그 실패의 주된 원인은 적폐청산의 주체인 민주당을 비롯한 현 집권세력으로부터 찾아야 합니다. 저는 그 책임의 상당 부분이 컨트롤타워 역할을 한 '민정'에 있다고 본 것입니다.

진중권 그런데 회계사님도 적폐청산TF에 참여하시지 않으셨나요? 어떻게 진행되었길래…….

김경율 예~ 저는 산업자원부 '해외자원개발 혁신TF'에 참여했습니다. 만들어지기 전 위원으로 활동해줄 수 있는지 여부를 묻는 연락이 산업자원부와 청와대로부터 와서, 하겠다고 했어요. 얼마 뒤, 위원회가 만들어졌다는 뉴스를 접했는데, 제 이름이 없는 거예요. 안할 수 있으면 좋겠다고 생각하던 차라 전혀 기분 나쁘지 않았어요. 결국엔 여차저차해서 위원으로 들어갔는데, '해외자원개발 혁신TF' 명단을 보니 아연실색할 수밖에 없었어요. 제가 보기에는 자원외교에 직간접적으로 이해관계를 가진 이들이 태반이었습니다. 절대 다수에 맞서, 할 수 있는 것은 없었고, 산자부의 기획대로 의안이 통과됐죠. 실패는 예정돼 있었던 듯해요. 제가 말하고자 하는 요지는 '적폐청산' 작업은 허무하게 끝났어요. 모르겠습니다. 어떤 부처에서는 적폐청산을 정말 칼같이 하였는지는…….

진중권 그런 경험이 있으셨군요. 아, 권경애 변호사님은 2003년 사법연수원 국제통상법학회 학회장이셨고, WTO쌀협상 때 국제통상 분야 전문가인 송기호 변호사님과 함께 국정조사전문위원으로 활동하셨고, 한미FTA저지범국본 활동도 하셨으니, 근 20여 년을 통상과 금융자본에 관심을 가진 것으로 알고 있습니다.

권경애 네. 저는 자본시장법(2007년 8월 3일 공포, 2009년 2월 4일 시행) 통과를 반대했는데요. 자본시장법은 한마디로 헤지펀드 육성법이었어요. 제가 자본시장법을 반대한 것은 한미FTA(2007년 6월) 저지와 신자유주의 반대의 연장선상이었죠. 그런데 2009년 노무현 대통령 서거(5월) 이후 진보진영이 당면한 정치적 과제는 정권 재창출이었으니까, 자본시장법과 사모펀드에 대한 관심을 갖기는 힘들었죠. 저도 마찬가지였고요. 그런데, 조국 전 장관 사태로 '사모펀드'가 돌연 세간의 주목을 붙잡은 거죠.

진중권 '사모펀드야말로 금융자본의 핵심'이라고 쓴 글을 보았는데요. 제가 변호사님 페이스북 글을 보면서 흥미로웠던 것은 현실 경제에서 사모펀드가 어떻게 작동하고 있는지를 잘 알고 계신 것 같아서입니다.

권경애 산업자본주의 시대 투자는 기술 혁신과 생산력 향상을 목표로 했어요. 하지만 신자유주의, 즉 주주자본주의 시대는 주주 이익 극대화를 최고의 가치로 삼아요. 주주의 이익을 최우선하기에 인건

비 등 비용을 우선 절감하죠. IMF구제금융 조건 중에는 공기업 민영화도 있었습니다. 많은 공기업들이 외국계 사모펀드에 팔려나갔죠. 대표적인 사례가 론스타의 외환은행 인수였습니다. 참여정부 시절부터 공기업 민영화는 국가 정책과제로 떠올랐어요. 당시 저는 한국관광공사 법무팀장으로 재직 중이었는데, 자회사인 카지노를 민영화하는 IPO(Initial Public Offering, 기업공개, 상장) 과정을 들여다볼 수 있었습니다. 공기업 민영화가 국민의 세금으로 일군 알짜 공기업 지분을 사모펀드가 사 갈 수 있게 시장에 내놓는 것임을, 그때 절실히 알게 되었어요.

진중권 공기업 법무팀장까지. 이론뿐만 아니라 실무 경험도 가지고 계시군요.

사모펀드란 무엇인가
▼

권경애 제가 조국 전 장관 가족의 사모펀드를 집중해서 들여다본 이유는 198명의 고위공직자 중 조국 전 장관이 유일하게 사모펀드에 가입하고 있었기 때문이에요. 진보의 아이콘이자 적폐청산의 기수였던 장관 후보자의 가족이 사모펀드에 가입했고, 그 후보자 조카가 사모펀드를 운용하고, 공공 와이파이나 이차전지 등 국책사업에

"

제가 조국 전 장관 가족의 사모펀드를 집중해서 들여다
본 이유는 198명의 고위공직자 중 조국 전 장관이 유일
하게 사모펀드에 가입하고 있었기 때문이에요. 진보의
아이콘이자 적폐청산의 기수였던 장관 후보자의 가족이
사모펀드에 가입했고, 그 후보자 조카가 사모펀드를 운
용하고, 공공 와이파이나 이차전지 등 국책사업에 투자
를 하였다는 사실도 충격적이었는데, 게다가 주가조작,
무자본 M&A, 횡령 등의 의혹이라니.

"

투자를 하였다는 사실도 충격적이었는데, 게다가 주가조작, 무자본 M&A, 횡령 등의 의혹이라니. 그전까지는 법무부 장관 후보자가 자본시장법, 금융실명법, 공직자윤리법 위반 의혹으로 온 나라를 발칵 뒤집어놓고, 지금 같은 수사의 필요성이 제기된 적이 없었잖아요. 어떻게든 제 나름대로 진위를 파악하고 판단을 해보려 했어요. 금융자본의 핵심은 사모펀드인데, 사모펀드 플레이어들의 실체를 들여다볼 좋은 케이스 스터디 소재이기도 했고요.

진중권 조 전 장관을 믿고 옹호하고 지지하지 않으셨나요?

권경애 조국 지명자가 2019년 9월 2일 기자간담회를 했잖아요. 그때까지만 해도 저는 조 후보자를 믿었고 적극적으로 옹호했어요. 자녀 입시문제든 사모펀드든, '연구실에 묻혀 살면서 가정경제에는 일체 관여하지 않는 선비 같은 사람인가 보다'고 애써 믿으려 했죠. 평소 그분의 이미지도 이미지지만, 그때 저는 서울지방변호사회 고위공직자범죄수사처(공수처)TF 및 검경수사권조정TF 위원이었어요. 이 사안이 검찰개혁에 미칠 영향력이 무섭기도 했던 것 같아요. 기자간담회 이후부터 의심과 의혹이 점점 커졌어요.

　　5촌 조카가 코링크PE를 소개만 해주었을 뿐이라는 해명은 사실이 아니었죠. 5촌 조카 조범동이 코링크PE의 실질적 운영자라는 신뢰할만한 취재 보도가 속속 이어졌어요. 사모펀드뿐만 아니라 입시비리 의혹도 학부모들과 젊은이들을 허망한 실망에 휩싸이게 했잖아요. 그런데도 대통령은 임명을 강행했죠. 혼란스럽고 충격도 받았어요. 대통령이 검찰개혁 적임자로 선택한 사람이니 믿어보자고 입을 다물려 했지만, 화병처럼 끙끙 몸이 아프더라고요.

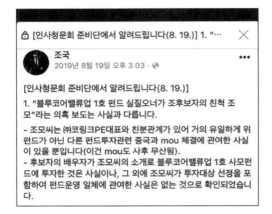

진중권 그렇군요. 하여튼 사모펀드는 2020년대 대한민국을 들여다보는 핵심 키워드인 것은 확실합니다. 권경애 변호사님과 김경율 회계사님 이렇게 두 분이 제 옆에 계시니 '깊고 넓은 사모펀드의 세계! 잘하면 저도 알 수 있겠구나' 하는 기대가 생기는데요.

궁금한 게 참 많아요. 질문을 두서없이 나열해볼게요. 도대체 조국 가족 사모펀드 사건의 본질은 무엇인가? 정경심 교수는 대체 무엇을 하려고 했던 것일까? 법적으로 허용된 사모펀드가 있을 터인데, 그것과 조국·정경심 교수의 사모펀드는 어떻게 다른가? 모르는 게 너무 많아서. 굉장히 난해할 것 같은데, 제가 알아들으면 성공입니다. 권 변호사님, 사모펀드가 뭡니까?

권경애　사모(私募)펀드(Private Placement Fund)는 소수의 투자자를 모집해서 고수익 고위험의 기업투자를 하는 펀드를 말해요. 사모펀드는 펀드 가입자를 49인 이하로 제한해요. 사모펀드는 공개모집을 하지 않아요. 투자자의 익명성도 보장되고 펀드 운용에 제한도 없어요. 투자자를 50인 이상 모집해서 펀드를 만들려면 공모를 해야 해요. 공모(公募)펀드(Public Offering Fund)는 불특정 다수를 대상으로 펀드상품을 판매하니까 투자자 보호를 위해 공모 절차나 펀드 운용에 비교적 엄격한 규제를 가합니다.

　　　　자본시장법은 두 종류의 사모펀드를 규율하고 있는데요. 조국 가족이 가입한 블루코어밸류업1호 사모펀드(블루펀드)는 경영참여형 사모펀드입니다. PEF(Pritvate Equity Fund)라고 해요. 코링크PE는 블루펀드 같은 PEF를 4개 운용했어요. PEF는 다른 회사의 경영에 참여하기 위한 펀드예요. 그래서 펀드자금을 투자하는 회사의 의결권 행사를 위해 10% 이상의 지분을 보유해야 해요. 다른 하나는 전문투자형 사모펀드인데요. 헤지펀드(Hedge Fund)라고 합니다. 조지 소로스의 퀀텀펀드가 대표적인 헤지펀드죠. 투자하는 회사의 경영 참여에는 관심 없고 고수익만을 목표로 하는 펀드죠. 세상을 떠들썩하게 하고 있는 라임자산운용은 전문투자형 사모펀드입니다.

진중권　공모펀드와 사모펀드가 있고, 사모펀드는 경영참여형 사모펀드와 전문투자형 사모펀드로 구분되네요. 공모펀드에 비해 사모펀드는 확실히 공격적인 투자자들이 선호하는 투자방식인 것 같군요.

그런데 사모펀드가 기업 활동에 도움을 주나요? 다시 말해 그저 부자들에게 익명으로 고수익을 올릴 기회를 보장해 주기 위한 제도인지, 아니면 정말 기업 활동에도 도움을 주는 착한 투자인지?

권경애 2003년 사법연수원 국제통상법학회 미국 연수 프로그램 중 하나로 콜롬비아 대학에서 PEF 강의를 들었어요. 사모펀드는 성장 가능성 있는 기업에 투자해 직접 경영을 효율화해서 수익 구조를 변화시켜 기업과 투자자들이 서로 이득을 얻는 '선한' 투자라는 것이었어요. 우리나라에서는 2004년 12월, 참여정부가 간접투자자산운용업법을 시행하면서 사모펀드 시장을 열었습니다. PEF 시대가 열렸죠. 2007년 제정되고, 2009년 시행된 자본시장(통합)법으로 헤지펀드(전문투자형 사모펀드)도 도입돼요. IMF 외환위기를 거치면서 국내 은행과 증권들이 외국계 펀드에 넘어갔죠. 자본시장법 제정으로 외국투기자본에 대항하는 토종자본을 키워야 한다고 주장했던 금융 엘리트들이 활개 칠 세상이 펼쳐진 거죠.

진중권 그런데 조국 가족의 사모펀드에서 투자한 기업이나, 라임펀드에서 투자한 기업들 중에 경영이 활성화되고 훌륭히 성장한 기업이 있었나요?

김경율 거의 없습니다. 사실은 전혀 없다고 해도 상관없습니다. 극소수의 자본시장 플레이어들이 익명으로 하는 불투명한 투자활동이

나, 경영에 참여한 회사의 자금 횡령을 돕는 가림막 역할을 한 것이 사실상 사모펀드 제도였잖아요. 조국 지명자도 '사모펀드는 간접투자라서 허용된다고 답변을 들었다', '가족이 가입한 사모펀드는 블라인드펀드라서 어디에 투자되는지 모른다'면서 빠져나가려 했죠. 국정감사 현장에서 금융위원회라든가 민주당 국회의원들도 블라인드펀드 형태의 사모펀드에서는 투자자에게 어떤 죄도 물을 수 없다는 질문과 답변들을 했고요. 그런데 정경심 교수가 투자처를 알고 가입한 정황이 드러나고 있죠. 조범동도 그렇고, 라임사태의 주범들도 투자한 회사들에서 회사 자금을 뭉텅이로 빼내갔어요. 국내 최대의 헤지펀드였던 라임자산운용 사태의 추정 피해액은 최소 1조 6천억 원에 달해요. 펀드 가입자만 피해를 입은 게 아닙니다. 기업이 망가지니 소액주주들의 주식이 휴지가 됐죠. 회사가 거래정지 당한 경우도 많고요. 노동자들이 임금체불을 당하고, 퇴직금 등을 받지 못하게 되는 사태가 다수 발생하고 있습니다.

사모펀드 이야기를 본격적으로 시작 전에 염두에 두어야 할 게 한두 가지 있습니다. 라임자산운용(LIME Asset Management), 옵티머스자산운용(OPTIMUS Asset Management), 조국 전 장관, 정경심 교수, 조범동 등과 관련된 코링크PE는 사모펀드 운용사라는 점을 기억해야 하고요. 다른 하나는 사모펀드에 자금을 투자한 사람들이 자신들이 원하는 시기에 맞춰서 자기 투자금을 회수하는데요. 이렇게 회수하는 것을 환매라고 합니다. 2020년 한국 금융시장을 뒤흔들고 있는 라임과 옵티머스는 환매를 중단, 즉 투자자들에게 돈을 돌려주지 못한 것이죠.

사모펀드 규모가 2020년 8월 현재 400조 원 가량인데 이 중 6-10조 원 정도가 환매시점이 돌아왔는데도 못 막은 거죠. 쉬운 말로 부도가 났다고 보시면 됩니다. 2021년, 2022년에는 어떤 상황이 펼쳐질지는 모르는 상태입니다.

블라인드펀드는 또 뭡니까

진중권 자칭 촛불 정부의 민정수석이 규제하기는커녕 그런 펀드에 참여했다는 것 자체가 스캔들이네요. 한 가지 더 알고 싶은 게 있는데, 당시 조국 후보자가 의혹을 해명하는 가운데 '블라인드펀드'라는 말을 썼잖아요. 사모펀드가 곧 블라인드펀드인가요?

권경애 아닙니다. 블라인드펀드는 투자대상을 정해놓지 않고 투자자를 모집하는 거예요. 그 반대는 프로젝트펀드라고 합니다. 사모펀드도 프로젝트펀드일 수 있어요. 캄보디아 부동산 개발을 위한 라임펀드 같은 경우는 프로젝트펀드이면서 사모펀드죠.

진중권 그러면 조국 측에서 억지로 그 둘을 같은 것으로 놓은 건가요? 자신들은 투자처를 몰랐다고 했잖아요.

권경애　예, 그렇죠. 투자처를 전혀 모른다고 했죠. 블라인드펀드는 블루코어밸류업1호(블루펀드) 펀드에 들어간 14억 원이 어디에 투자되는 줄 모르고 가입한 거라 주장하려고 한 말이에요. 조국 전 장관이 기자간담회에서 자신들이 투자한 블루펀드가 블라인드펀드였고, 자신들은 블루펀드가 어디에 투자하는지 알지 못했다고 주장했어요. 그 근거 자료로 코링크PE가 작성했던 블라인드펀드 근거 자료를 제시했잖아요. 그 자료는 청문회를 위해 급조된 것이었어요. 설령 투자 당시에는 사모펀드 투자처를 몰랐다고 해도, 사모펀드는 자산운용보고서를 작성해서 3개월에 1회 이상 투자자에게 교부해야 해요. 2019년 9월 기자간담회까지도 몰랐다고 주장하는 건 거짓말이죠. 검찰의 공소장에 따르면, 심지어 정경심 교수가 투자처에 대한 설명을 다 듣고 블루펀드에 가입했다는 거잖아요. 블루펀드 가입 당시 의논을 했던 자산관리인 김경록 PB(Private Banker) 녹취록에 따르면 블루펀드 가입 당시 정경심 교수가 매우 흥분 상태였다고 하고, 남동생한테는 건물주가 될 거라면서 나만 따라오라고도 하고요. 블루펀드가 웰스씨앤티에 투자되고 다시 이차전지 사업에 투자될 것을 알고 흥분했던 상태였다고 보이죠.

김경율　상식적으로 생각해보자고요. 조 전 장관이 민정수석으로 임명된 지 두 달 뒤인 2017년 7월 31일, 정경심 교수는 블루펀드에 10억 5천만 원을 투입합니다. 같은 날 정경심의 남동생과 그 아들도 3억 5천만 원을 투입합니다. 총 14억 원이죠. 조국 가족만 따져도 블

"

조국 전 장관이 기자간담회에서 자신들이 투자한 블루
펀드가 블라인드펀드였고, 자신들은 블루펀드가 어디에
투자하는지 알지 못했다고 주장했어요. ······ 설령 투자
당시에는 사모펀드 투자처를 몰랐다고 해도, 사모펀드는
자산운용보고서를 작성해서 3개월에 1회 이상 투자자
에게 교부해야 해요. 2019년 9월 기자간담회까지도 몰
랐다고 주장하는 건 거짓말이죠.

"

루펀드에 10억 5천만 원을 투입했는데, 이것은 가족 자산 50억 원 중 20%를 투자한 셈입니다. 그런데 어디다 투자하는 줄 몰랐다? 어디에 투자하는 줄도 모르고 그런 큰 자금을 맡기려면 운용하는 사람이 과거에 투자 실적이 좋아야 믿고 맡기는 거 아니겠어요? 조카 조범동이 주식 관련 책을 쓴 적도 있는 전문가라서 믿고 맡겼다는 건데요. 당시 신용불량 상태였던 조범동이 코링크PE 이전에 수익을 낸 기록이 있나요?

권경애 없는 걸로 압니다. 경영참여형 사모펀드(PEF)는 기업 인수합병(M&A) 사업이에요. 나쁘게 말하면 기업사냥이죠. 기업 M&A 분야와 주식투자는 분야가 전혀 다르죠. 조국 지지자들은 코링크PE가 블루펀드 이전에 레드펀드에서 30%의 투자수익을 올렸던 적도 있다고 하는데요. 레드펀드가 수익을 내고 청산한 것은 블루펀드 가입 이후입니다. 나중에 좀더 자세히 말씀드릴건데요. 그 수익률 30%는 우국환이 레드펀드가 보유하고 있던 익성 지분을 비싸게 사줘서 만들어진 수익률이에요.▶

▶ "조 장관은 9월 2일 국회 기자간담회에서 "5촌 조카가 자기와 아주 친한 사람이 (사모펀드 운용사를) 운영하고 있다고 소개해줬다"며 "다른 투자신탁회사 사람에게 물어보니 그 회사가 수익률이 높다"고 했다고 밝혔다. 하지만 조 장관 가족이 사모펀드 출자를 약정한 2017년 7월 말에는 코링크PE가 운용하던 사모펀드는 레드코어 단 하나였는데, 이때 우 전 대표 측이 익성 지분을 비싼 값에 사주기 3개월여 전이어서 펀드의 잠정 수익률은 마이너스였을 것으로 보인다. 결국 조 장관 측이 코링크PE에 대해 투자 이전부터 알고 있었다는 의혹을 받지 않기 위해 투자 이유를 뒤늦게 꾸며낸 것 아니냐는 지적이 나온다."(《서울경제》, 2019년 10월 2일, '조국 펀드' 수익률 30%, 순환거래로 부풀렸나)

진중권 아니 두 분이 그렇게 과감하게 진도를 나가시면, 저 못 알아 듣습니다.(웃음)

권경애, 김경율 아, 네. 네.

진중권 근데 '레드펀드'는 또 뭡니까?

권경애 레드펀드는 코링크PE가 2016년 2월에 설립하여 처음 조성한 사모펀드입니다. 코링크PE는 펀드 4개(레드펀드, 블루펀드, 그린펀드, 배터리펀드)를 만들어서 운용했어요. 코링크PE는 펀드에 모인 자금을 기업에 투자해서 수익을 내고, 수익금을 투자자에게 돌려주는 펀드 운용 회사였어요.

　　조국 가족은 펀드 4개 중에서 블루펀드에 가입했어요. 그런데 조국 부부는 코링크PE 설립 전에 돈을 투입해요. 코링크PE 설립이 2016년 2월인데 2015년 12월에 5억 원을 투입하죠. 조국 측은 코링크PE든 블루펀드든 내 돈이 어디에 투자하는 줄 전혀 몰랐다는 주장을 하고 있어요. 조국 부부가 2015년 12월에 5억 원을 조범동 측에 줄 때, 그 5억 원이 조범동 측에 들어가서 어디에 쓰였는지 전혀 몰랐다는 주장이에요. 심지어 코링크PE에 투자한 게 아니라 조범동의 처 이은경을 통해 빌려준 거라고 주장했어요.

김경율 코링크PE 설립 전에 조국 부부의 자금이 투입되어 설립 자본금에 쓰였다는 건 조범동 공소장이 공개되면서 알려졌어요. 사모 펀드에 문제를 느끼고 예의 주시했던 사람들은 너무 놀랐죠. 대강 코링크PE에 8억 내지 10억 원이 들어갔고 그걸 조국 측에서는 '대여'했다고 주장하고 있다는 건 알고 있었지만, 코링크PE 설립 전에 돈이 간 건 몰랐죠. 그것도 조국 전 장관의 계좌에서 8천 5백만 원이 나갔다는 걸 보고 깜짝 놀랐어요. 기자간담회 할 때는 블라인드펀드가 워낙에 논란이었잖아요. "정말 투자처를 모르고 펀드에 가입했느냐?"라는 블라인드펀드와 관련된 쟁점만 부각되었었죠. "블루펀드 가입하기 전인 코링크PE 설립 직전 자금을 투자 또는 대여할 때 코링크PE의 설립 목적을 알고 있었느냐?"는 논점은 아예 문제 제기조차 되지 않았어요.

진중권 블라인드펀드라는 주장은 성공했네요. 블라인드펀드는 코링크PE의 4개 사모펀드 중에서 블루펀드하고만 관련된 말인데, 코링크PE하고 블루펀드, 블라인드펀드를 구별하지 못하는 나 같은 사람들은 '조국 부부는 사모펀드라도 간접투자이면 투자해도 된다고 알고 어디 투자되는 줄 모르고 투자했다'고만 생각했죠. 코링크PE 설립 때부터 자기 계좌에서 8천 5백만 원이 나갔는데 몰랐을 리가 없잖아요.

김경율 당연하죠.

사모펀드 운용사 코링크PE를 만들다

진중권 코링크PE 설립 자금이 정말 조국 전 장관 돈이에요?

김경율 네. 조국 가족은 블루펀드 가입하기 1년 반 전에 이미 코링크PE 설립 자금을 대죠. 코링크PE는 2016년 2월에 설립됩니다. 조국 부부 자금 5억 원이 5촌 조카 조범동의 처 이은경에게 가는 건 2015년 12월이고요.

권경애 그리고 1년쯤 후에 5억 원이 코링크PE에 더 들어가요. 탄핵심판이 2017년 3월 10일이잖아요. 탄핵심판일 한 달 전쯤에 정경심 교수가 남동생 정광보의 계좌에 3억 원을 송금하고, 정광보가 2억 원을 합해서 추가 투자를 한 것이죠. 코링크PE에 조국 부부가 합계 8억 원, 정광보가 2억 원, 총 10억 원을 투자한 것입니다.

김경율 블루펀드 가입은 조국 민정수석 이후의 일이에요. 정경심 가족 6인이 블루펀드에 추가로 14억 원을 투입하는 것은 2017년 7월 31일이죠. 설립자금 10억 포함해서 총 24억 원이 코링크PE와 펀드에 들어간 거죠.

진중권 2015년에 보낸 5억 원은 조범동의 처 이은경 계좌로 보냈다고요? 코링크PE가 아니라?

김경율 2015년 12월 당시는 코링크PE 설립 전이니까 법인계좌는 없었고요. 조범동은 그때 신용불량자였대요. 통장을 만들 수도 없었던 거죠. 그리고 기업사냥꾼들은 보통 바지사장을 내세우지 회사 등기이사로 자기 이름 올리는 경우는 많지 않아요. 코링크PE의 초대 대표도 바지사장이죠. 조국 부부한테 나온 돈 8천 5백만 원을 코링크PE 바지사장한테 줘서 최대주주로 세운 겁니다. 초대 대표는 퇴사하면서 '자신은 코링크PE의 경영에 참여한 바 없고 어떤 책임도 지지 않는다'는 책임면제각서를 받아가요.

권경애 코링크PE 설립 자본금 1억 원 중에서 8천 5백만 원이 조국 계좌에서 나온 돈이고, 조범동의 처 이은경 계좌로 보낸 5억 원도 코링크PE로 갔다는 사실은 정경심 교수 변호인도 재판 과정에서 인정해요.

김경율 코링크PE는 처음부터 조국의 돈으로 세워진 회사예요. 김어준 류가 코링크PE는 익성 소유라고 끈질기게 주장하는데 코링크PE가 익성 소유라고 주장하려면 하다못해 통장 한 줄, 전표 한 장이라도 들고 와서 이야기를 해야죠.

권경애 코링크PE 설립 후 1년 지난 2017년 2월에는 5억 원을 추가로 출자하고 컨설팅 계약을 체결해요. 월 860만 원의 컨설팅 비를 지급하는 용역 계약. 정경심 교수가 남동생 정광보에게 3억 원을 보내고 정광보가 2억 원을 더해서 보낸 거죠. 정경심의 자금 총 8억 원이 이은경과 정광보 계좌를 통해 코링크PE로 들어가잖아요. 그래서 조국 측은 코링크PE에 간 돈은 '대여'이지 투자가 아니라고 주장하고 있어요.

진중권 여기쯤에서 정리 한번해요.

코링크PE

2015년 12월 조국, 정경심에게 8천 5백만 원 송금
⇨ 정경심, 5억 원을 조범동의 처 이은경 계좌로 보냄

2016년 2월 사모펀드 운용사 코링크PE 설립
자본금 1억 원 중 8천 5백만 원은 조국 계좌에서 송금된 돈
이은경 계좌로 보낸 정경심의 5억 원도 코링크PE로 갔음
레드펀드, 블루펀드, 그린펀드, 배터리펀드 4개 펀드 운용

2017년 2월 정경심, 3억 원을 남동생 정광보에게 송금,
정광보는 자기 돈 2억 원 추가해, 총 5억 원을 코링크PE에 투입,
정경심 월 860만 원 컨설팅 계약
코링크PE에 총 10억 투자(조국 부부 8억, 정광보 2억)

2017년 5월 조국, 민정수석 취임
2017년 7월 31일 민정수석 재임 당시, 조국 가족(정경심과 자녀 2명) 10억 5천만 원 + 정경심 남동생 가족(정광보와 자녀 2명) 3억 5천만 원=14억 원 투입

총 24억 원이 코링크PE와 펀드에 들어감

블루펀드
문재인 정부의 국책사업인 이차전지 사업

2017년 5월 조국, 민정수석 취임

2017년 7월 31일 조국 교수가 민정수석이 된 후 블루펀드 가입

조국 가족(정경심과 자녀 2명) 10억 5천만 원 +

정경심의 남동생 가족(정광보와 자녀 2명) 3억 5천만 원

총 14억 원 블루펀드 투자

2017년 7월 블루펀드, 웰스씨앤티에 13억 원 투자

2017년 8월 웰스씨앤티는 13억 원을 IFM의 전환사채 구매 자금으로 사용.

그런데 이 13억 원의 자금 중 10억 원이 다시 상장사 WFM 주식 취득에 사용

2017년 9월 (웰스씨앤티가 만든) 피앤피플러스 컨소시엄

서울 지하철 공공 와이파이 사업 우선협상대상자 선정

레드펀드
코링크PE가 만든 첫 사모펀드

코링크PE, 익성과 상장사 아큐픽스를 묶어, 익성 우회 상장을 계획

2016년 7월 26일 40억 원 조성

익성 지분 13억 5천만 원 매입

2016년 8월 아큐픽스 26억 5천만 원 인수

2016년 11월 아큐픽스 파산신청, 익성 우회 상장 계획 무산

우국환, 레드펀드의 익성 지분을 40억 원에 매입(취득가격의 3배)

2017년 11월 레드펀드 청산

진중권 코링크PE에 돈을 넣은 게 2015년 12월과 2017년 2월이라면, 그때는 민정수석도 아닌데 투자한다고 무슨 문제가 생기는 건가요? 조국 지명자는 기자간담회에서 '코링크PE랑 자신들은 전혀 무관하다', '조범동이 코링크PE에서 어떤 역할을 했는지도 모른다'고 했잖아요. 그렇다면, 문제없는 거 아닌가요?

권경애 코링크PE에 간 돈의 성격이 투자냐 대여냐가 쟁점인데요. 조국 교수가 민정수석이 된 이후 공직자재산신고를 할 때 코링크PE에 들어간 8억 원을 투자라고 신고하지 않고 대여라고 신고했어요. 코링크PE 주식이 투자이면 공직자윤리법에 따라 주식을 매각하거나 백지신탁을 했어야 하거든요.

진중권 그래서 8억 원을 빌려줬다고 주장하는 거군요. 제가 이 분야는 무식하니까. 설명을 저에게 맞추어야 할 듯해요. 그러니까 차명으로 투자한 것이 아니라, 그냥 이은경과 정광보에게 꿔 준거니까 공직자윤리법에 해당되지 않는다?

권경애 네. 공직자윤리법에서 매각이나 백지신탁을 하라고 한 건 주식이지 대여금 채권이 아니거든요.

진중권 명절 때나 한 번씩 본다는 신용불량자인 5촌 조카한테 담보도 없이 5억 원씩 빌려주는 당숙모 있는 조카는 좋겠다.

김경율   이자 연 11%를 받기로 약정했다고 주장하잖아요.

진중권   고리대금업자도 아니고. 그런데, 그 이자는 어디서 벌어서 줄려고 했던 건지.

김경율   그렇죠. 사실 약정 자체도 사후적으로 작성된 것으로 보이지만 11% 고금리를 약정키로 했다는 것 자체가 여러 가지 의심을 불러일으키죠. 회사 입장에선 11%로 자금을 조달했다면, 그 자금으로 11% 이상의 수익을 내야 하는데 그런 게 뭐가 있을까요? 이후 벌어질 막장극의 암시라 해야 할까요?

코링크PE의 사업 계획

진중권   근데 2015년에 왜 코링크PE를 만든 건가요?

권경애   코링크PE를 왜 만들었냐? 음······, 여러 가지를 고민하게 하는 질문입니다. 저는 일단 코링크PE 설립 당시의 구상은 두 마리 말이 끄는 마차 한 대와 유사하다고 보는데요. 코링크PE는 우선 웰스씨앤티를 통해 서울시 지하철 공공 와이파이사업권을 따내려 해요. 그리고 하나는 익성 상장 계획인데요. 이건 레드펀드가 해요. 익성과 익성을 태울 상장사 아큐픽스를 레드펀드로 묶죠.

진중권 서울시 지하철 공공 와이파이 사업권과 익성 상장 계획, 두 가지 사업 방향이 있었다는 말씀이군요.

권경애 네.

진중권 익성 상장 계획을 레드펀드로 묶었다는 건 무슨 의미인가요?

권경애 코링크PE는 운용하던 4개의 펀드에 GP(General Partner)라 칭하는 업무집행사원이자 무한책임사원으로 모두 참여하는데요. 사모펀드의 운용은 이 GP가 담당해요. 레드펀드에도 코링크PE가 GP로 참여하죠. 이 레드펀드가 어디에 투자할지 결정하는 것은 법률상 GP인 코링크PE인데요. 레드펀드가 펀드투자자들(LP, Limited Partner)의 자금을 어디에 투자할지 결정을 하는 거죠. 레드펀드는 익성과 아큐픽스에 투자를 해요. 아큐픽스는 상장사예요. 상장사인 아큐픽스와 익성을 합병시키면 익성은 우회적으로 상장사가 되는 거죠.

진중권 익성을 상장시키는 기법이군요. 레드펀드를 운용한 것은 코링크PE다, 그런데 코링크PE는 사실상 조국 가족의 자금으로 만들어진 회사다, 그러므로 레드펀드 운용으로 익성이 상장되면 그 이익은 코링크PE의 차명주주인 조국 가족의 이익이 될 수 있다, 그런 것이 겠군요.

권경애 그렇습니다.

진중권 그런데 왜 코링크PE의 투자를 차명으로 했을까요? 본인들의 주장은 대여라고 하지만요. 코링크PE에 투자한 것이 불법은 아닐 텐데요.

김경율 아마도 코링크PE의 설립이 레드펀드의 운용 이외에도 서울시 지하철 공공 와이파이 사업권 취득을 목적으로 했기 때문 아닌가 싶습니다. 조국 사태 초기에 코링크PE 내부 자료가 보도된 적이 있어요. 그 중에 웰스씨앤티가 2015년 12월쯤 작성한 문서를 보면 서울시 지하철 공공 와이파이 사업을 추진하기 위한 세세한 업무추진 계획은 물론 주주 구성안까지 만들어 놓았어요. 정경심 교수가 조범동의 처 이은경의 계좌로 5억 원을 입금했던 즈음입니다.

권경애 웰스씨앤티는 가로등 점멸기를 만드는 회사인데요. 웰스씨앤티가 공공 와이파이 사업을 위해서 피앤피플러스를 만들었어요. 웰스씨앤티 부사장이 피앤피플러스 대표를 맡고요. 피앤피플러스가 코링크PE보다 한 달 먼저 만들어지는 거죠. 코링크PE는 피앤피플러스의 투자자문을 맡고요. 그러니까 코링크PE의 설립과 동시에 추진한 건 웰스씨앤티가 피앤피플러스를 통해서 서울시 지하철 공공 와이파이 사업권을 따내는 것이었어요.

진중권 아, 그래서 극구 대여라고 주장하는 거군요. 서울시 와이파이 사업권 취득을 도모하는 회사가 조국 가족 자금으로 세워졌다고 알려지면 당연히 구설이 클 수밖에 없을 테니까요. 아무리 2015년이라고 하더라도 박원순 시장이나 임종석 정무부시장 등과의 관계에서 특혜 시비를 피할 수 없었을 테니까요.

레드펀드와 미상장 제조업체 익성

진중권 그런데, 저 사람들은 왜 코링크PE가 익성 거라고 주장하는 겁니까?

김경율 익성은 현대자동차부품업체로 견실한 중견기업이에요. 2015년에 상장을 추진하면서 IPO(Initial Public Offering, 기업공개)주관사하고 계약도 맺었는데, 협력업체인데다가 자동차 업황도 좋지 않았죠. 익성은 중견 제조업체라서 기업합병이나 우회상장 업무를 아는 사람이 없었습니다. 이때 조범동 일당이 접근한 거예요. 그래서 지인인 이창권이 익성 부회장으로 들어가고요. 익성에 이차전지 음극재 사업을 붙였죠. 상장사 아큐픽스랑 익성을 합병시키는 익성 우회상장 작업이 시작된 거죠. 익성의 이봉직 회장은 익성에 금융이나 기업 상장을 아는 사람이 없다고 아들더러 코링크PE에 근무하게 해서 상장 업무를 배우라고 시켰어요.

권경애   그런데 탄핵 정국이 시작되던 2017년 2월에 조국 가족 자금 5억 원이 코링크PE에 추가 투입되면서 조범동은 코링크PE를 조국 가족을 위한 펀드로 재편하려 했던 것 같아요. 공공 와이파이 사업과 이차전지(충전해 쓸 수 있는 배터리) 사업을 조국 가족을 위한 것으로 돌리려 했던 거죠. 문재인 정부가 출범하자마자 '제조업 르네상스 계획'을 발표하면서 이차전지 음극재 소재 산업, 전기차나 수소차 같은 친환경 시장 확대를 약속하거든요. 이차전지 음극재 산업이 국가의 엄청난 보조금 지원 속에서 급성장이 예상되었던 겁니다. 조국 교수가 민정수석이 되고 난 다음에 조국 가족이 2017년 7월에 블루펀드에 가입하는데 그 한 달 전인 2017년 6월에 IFM이 세워져요. 이차전지 사업을 위해서요. 코링크PE가 레드펀드를 청산하면서 익성을 아큐픽스(현 포스링크)▶가 아니라 이제 WFM에 합병시켜 우회 상장하려고, 계획을 바꾸었던 것 같아요.

▶   아큐픽스는 레드펀드가 투자한 이후 2016년 11월 포스링크로 사명을 바꾼다. 포스링크의 이 모 전 회장은 2016년 네 차례에 걸쳐 회삿돈 17억5천만 원을 횡령한 혐의로 2019년 2월 서울남부지검 증권범죄합동수사단이 기소하여 2019년 12월 징역 6년과 벌금 5억 원을 선고받았다.

진중권 그러니까 코링크PE 초기에는 박근혜 정부 때니, 서울시 지하철 공공 와이파이 사업권 취득에 비중을 두었다가, 문재인 정부가 들어서니 국책사업인 이차전지 사업을 독자적으로 추진하려 했던 거네요.

김경율 그렇게 보여요. 2017년 2월 탄핵 심판 절차가 무르익던 즈음에 조국 가족은 5억 원을 코링크PE에 추가 투입하죠. 2017년 7월 31일에는 실명으로 블루펀드에도 14억 원을 투자해서 이차전지 사업을 중심에 두면서, 익성과는 별개로 독자 노선을 걷기 시작한 것 같아요.

코링크PE가 만든 첫 사모펀드 레드펀드와 암호화폐

권경애 레드펀드의 아큐픽스는 2018년에 WFM과도 연결이 되기 때문에, 어렵고 복잡하지만 추가해서 세부 설명을 좀 하고 넘어갈게요. 코링크PE가 만든 첫 사모펀드가 레드펀드예요. 레드펀드는 2016년 7월에 40억 원을 조성해서 만들어요. 레드펀드 자금 40억 원은 익성 지분 매입에 13억 5천만 원을 쓰고, 2016년 8월에 26억 5천만 원으로 아큐픽스(현 포스링크)를 인수해요. 아큐픽스는 코링크PE뿐만이 아니라 코스닥 시장 선수들이 몰려들어 뜯어먹어서 만신

창이가 된 회사였어요. 레드펀드가 들어간 그 해 11월에 파산신청까지 낼 만큼 재무구조가 엉망이었죠. 익성을 아큐픽스랑 합병시켜 우회 상장시킨다? 그랬으면 익성 자금은 '돈 먹는 하마'한테 다 흘러갈 형편이었습니다. 익성 우회 상장 계획은 아큐픽스 파산 신청으로 무산된 거죠.

김경율 조범동 팀이 우회 상장 능력이나 의사가 있었을까, 저는 의심스러워요. 그냥 주가 조작범들 수준이에요. 펀드가 이득을 실현하려면 비상장사인 익성을 가지고는 할 수 있는 게 없죠. 상장사인 아큐픽스 주가에 장난을 쳐서 수익을 내는 건데, 조범동은 자기 전공인 주가 조작에도 실패한 거죠. 조범동 일당은 WFM에서는 마음대로 사채업자 자금 끌어다가 주가 조작하고 회사 자금 78억 원 정도를 빼다 쓰죠. 익성 이봉직 회장은 그래도 조범동 일당한테서 익성을 지켰던 거에요.

권경애 서울남부지검 증권범죄합동수사단의 한문혁 검사가 포스링크(옛 아큐픽스) 수사해서 2019년 2월에 관련자들을 기소했어요. 2019년 7월에 취임한 윤석열 검찰총장은 처음에는 조국 청문준비단에게 성실히 도와주라고 지시했대요. 그런데 의혹이 폭포수처럼 쏟아져 나온 거잖아요. 남부지검장을 통해 포스링크 수사에 대해 보고를 받았겠지요. 레드펀드와 코링크PE의 연관성도 알게 되었을 테고요. 그런데 관련자 4명이 해외로 도피를 했잖아요. 한 열흘 정도

밤샘 준비해서 압수수색 들어간 거죠. 한문혁 검사도 조국 수사팀에 파견 받고요.

진중권 그래서 윤 총장이 조국 장관 임명을 그렇게 막으려 했던 모양이군요. 나름 정권의 위험을 막으려는 충정이었겠죠.

권경애 네. 저도 윤 총장의 조국 임명 반대에는 이 정권에 대한 충정이 포함되어 있다고 봐요. 그런데 이 반대에 '검찰개혁에 대한 쿠데타'라는 프레임이 씌워지면서 상황은 걷잡을 수 없는 방향으로 흘러갔죠.

김경율 여기서 새로운 전주(錢主)가 등장합니다. 우국환이라는 분인데요. 자유총연맹 파주 지회장을 지낸 바 있고요. 정치권과 상당히 가까운 것으로 알려졌습니다. 여하튼 우국환이 레드펀드가 보유한 익성 지분을 사주면서 레드펀드와 익성과의 관계는 끝납니다. 레드펀드가 청산되는 시기도 묘해요. 포스링크(옛 아큐픽스)는 2017년 6월에 암호화폐업체를 인수해서 암호화폐 거래소 '코인링크'를 개설했었던 회사죠. 아큐픽스는 이 즈음에 포스링크로 이름을 바꾸고 암호화폐 업체 써트온을 40억 원에 인수해서 코인링크라는 암호화폐거래소를 차렸습니다. 그런데 레드펀드는 2017년 11월에 청산되죠. 그때는 비트코인 호황기였는데, 한 달 뒤에 금융위와 법무부가 거래소 폐쇄 계획을 발표하죠. 암호화폐 가격 폭락 직전에 레드펀드

가 청산되는 거에요

진중권 사모펀드는 복마전이군요. 들을수록 수상한 일들의 연속이네요. 결국 정보의 비대칭성을 이용한 고위공직자의 비도덕적 투자를 위한 가림막이라는 얘기군요. "사모펀드 운용자가 다 알아서 했지, 난 어디에 투자되는 줄도 몰랐다." 이 한마디면 공직자의 윤리적·도덕적 책임이나 법적 책임에서 손쉽게 빠져나갈 수 있겠네요.

권경애 네, 맞아요. 우국환이 레드펀드 청산금을 비싸게 쳐줘서 레드펀드 수익률 30%가 나왔다는 보도도 있어요. 레드펀드가 익성의 주식을 살 때는 13억 5천만 원에 샀는데 3배 이상 값으로 우국환이 사준 거예요.

진중권 그럼 익성이 이득을 본 거네요?

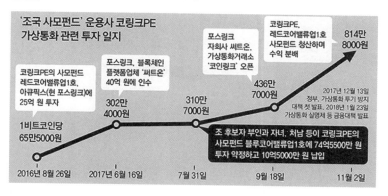

출처: 〈동아일보〉, 2019.08.

권경애　아니죠. 레드펀드가 익성 주식을 싸게 사서 비싸게 판 거니까 레드펀드에 가입한 투자자들이 이득을 본 거죠. 코링크PE는 레드펀드 GP니까 수수료 말고도 약정한 성공 보수율에 따라 수익을 챙겼을 테고요.

진중권　아, 레드펀드 투자자들이 수익을 배분 받은 거군요. 그런데 조국 지지자들은 코링크PE는 익성 것이라고 주장하잖아요. 그럼 레드펀드 투자자들은 익성과 관련성이 있는 사람들인가요?

김경율　레드펀드 투자자 명단도 제가 가지고 있어요. 그런데 이들 중 익성 관련자라든가 혹은 익성의 차명투자로 보여질 만한 증거도 정황도 전혀 없어요. 법정에서도 그와 같은 주장은 없었던 것으로 압니다. 현재까지는요.

블루펀드의 서울시 지하철 공공 와이파이 사업

진중권　근데 서울시 지하철 공공 와이파이 사업은 어떻게 되었나요?

권경애　코링크PE의 두 마리 말 중에서 서울시 지하철 공공 와이파이 사업은 조국 가족이 2017년 7월 말에 블루펀드에 들어가고 일사

천리로 진행돼요. 2017년 9월에 피앤피플러스 컨소시엄이 지하철 공공 와이파이 사업의 우선협상대상자로 선정됐어요.

진중권 아주 노골적이네. 블루펀드에 조국 돈이 들어가고 바로 서울시 지하철 공공 와이파이 사업권을 따냈다? 조국이 코링크PE 관련성을 필사적으로 부정한 이유를 알 거 같네요.

김경율 그렇죠. 서울시 지하철 공공 와이파이 사업의 피앤피플러스 컨소시엄에 민주당 인사들이 참여를 했어요. 서울시 정무라인과 얽혀서도 구설이 심했죠. 입찰 과정을 들여다보면 특혜 의혹이 나오지 않을 수 없어요. 충분히 권력형 비리나 특혜 의혹에 관한 말들이 나올 법한 전개죠.

권경애 서울시가 2016년 4월에 '서울시 도시철도공사의 지하철 와이파이 사업' 1차 입찰 공고를 내는데 피앤피플러스 컨소시엄이 단독응찰을 해요. 정부입찰에서는 단독응찰이면 유찰시키죠. 유찰 후 4일 만에 2차 입찰 공고. 또 피앤피플러스 단독응찰. 재공고를 했는데도 입찰자나 낙찰자가 없으면 수의계약을 할 수 있어요. 그러나 2016년 9월 3차 입찰에는 다른 S업체도 응찰을 했어요. 여기서 피앤피플러스가 탈락하죠. 그런데 서울시는 4개월 간 정기 감사를 해서 S업체 입찰을 취소시켜요. 정말 이상하죠!

김경율　서울시 공공 와이파이 사업은 정말 말들이 무성했어요. 이런 상태에서 2017년 2월에 조국 가족 자금 5억 원이 코링크PE에 추가 투입되는 거에요. 지분은 정광보 명의로 0.99%로 잡아놓고요. 한 주당 200만 원으로 계산했죠. 정광보 명의 지분을 1% 미만으로 하려고.

진중권　조국 가족 측 자금을 철저히 숨기려 했던 건가요?

권경애　알 수 없죠. 하지만 재판 과정에서 코링크PE 관련 증인들은 코링크PE의 정경심 교수의 남동생 정광보 명의 지분을 비밀로 붙였다는 진술이 나와요.

진중권　그런데 코링크PE와 서울시 지하철 공공 와이파이 사업 비리 부분이 기소되었다는 보도는 없었는데, 공소장에는 나와 있어요?

권경애　아니요. 조범동이나 정경심 교수·조국 전 장관의 공소장에는 서울시 지하철 공공 와이파이 사업 관련 공소사실은 전혀 없어요. 추가로 수사의 필요성이 생겨서 강제 수사력이 발동되지 않는 한, 우리들이 비상장사인 웰스씨앤티나 피앤피플러스 컨소시엄의 기업정보 자료를 보기는 어려워요. 이 이상의 논의는 추측과 추론의 영역이죠.

진중권 이제 왜 김어준 류랑 조국 지지자들이 느닷없이 코링크PE 익성 소유설을 유포하면서 필사적으로 쉴드를 쳤는지 알겠네요. 이건 조국의 공직자윤리법 위반 따위와는 차원이 다른 심각한 문제일 테니까요. 그래서 행여 그쪽으로 의혹이 확산되지 않도록 긴급히 차단하려고 했던 것이겠죠.

김경율 처음에는 아예 '조범동이 코링크PE에 관여한 바가 없다', '조범동은 중국 업체가 코링크PE에 자금을 유치하도록 소개를 한 것뿐이다', '자기들은 간접투자라고 해서 블루펀드에 가입했을 뿐이다', 그랬잖아요. 그런데 블루펀드에 가입하기 훨씬 전인 2015년 12월에 이미 코링크PE에 5억 원을 넣고, 또 2017년 2월에도 5억 원을 추가 투자한 사실이 밝혀지니까, 그 돈은 투자가 아니라 조범동에게 돈을 빌려줬을 뿐이라고 또 그러잖아요.

진중권 와~ 이렇게들 사는구나. 신천지네요.

5장

세상에서
가장
짜릿한
도박

사회   진중권
대담   김경율
         권경애

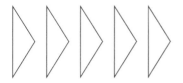

사모펀드의 경우에는 공직자의 이해충돌을
막을 방법이 없겠네요. 민정수석은
대한민국의 고위공직자 임면에 관한
인사검증을 하는 자리잖아요.

민정수석은 정보를 취급하는 곳인데 마음만 먹으면
얼마든지 사모펀드가 투자하기 좋은 기업정보를
얻을 수 있어요. 국가 보조금이 투입되는 유망사업에
관한 정보나 국가정책으로 폐지될 사업에서
엑시트(exit)할 시기를 알 수도 있어요.

공직자윤리법은 다양한 자본시장의 등장에
전혀 부응하지 못하는 낡은 규정들이 많습니다.
특히 사모펀드의 규제는 전무한 상태죠.

진중권 네, 다시 시작하시죠. 사모펀드 일반으로 시작해서 조국 전 장관 관련 펀드까지 큰 틀에서 살펴보았습니다. 권 변호사님과 김 회계사님이 잘 이끌어주신 덕에, 흐릿하지만 전체상은 그려지는 것 같습니다. 조국 전 장관과 가족의 윤리적·법적인 측면과 관련된 많은 쟁점들이 있습니다. 지금부터는 그것에 대해 이야기를 나누다 보면 큰 그림이 좀 더 선명해지지 않을까 하는 기대를 해봅니다.

첫 번째 쟁점은 코링크PE 8억 투자냐? 대여냐? 코링크PE는 2015년 12월 정경심 교수가 조범동의 처 이은경에게 보낸 5억 원을 토대로 설립되고, 2017년 2월 정경심 교수는 남동생 정광보의 계좌에 3억 원을 송금하고, 정광보는 자기 돈 2억 원을 합쳐 5억 원을 추가로 코링크PE에 투자합니다. 총 10억 중 8억 원의 실체는 투자입니까? 대여입니까?

코링크PE – 투자냐 대여냐

권경애 조국 전 장관은 공직자 재산신고하면서 코링크PE에 빌려준 8억 원을 대여라고 신고합니다. 그런데 이자는 받지 못했다고 하고요. 조국 전 장관은 2017년 7월에 공직자 재산신고를 할 때 이 8억 원을 대여금이라고 신고를 하면서 증빙 자료를 안 냈어요. 공직자윤리위원회에서 대여 내역을 증빙하라고 했죠. 그러자 2017년 9월에서야 대여 계약서 두 개를 제출하죠. '이은경에게는 2016년 12월에 이율 11%로 대여했다', '정광보에게는 2017년 2월에 이율 4%로 대여했다', '그런데 채무자들의 사정으로 이자는 지급 받지 못했다', 이렇게 소명하면서요.

김경율 변호사들이 8억 원이 대여라는 증거로 이 계약서 두 개를 제출했어요. 그런데 이은경 계약서에는 대여일이 2016년 12월이에요. '그럼 조국 부부가 코링크PE로부터 2017년 3월부터 2018년 9월경까지 월 860만 원을 받은 건 뭐냐?' 하는 질문에는 그건 또 이자라고 주장하는 거죠.

진중권 공직자 재산신고 때는 빌려 준 돈인데 이자는 못 받았다고 해놓고, 재판에서는 사실은 이자를 받았다고 주장하는 거예요? 변호인도 극한 직업이구만.

권경애　2017년 2월에 정경심 교수가 3억 원, 정광보가 2억 원을 코링크PE에 추가로 투자했다고 말씀 드렸잖아요.

진중권　네. 그래서 조국 부부가 코링크PE에 투입한 돈이 총 8억 원이라고요.

> **2016년 8월 2일**
> (정경심) 조카님~~ 잘 있지요? 우리 돈도 잘 크고 있고요?
> (조범동) 네 잘 계시죠. 무럭무럭 자라나고 있습니다.
>
> **2016년 8월 4일**
> (정경심) 혹시 좋은 투자상품이 또 있는지요?
> (조범동) 규모별로 금액이 커질수록 더 좋은 수익 상품이 많아요.
> (정경심) 그렇군요, 만나서 상담을 좀 해야겠어요. 저번 것은 언제 상환인가요?
>
> **2016년 12월 31일**
> (정경심) 늘 도와줘서 감사합니다~~^^ 새해에 더 많이(!) 도와주세요 ㅋ
>
> **2017년 2월 13일**
> (조범동) 혹시 이번 주 수요일이나 그 전후로 시간 되실 때 있으세요? 뵙고 투자금 exit 말씀 나눌 것이 있습니다~~~^^
>
> **2017년 2월 23일**
> (정경심) 투자자금에 대한 영수증은 (동생과) 각각 발행해주면 좋겠어요.

권경애　추가 투자를 하면서 정경심 교수가 조범동한테 투자자금에 대한 영수증을 각각 발행해 달라고 해요. 또 총 10억 원에 대한 출자증명서도 또 하나 작성해요(위 2017년 2월 23일 대화 참조). 공소장에는 그렇게 기재되어 있어요. 그런 증거에 대해 변호인이 어떻게 방어할지 궁금하긴 합니다.

김경율 조국 지명자는 청문회에서 "제 돈을 빌려서 동생(정광보)이 코링크PE에 투자를 해서 0.99% 지분을 가지고 있다고 합니다. 저는 그 사실도 이번에 알게 되었습니다"라고 했어요. 몰랐다는 건 다 거짓말이죠. 채무자도 아닌 코링크PE로부터 매달 860만 원 상당을 지급 받았잖아요. 원천징수 세액 3.3%도 코링크PE에 부담시키면서요. 이건 코링크PE에 투자한 사람의 태도라고 봐야 하죠.

공직자윤리법의 백지신탁거부죄란

진중권 그런데 대여가 아니라 투자라고 하면 공직자윤리법상 뭐가 걸리는 건가요?

권경애 우선 공직자윤리법상 백지신탁거부죄가 문제가 되죠.

진중권 백지신탁거부죄가 뭔가요?

권경애 공직자는 본인과 이해관계자가 보유한 주식이 3천만 원 이상이면 보유 주식을 매각하거나 백지신탁해야 해요. 2017년 5월 11일에 조국 교수가 민정수석이 되면서 공직자 재산신고를 해야 하잖아요. 코링크PE는 주식회사예요. 주식을 계속 보유하려면 인사혁신처의 백지신탁심사위원회에 심사요청을 해서 승인을 받아야 해요. 그런데 조국 교수는 이 8억 원을 '대여'라고 신고했어요. 검찰은 이 8억 원이 대여가 아니라 '차명투자'라고 판단했고요. 조국 부부의 재산은 부부공동재산이고 정경심은 투자처에 대해서도 조국과 긴밀히 상의해 왔다는 거죠. 검찰은 코링크PE의 차명 주식은 사실상 조국 소유라고 보고 백지신탁거부죄로 기소한 겁니다.

판례는 백지신탁거부죄는 공직자 "자신이 보유한" 주식에만 적용되는 죄라고 판시했어요. 공직자 부인 명의로 계속 보유하고 있는 주식인 경우 사실상 공직자 자신이 소유하는 주식이라는 입증이 없는 한 처벌할 수 없다는 거죠. 그 판결은 공교롭게도 윤석열 총장이 대검 중수1과장일 때 기소한 사건이에요.

진중권 그렇다면 조국 전 장관의 백지신탁거부죄를 검찰이 입증하기 어려운 거 아닌가요?

권경애 쉽지 않을 수 있어요. 하지만 조국 전 장관은 기자간담회에서 "제 돈을 빌려서"라고 했어요. 저는 기자간담회를 보면서 저 말에 탁 걸렸어요. 저는 정경심 교수가 상속받은 특유재산이나 고유재산을 남편과 의논하지 않고 혼자 불리는 줄 알았거든요. 그런데 "제 돈을 빌려서"라고 하더군요. "제 처남이 제 처 돈을 빌려서"가 아니고요. 재판부가 코링크PE 주식을 사실상 조국의 소유라고 볼 지가 관건이에요.▶

진중권 법은 어렵네 어려워.

권경애 법률가들도 어려워하는 법리에요. 그래도 많은 분들이 조국 전 장관이 유죄냐 무죄냐를 가장 궁금해 하실 테니 공직자윤리법 적용 문제를 마무리해 볼게요. 두 번째는 검찰은 투자를 대여라고 신고했으 니 코링크PE로부터 받은 월 860만 원을 이자소득으로 신고했어야 하는데 신고하지 않은 점도 위계에 의한 공무집행방해죄로 기소했 어요. 사실 검찰의 기소 법리가 일관되지는 않은 것 같기도 해요.

컨설팅비 월 860만 원! 업무상횡령죄일까

진중권 코링크PE에 간 8억 원을 투자라고 신고하면 공직자윤리법 에 따라 팔아야 하니 그냥 대여라고 신고를 했다고 하셨잖아요. 그

▶ "구 공직자윤리법 제24조의2는 공개대상자 등이 그 자신이 보유하는 주식을 매각 또 는 백지신탁하지 아니한 경우에 이를 처벌하는 규정으로 한정하여 해석하여야 하고, 공 개대상자 등이 이해관계자가 보유하는 주식을 매각 또는 백지신탁하도록 하지 아니한 경 우까지도 처벌대상에 포함하는 규정으로 해석하는 것은 형벌법규를 피고인에게 불리한 방향으로 지나치게 확장해석하거나 유추해석하는 것으로서 죄형법정주의의 원칙에 반 하여 허용될 수 없다. (중략) 이 사건 주식은 피고인이 보유한 주식이라고 볼 수 없고, 검사 가 제출한 증거만으로는 이 사건 주식이 피고인의 처인 공소외인의 소유가 아니라 피고인 이 사실상 소유하는 것이라는 사실을 인정하기 어렵다."(대법원 2014. 12. 11. 선고 2012도 12406 판결)

런데 월 860만 원은 이자로 신고하면 되잖아요. 총 1억 6천만 원을
왜 이자로 신고 안 했을까?

김경율   채무자 이은경이나 정광보한테 돈이 나오는 게 아니라 코링
크PE로부터 나온 돈이라는 걸 숨기려 했겠죠. 조국 전 장관도 가족
도 나중에 이렇게 다 드러날 줄 몰랐겠죠. 정경심 교수의 남동생 정
광보는 컨설팅도 전혀 하지 않았고요.

권경애   조국 전 장관이 공직자 재산신고 때는 조범동의 처 이은경과
정광보에 대한 대여금이라고 신고하고 8억 원 대여금의 이자는 받지
못했다고 소명했잖아요. 그런데 수사과정에서 코링크PE로부터 월
860만 원을 꼬박꼬박 받은 사실이 드러난 거죠. 검사가 추궁했겠죠.
'코링크PE로부터 다달이 받은 860만 원은 대여금의 이자냐? 이자

조국 전 법무부 장관 (지난 9월 2일)
문제의 처남도 제 돈을 빌려서 (사모펀드) 0.99%의 지분을
갖고 있다고 합니다. 그 자체도 이번 기회에 알게 되었는데

는 못 받았다고 신고했잖아?' 그때서야 '공직자윤리위원회에는 이자 못 받았다고 신고는 했으나 사실 그거 이자 맞다', 이렇게 주장하게 된 거죠. 대여금 채권은 매각이나 백지신탁의 대상이 아니잖아요. 이렇게 주장하면 조국은 8억 원에 대한 백지신탁거부죄는 피할 수 있겠죠. 그렇지만 업무상횡령죄하고 이자수익을 신고하지 않은 위계에 의한 공무집행방해 문제는 남아요.

진중권 컨설팅을 하지도 않고 회사 돈을 빼갔으니까 업무상 횡령. 이자수익 신고하지 않았으니 위계에 의한 공무집행방해. 맞나요?

권경애 네. 맞습니다. 정광보나 이은경에 빌려준 정경심 교수 대여금 이자를 코링크PE에서 왜 받았냐? 정광보나 정경심이 컨설팅을 하지도 않았잖느냐? 하면 대답이 궁한 거죠.

진중권 음, 이건 외통수네요. 그럼 이제 블루펀드에 투자한 문제로 넘어가볼까요.

간접투자라는 블루펀드, 공직자윤리법과 관련될까

진중권 근데, 간접투자가 뭐예요?

<u>김경율</u> 우리가 주식을 사면 그 회사에 주주로 지분을 갖게 되잖아요. 그런데 사모펀드는 투자자가 펀드에 가입하고, 펀드가 다른 회사의 주식 등을 사요. 그래서 사모펀드를 간접투자라고 하는 것입니다.

<u>진중권</u> 사모펀드는 간접투자다, 블라인드펀드다, 조국 전 장관이 어디에 물어보니 '간접투자는 공직자윤리법상 문제가 되지 않는다', '청와대로부터 간접투자라서 문제되지 않는다는 답변을 듣고 투자를 했다'▶고. 그게 맞나요?

<u>권경애</u> 네. 블루펀드는 간접투자라서 공직자윤리법상의 매각 및 백지신탁 대상에 포함되지 않아요. 그런데 블루펀드는 오로지 조국 가족만 투자했고, 다른 투자자를 받지 않았어요. 블루펀드는 처음부터 OEM펀드, 즉 주문자생산방식의 펀드, 조국 가족의 이익 도모를 위해 설계된 거죠. OEM펀드로 운용되었다고 해도 다른 투자자가 없으니 다른 투자자 이익 침해 문제는 발생하지 않지만, 사실상 직접투자의 성격이 짙은 거죠.

<u>진중권</u> 사실상 직접투자인데, 공직자윤리법으로 기소는 못 한 거예요?

▶ 조 후보자는 이날도 사모펀드에 투자하게 된 과정을 자세히 설명했다. 조 후보자는 "제가 (청와대) 민정수석이 되고 난 뒤에 개별 주식을 보유하는 것은 좋지 않다는 의견을 듣고, 그러면 펀드에 투자하면 되는지를 공식적으로 물었을 때 허용이 가능하다는 답변을 (청와대로부터) 받았다"고 밝혔다. (《서울신문》, 2019년 9월 2일)

"

블루펀드는 오로지 조국 가족만 투자했고, 다른 투자자를 받지 않았어요. 블루펀드는 처음부터 OEM펀드, 즉 주문자생산방식의 펀드, 조국 가족의 이익 도모를 위해 설계된 거죠. OEM펀드로 운용되었다고 해도 다른 투자자가 없으니 다른 투자자 이익 침해 문제는 발생하지 않지만, 사실상 직접 투자의 성격이 짙은 거죠.

"

권경애 예. 실명투자고 간접투자라서 검찰도 블루펀드 투자 부분을 공직자윤리법상의 백지신탁거부죄로 기소하지는 않았어요. 대신 자본시장법상의 거짓변경보고를 우선 문제 삼았습니다. 조국 가족 (정경심과 자녀 2명, 정광보와 자녀 2명)이 블루펀드에 14억 원만 투자하고 100억 원 상당을 투자했다고 금융위에 거짓 보고를 한 것을 기소했어요. ▶

진중권 투자 규모를 부풀렸네요?

김경율 블루펀드는 새로 만들어진 펀드가 아니었어요. 기존에 만들어져 있으나 실제 투자가 이루어지지 않고 있던 펀드의 사원 지위를 인수하는 방식이에요. 가족의 투자금액은 총 14억 원인데 정관에는 총 99억 원을 투자한 것처럼 기재해서 변경보고를 했으니 자본시장법에 저촉된다는 거예요.

▶ 정경심의 공소장에 있는 자본시장법상의 허위변경보고 공소사실의 요지는 다음과 같다.
-블루코어밸류업1호(블루펀드)는 신설펀드가 아니고 펀드금액 100억원으로 설정되어 있었으나 투자받지 못한 기존펀드다. -블루펀드 같은 경영참여형사모펀드(PEF)는 업무집행사원과 운용역(GP) 1억 원, 그 외에는 3억 원 이상의 출자의무가 있다. -PEF설립 시 출자 가격 등은 보고해야 하고 변동이 있으면 변경보고를 해야 한다. -그런데 조범동과 정경심은 통모하여 출자금액을 거짓으로 정한 변경정관을 작성하고 금융위에 거짓으로 변경보고했다. 정경심과 자녀 두 명, 정광보와 자녀 두 명 총 6인이 14억을 투자하면서 99억4천만 원을 투자한 것처럼 꾸몄고, 자녀들의 경우에는 유한사원들의 투자최소한도 3억 원 이상인 규정에 맞추기 위해 5천만 원만 투자했으면서도 3억5천5백만 원을 투자한 것으로 속였다. -거짓으로 (변경)보고하면 1년 이하의 징역 또는 3천만 원 이하의 벌금에 처한다.

권경애 우선 펀드의 투자 금액과 약정 금액을 허위로 기재해 공시하면 자본시장의 투명성과 신뢰성을 해치죠. 15억 원 규모의 펀드를 100억 원 규모의 펀드로 부풀려 놓은 거잖아요.

진중권 블루펀드에는 조국 가족만 가입한 건가요?

김경율 그렇죠. KBS의 김경록 PB 인터뷰 녹취록이 공개되었잖아요. 거기 보면 김경록 PB가 '아, 이거 조금 조심해야 되겠다'는 생각이 들어서 코링크에 직접 전화를 해 봤다잖아요. 직접 방문해서 상품에 대해 설명을 듣고 30억 원 정도 투자를 하고 싶다고. 그런데 안 된다고 하더래요. 사모펀드는 49명까지 가입이 가능한데 상식적으로 납득이 되지 않았고 이상한 걸 감지했다고 해요. 조국 가족만을 위한 펀드로 운용하기 위해 다른 투자자를 받지 않았다고 봐야죠.

진중권 다른 사람한테 블루펀드의 존재나 투자내역을 숨길 필요가 있었던 거군요?

김경율 그렇지 않으면 다른 사람의 투자를 거부할 이유가 딱히 없죠. KBS가 공개한 녹취록에 따르면, 정경심 교수가 김경록 PB에게 WFM에 대해 알아봐달라고 했다잖아요. 블루펀드에 들어갔던 14억 원은 웰스씨앤티에 투자되었다가 뺑 돌아서 WFM에 투자되거든요. 사모펀드라는 가림막을 쓰고 있으니 간접투자라고 주장할 수 있었던 건데, 사실상 직접투자처럼 운용된 거죠. 블라인드펀드도 아니었고요.

KBS와 김경록 PB 인터뷰 녹취록 일부(2019년 9월 11일)

'▷'는 KBS 기자, '▶'는 김경록 PB

▷ 정 교수님이 코링크 이전에도 나 이런 사모펀드 해보고 싶어 나도 이런 투자처에 해보고 싶어 이런 직접 가져오시는 경우가 많았나요?

▶ 아니요. 이게 민정수석 되시고 나서 그렇게 됐지 그 전에는 거의 저희들이 제안을 하고 타 사에서 뭘 하나 추천을 받아서...

▷ 그럼 코링크에 투자하고 나서 혹은 그전에 웰스씨앤티에 대해서 물어보시거나 투자를 좀 하고 싶다거나 물어보신 적은 있으신가요?

▶ 아니요, 저도 그렇고 저는 처음 들었습니다. 이번에 그 회사 이름 자체를.

▷ 아니면 웰스씨앤티의 업종. 가로등 점멸이라든가 신사업 관련해서 여쭤보신 적은?

▶ 아니요, 한번도 없었습니다.

▷ 그러면 지금 지금 웰스씨앤티 말고 또 다른 투자회사인 WFM에도 코링크 투자를 했는데, 물론 그 가족 분이라는 (확신?)은 없지만. 이 WFM에 대해서

정경심 교수님께서 먼저 물어보신 적 있으세요?

▶ WFM에 대해서는 물어보신 적이 있으시고요. 이게 제가 이제... 그쪽에서 아마 저희들이 이제 사모펀드라고 해서 블라인드펀드가 아예 아무것도 알려주지 않는 펀드는 아니에요. 블라인드펀드의 핵심은 눈을 감고 있다는 의미가 아니라 내가 지금 앞으로 투자할 게 뭔지를 정해지지 않고 투자자를 모집한다는 개념인 거거든요. 그래서 그쪽 회사에서 아무래도 교수님한테 뭐에 투자했다 뭐에 투자했다 이렇게 말씀을 드렸던 것 같고. 그렇다 보니까 저한테 이제 WFM이라는 회사가 어떤지 좀 봐 달라. 그런 말씀도 하셨습니다.

▷ 그냥 봐달라고 단순하게만?
▶ 네. 그 회사가 어떤지 봐 달라. 이거였습니다.

▷ 언제쯤에요? 최초의 코링크 투자가 이루어지고 난 다음에 중간 중간에도 계속 교수님께서 계속 문의를 하셨어요. 잘 진행되고 있는 것이 맞냐. 이런 ???
▶ 음... 이게 이거는 제가 그냥 그 시기 때 느꼈던 생각인데요. 민정수석이 되셨잖아요. 고객님이 직접 투자를 하실 수 없으세요. 근데 저한테 주식을 뭔가 물어봤다고 하는 거는 아, 뭔가 저쪽 사모펀드에서 그 주식이 들어갔다고 알려줬나? 제가 그렇게 생각을 했던 거예요. 그래서 그 코링크라는 회사에 공식을 들어가서 그 사모펀드 이름이 있는지를 확인했었어요. 근데 그 사모펀드 이름이 없더라고요. 그래서 이걸 나한테 왜 물어봤지, 도대체? 그렇게 의아하게 생각했던 적이 있었어요. 근데 그렇게 질문을 드렸는데 그거에 대해서 저한테 정확하게 답변을 해주지 못하셨는데 그게 이제... 그쪽에서 답을 제대로

안 해준다 이렇게 얘기를 했었어요.

▷ 어떤 주식을 물어보셨어요?
▶ WFM.

▷ 이거를 물어본 시기가 언제쯤?
▶ 저희가 이제 사모펀드가 정확하게 제가 언제 들어갔는지는 기억을 못하는데. 저희 회사에서 자금이 빠져나갔잖아요. 그니까 그 자금이 어딘가는 가 있겠죠? 그 이후에 저한테 그 정보에 대해서 물어보신 거 아닐까.

▷ 2016년?
▶ 17년... 후반기... 로 생각이 됩니다. 18년 초반일 수도 있고.

진중권 아, 그럼 사모펀드의 경우에는 공직자의 이해충돌을 막을 방법이 없겠네요. 민정수석은 대한민국의 고위공직자 임면에 관한 인사검증을 하는 자리잖아요. 고위공무원에 대한 막강한 인사 영향력을 가진 자리인데 말이죠.

김경율 청와대라는 곳이 그렇죠. 특히 민정수석은 정보를 취급하는 곳인데 마음만 먹으면 얼마든지 사모펀드가 투자하기 좋은 기업정보를 얻을 수 있어요. 국가 보조금이 투입되는 유망사업에 관한 정보나 국가정책으로 폐지될 사업에서 엑시트(exit)할 시기를 알 수도 있어요. 전자의 예는 이차전지 사업이겠고, 후자의 예는 암호화폐 거래소 폐지 정책 같은 거죠. 청와대는 인사권을 이용해 국책사업권을 따낼 수 있도록 사업 발주기관의 기관장을 움직일 수도 있어요.

권경애 공직자윤리법은 다양한 자본시장의 등장에 전혀 부응하지 못하는 낡은 규정들이 많습니다. 특히 사모펀드의 규제는 전무한 상태죠. 공직자의 이해충돌을 방지하기에는 역부족이에요. 공직자윤리법의 이러한 흠결을 공직자윤리위원회나 백지신탁심사위원회가 걸러줬어야 해요.

김경율 블루펀드 자금은 웰스씨앤티에 투자되었다가 이차전지 사업체인 IFM과 WFM으로 삥 돌아 들어가는데, 이차전지 사업도 국책사업이잖아요. 조국 전 장관은 '사모펀드의 간접투자는 공직자윤리법에서 허용된다'는 회신을 받았다고 했는데 언제 어디에 질의를 했고 어떠한 회신을 받았는지는 밝히지 않았습니다.

권경애 그렇죠. 그런데 사모펀드 가입을 전부 허용해놓고 공직자 개인의 도덕과 양심에 맡길 수는 없잖아요. 사모펀드는 익명성이 보장되기도 해요. 사모펀드에 숨어서 로또 맞을 국책사업에 참여하고 싶은 욕망을 법이 미리 통제할 수 있어야 합니다. 향후 사모펀드가 공직자의 이해충돌 문제의 회피처가 되지 않도록 하려면 주식뿐만 아

"

사모펀드에 숨어서 로또 맞을 국책사업에 참여하고 싶은 욕망을 법이 미리 통제할 수 있어야 합니다. 향후 사모펀드가 공직자의 이해충돌 문제의 회피처가 되지 않도록 하려면 주식뿐만 아니라 사모펀드의 지분증권과 전환사채, 신주인수권부사채 등도 매각이나 백지신탁을 하도록 개정해야 합니다.

"

니라 사모펀드의 지분증권과 전환사채, 신주인수권부사채 등도 매각이나 백지신탁을 하도록 개정해야 합니다.

진중권 조국 전 장관이 "불법은 없습니다"라며 공직윤리의 문제를 위법과 합법의 프레임으로 전환시켰죠. 불법이 아니라고 다 윤리적인 것은 아니잖아요. 법은 윤리와 도덕의 최소한일 뿐이니까요. 겉으로는 진보적인 법학자가 속으로는 자신의 전문적 법학 지식으로 법을 피해가며 윤리적으로 의심스러운 짓을 해왔다는 게 씁쓸하네요.

권경애 백지신탁거부죄의 처벌 조항도 개정해야 합니다. 현재는 재산공개 대상 공무원은 본인뿐만이 아니라 가족 등 이해관계자의 주식을 합산해서 3천만 원이 넘으면 매각하거나 백지신탁해야 합니다. 백지신탁거부죄는 "자신"이 보유하는 주식을 매각 또는 백지신탁하지 아니한 경우에 이를 처벌한다고만 규정했어요. 그런데 판례는 이 "자신"은 공직자 본인만 해당한다고 해요. 배우자의 주식백지신탁 의무 불이행은 처벌 못 합니다. 결국 직접투자를 하더라도 얼마든지 가족 명의로 직무관련 주식을 보유할 수 있다는 거잖아요. 그러니 백지신탁거부죄는 실효성 없는 사문화된 조항이나 다름없어요. 죄형법정주의는 형법의 대원칙이니 판례 변경으로 해결하기는 어렵고, 입법으로 해결해야 합니다. 처벌 조항도 개정해야 하고요.

블루펀드는 이차전지 사업에 눈독

진중권 코링크PE는 서울시 지하철 공공 와이파이 사업과 익성 우회 상장을 위해 만든 것이라면, 블루펀드는 뭘 하려고 만든 건가요?

권경애 블루펀드는 처음부터 문재인 정부의 국책사업인 이차전지 사업을 목적으로 했다고 보여요. 블루펀드 자금은 처음 계획했던 대로 움직입니다. 14억 원 중에서 13억 원이 웰스씨앤티에 투자됐어요. 웰스씨앤티는 이 13억 원을 이차전지 사업체인 IFM의 전환사채를 사는 자금으로 사용하고요. IFM은 블루펀드에 자금이 들어가기 한 달 전인 2017년 6월에 설립된 회사에요. 그런데 이 13억 원의 자금 중 10억 원이 다시 WFM으로 흘러들어가요.

김경율 저는 조국 가족 자금이 어디로 갔는지 몰랐었어요. 어디 갔지? IFM에서 나간 돈이 어디 갔지? 장부에 나오지 않으니 찾지 못했어요. 그런데 KBS의 김경록 PB 인터뷰 녹취록을 보면서 알게 됐어요. 유시민 씨가 김경록 PB 인터뷰를 〈알릴레오〉에 내보내면서 증거인멸을 자인하는 부분은 빼고 방송했죠. 그러면서 KBS 법조팀이 검찰과 유착했다고 분개를 했잖아요. 그 바람에 KBS 조국 취재팀이 전부 현장에서 빠지고 교체되는 기막힌 사건이 생겼고.

진중권 그래서 유시민 씨와 KBS의 김경록 PB 인터뷰 녹취록이 모두 공개되었죠.

김경율 그 녹취록에 보니, 정경심 교수가 김경록 PB에게 WFM에 대해 알아봐달라고 했다는 대목이 나오잖아요. 그래서 IFM에서 갔던 돈이 WFM으로 흘러들어갔다는 감을 잡았죠.

진중권 WFM의 소유자 우국환은 언제 어떻게 등장해요? 이 관계 속에서 익성은 어떻게 되는 거죠?

김경율 익성 돈으로 머니 게임을 하려다 실패한 것 같아요. 익성은 포스코, 한화, KB 등 만만히 다룰 수 없는 투자자들이 들어와 있어요. 조범동 측 변호인은 조범동이 이런 투자자를 유치했다고 주장하는데요. 조범동은 그렇게 말했을 테지만 거의 1천억 원의 투자인데, 뭘 믿고 조범동에게 그런 거액을 투자했겠어요?

진중권 그런 사람들 말을 누가 믿고, 더구나 대기업들이 투자했을까 하는 의문이 저도 듭니다.

수표 7억 3천만 원의 행방, 코링크PE 익성 소유설

김경율 코링크PE를 익성 소유라고 주장하는 사람들은 익성이 코링크PE로 가장 이득을 봤으니 익성이 코링크PE 소유라고 말해요. 그런데 코링크PE로 투자한 익성 돈이 없어요. 레드펀드에도 익성과 연결고리가 없어요. 저도 레드펀드 투자자들 명단을 입수해서 가지고 있습니다. 레드펀드 자금 40억 원이 익성 자금이냐 하면 그렇지 않습니다. 40억 원 중에는 피앤엠코스메틱스와 회사 대표가 각각 10억 원씩 투자한 것으로 나와요. 피앤엠코스메틱스는 한국피앤지(P&G)의 협력업체인데, 화장품 SK-II 마케팅인력 교육사업을 해요. 그런 회사가 익성의 차명주주로 이름을 올리지는 않았겠죠.

권경애 익성과 코링크PE 사이에 자금 거래는 있었어요. 익성 이봉직 회장이 코링크PE 사무실 한쪽에 사무실 얻어 쓰면서 보증금 10억 원을 익성 자금으로 지급합니다. 계약이 끝나면 코링크PE가 익성에 돌려줘야 하는 돈이죠. 조범동은 이 돈을 웰스씨앤티에 줘서 최태식 사장한테 2억 7천만 원을 쓰게 하고 7억 3천만 원을 수표로 빼 가는데, 이 수표 행방이 묘연해요. 수표를 사채 시장에서 현금화했다는데 익성은 현금을 받은 적 없대요. 코링크PE와 거래한 돈은 다 수표로 돌려받았다는 거예요. 사채 시장에서 현금화하면 추적이 불가능하죠.

김경율 사채 시장에서 현금화해서 꼬리표 뗀 돈이 누구한테 갔는지 누가 알겠어요?

권경애 조범동과 익성이 서로 미루니까 검찰도 더 수사하기 힘들었는지 공소장에 이 7억 3천만 원을 조범동과 이봉직이 같이 사적으로 유용했다고 기재했어요.

김경율 여담인데요. 조범동이 사건 터지고 괌으로 도피해서 웰스씨앤티 최태식 사장에게 전화한 통화 녹취록이 풀렸잖아요.

진중권 저 쪽에서는 검찰이 언론에 흘렸다고 그랬던 것 같은데요.

김경율 아닙니다. 최태식이 언론에 준 거예요. 자기 방어용으로요. 최태식은 이 돈 10억 원, 정확히는 10억 3천만 원, 이 돈이 익성에서 온 줄도 모르고 있었어요. 코링크PE가 투자한 걸로 알고 있었죠. 조범동은 최태식한테 해외에서 전화 통화로 이 돈을 익성 이봉직이 다시 가져가서 죽은 한 모씨한테 주었으니까 웰스씨앤티가 한 모씨한테 빌려줬다는 금전대차계약서를 작성해 달라고 매달립니다. 그러자 최태식이 "(난 몰랐지만 조 대표 말을 들어보니) 익성 이봉직 회장이 가져갔어. 그죠? 조대표가 그렇다고 나한테 말했어. 그죠? 그럼 웰스가 이봉직한테 대여했다는 계약서 쓰면 끝나는데 왜 그렇게 복잡하게 만들려 그래? 죽은 사람한테 빌려줬다고 계약서 쓰면 어떻게 받아?" 이러거든요. 근데 김어준 류가 이 대목을 익성 소유설의 근거라고 말해요. 최 대표가 7억 3천만 원을 "익성 이봉직 회장이 가져갔어"라고 한 대목이 나오는데 이 말이 코링크PE가 익성 것이라는 증거라는 것이에요.

진중권 뭐, 음모론의 전문가들이니. 나사 두 개만 주면 그걸로 뚝딱 KTX를 만들어내는 사람들 아닙니까.

김경율 그 녹취록을 보니, 조범동이 웰스씨앤티 최태식 사장에게 검찰한테 그 돈을 익성이 가져갔다고 해달라고 애원하는 소리로 들리더군요. 익성한테 모든 책임을 떠넘기고 싶은 거죠. 간절하게.

권경애 익성은 코링크PE가 WFM 경영권을 235억 원에 인수할 때도 25억 원을 빌려주는데 공소장에서는 이 25억 원을 익성한테서 빌려온 건데 투자유치금이라고 공시했다 해서 자본시장법의 부정거래행위로 조범동만 기소했어요. 익성은 이 25억 원까지 합해서 총 35억 원을 빌려줬고 모두 수표로 돌려받았다고 주장하고 있어요. 현금으로 받은 건 없다고요. 그러니까 익성의 주장대로라면 익성은 WFM에도 지분참여를 안 한 겁니다.

김경율 현재 웰스씨앤티의 최대주주는 여전히 블루펀드(블루코어밸류업1호)예요. 웰스씨앤티와 피앤피플러스가 추진하는 서울시 지하철 공공 와이파이 사업도 조범동과 서재성이 주도하죠. 운동권 출신인 피앤피플러스 대표 서재성이 서울시 대관업무를 뛰는 거죠. 서울시 공공 와이파이 사업에서 익성이 할 수 있는 역할은 거의 없어요. 서울시 지하철 공공 와이파이 사업권도 2017년 7월에 블루펀드 들어가고 9월에 피앤피플러스가 우선협상자로 지정되잖아요.

진중권 당숙부가 민정수석 되고 나니 공공 와이파이 사업권도 일사천리로 진척되고, 문재인 정부 국책사업인 이차전지 사업에도 손을 댈 만한 환경이 만들어진 거네요.

김경율 블루펀드에 조국 가족 자금이 투입되면서부터는 코링크PE가 익성의 상장이 아니라 WFM과 IFM의 이익을 위해 움직이는 게 확연했던 거죠.

권경애 검찰은 블루펀드 가입 전에 정경심 교수와 남동생 정광보가 자신들의 자금이 웰스씨앤티를 거쳐서 IFM으로 가는 걸 알았다고 기소했어요. IFM 대표인 김동현 박사가 블루펀드에 투자하기 전인 2017년 7월 초에 정경심 남매에게 이차전지 사업을 설명해 줬다는 건 재판에서 증인들도 인정하고 있는데요. 정경심 변호인이 재판(2020년 1월 31일 제2차 정경심 공판기일) 중에 매우 주목할 만한 진술을 했어요. IFM에 포스코 출신의 김동현 박사가 대표로 참여한 것이 익성과 조범동이 멀어지는 직접적 계기가 된 것 같다는 취지의 변론이에요. 익성에 투자한 포스코가 IFM과 익성의 이차전지 사업목적이 겹친다는 이유로 IFM을 반대했다는 거예요.

김경율 익성은 건실한 중견기업이고 포스코, 한화 같은 대기업 자금도 들어와 있는 회사니까, 조범동이나 정경심 교수가 마음대로 주무를 수 있는 기업이 아니에요. 익성은 비상장사였잖아요. 자금 빼돌리기도 어렵지, 주가 조작을 할 수도 없지. 우국환의 WFM은 상장사이기까지 했어요. 경영권도 다 넘겨받았어요. 코스닥 주가 조작범들에게 우국환과 WFM은 뜯어먹기 딱 좋은 환상적인 먹잇감이죠. WFM에서는 마음대로 전환사채(CB) 발행하고 주가 조작하고 회사 자금도 70억 원 이상 횡령을 했잖아요. 익성은 그럴 수 있는 기업이 아니에요.

WFM과 배터리펀드

진중권 WFM? 사모펀드 이야기에 나오는 회사들은 왜 이렇게 이름이 어렵죠? WFM은 뭐 하는 회사인가요?

권경애 WFM은 유명한 영어강사 이보영 씨를 앞세워 영어사업을 주로 하던 회사였어요. 사장 우국환은 부모한테서 신성석유를 물려받아서 그 자금으로 기업을 사다가 다시 되파는 것으로 재미를 보기도 했는데요. WFM도 샀다가 넘기려고 했는데 한 차례 양수도 계약이 결렬되었다가 코링크PE한테 넘긴 거죠.

진중권 한 마디로, 우국환도 나름 코스닥 기업을 사고팔면서 돈 좀 만진 프로페셔널인데, 그만 조국한테 눈이 멀어서 어처구니없이 아마추어한테 당한 거네요.

김경율 네. 우국환이 큐브스(녹원씨앤아이)에 투자를 했었는데요. 이 큐브스 대표가 정상훈이에요. 정상훈을 통해 우국환이 조국 사모펀드랑 연결된 거 같아요. 이후 우국환은 레드펀드가 보유하고 있던 비상장 주식 익성 지분을 취득가액의 세 배로 사줘 조범동을 한 차례 구해주고, 무려 상장사인 WFM 지분 110만주 금액으로 치면 약 53억 원에 해당되는데 이것을 코링크PE에 무상증여합니다. 그것과 더불어 경영권도 코링크PE에 넘어가게 됩니다.

진중권 정상훈은 누구에요?

권경애 버닝썬 승리 단톡방에서 경찰'총'장이라고 불리던 윤규근 총경한테 큐브스 주식을 무상으로 준 사람이죠. 윤규근이 민정수석실에 근무했었잖아요. 조국하고 같이 술집 '애월'이라는 데서 술 마시는 사진이 청문회에서 공개된 적이 있었죠.▶

진중권　아, 그게 또 그렇게 연결되나요?

권경애　우국환이 처음에 WFM의 주식을 코링크PE에 모두 넘겨 다 팔고 나갔으면 당하고 말고도 없었을 텐데요. 근데 제2대 주주로 남아요. 코링크PE한테 자기 주식 235억 원 상당의 470만 주를 넘기면서 최대주주를 변경해 경영권 양도를 하고요. 나머지 주식은 배터리펀드에 넣어서 배터리펀드의 2대 주주가 되는 거죠. 우국환 입장에서는 WFM을 직접 소유했다가 배터리펀드를 통해 WFM을 간접 소유하는 방식으로 전환한 겁니다. 이차전지 사업이 문재인 정부 국책사업이니까 WFM에 이차전지 사업을 붙여서 키운 다음, 나중에 배터리펀드를 정산하면 더 큰 이익을 내고 빠질 수 있다는 계산이 있었겠죠.

기업사냥꾼들의 게임, 무자본 M&A

▼

진중권　코링크PE는 235억 원 인수대금을 어떻게 만들어요?

권경애　일단 사채로 조달해요. 주식담보대출을 받아서 우국환한테서

▶　정상훈의 뇌물죄는 1심에서 무죄. 무상으로 준 사실은 있으나 뇌물의 대가성을 인정할 증거가 없다는 이유였다.

인수받은 주식으로 갚기도 하고 주식을 장외에서 팔아서 갚기도 해요.

진중권   아, 그래서 자기 자본 없이 기업을 인수·합병한다고 무자본 M&A라고 하는구나.

김경율   그 와중에 우국환이 코링크PE에 53억 원 상당 110만 주를 무상으로 주죠. 황당하죠.

진중권   이건 그냥 조국 전 장관을 보고 준 거라고 봐야 하는 거 아닌가요?

김경율   "난 아무리 봐도 뇌물죄다"라고 기자들에게 말했더니, 검찰에서는 이게 뭐 하나가 빠져 있다고 한대요. 명시적 대가성.

권경애   뇌물죄는 직무와 관련해서 대가를 기대하고 주었어야 해요. 직무 관련성과 대가성이 있어야 하는데 그 입증이 어렵다고 본 것 같네요.

진중권   받았는데 해준 게 없다는 얘기네.(웃음)

주식 실물 보유는 사채업자가 하는 짓

김경율 검찰 공소장에는 정경심 교수의 동생인 정광보가 실물 주식을 가지고 있는 것도 드러나요. 이쪽 실상을 아는 친구에게 주식 실물 얘기했더니 거의 학을 떼더라고요. 사채업자들이 하는 거다, 무자본M&A 과정에서 나타나는 거랍니다. 자, WFM을 인수해야겠다는 데 돈이 없어? 그럼 주식을 담보로 사채업자한테 빌리는 거죠. 주식 실물을 가져다주고 돈을 빌리는 거에요. 나중에 그 실물로 가지라고 하거나 장외에서 팔아서 사채를 갚는 거죠. 그러니까 정경심 교수는 10억 원을 조범동에게 주면서 '너, 빨리 가서 주식 실물 받아와', 한 거죠. 사채업자랑 똑같이 한 겁니다.

진중권 근데 주식이란 게 어떻게 생겼어요? 한 번도 본 적이 없어서.

김경율 그렇죠. 주식 실물. 저도 20년 넘게 회계사 생활했지만 상장 주식 실물을 한 번도 본 적 없어요.

진중권 인생 참 재밌게 사네요. 참, 정경심 교수가 페이스북 열고서 한 첫 포스팅이 WFM은 자기가 투자한 회사도 아니고 영어 자문만 했을 뿐이라고 얘기하거든요.

김경율 투자를 안 하기는요. 실물만 받아 가지고 있었던 게 아니고요. 밤낮으로 세계만방에서, 미얀마에서도 하시고, 이집트에서도 하시고. 미용실 원장님, 조국 팬카페 회원 등등 이름 빌려주는 사람들 다 모아서 차명으로 WFM에 투자하셨죠.

권경애 WFM 주식을 차명 보유한 것은 금융실명법 위반이고요. 동시에 WFM도 주식회사니까 공직자윤리법상의 백지신탁거부죄 문제가 생기고요. 호재성 미공개정보를 이용한 경우면 자본시장법 위반으로 처벌됩니다.

김경율 조범동은 열심히 회사자금 빼돌려 횡령하면서, 외부에 공시하기로는 전환사채 발행해서 자금 들어왔다, 공장부지 샀다, 공장 건물 삽 떴다, 공장 돌아간다 등등 허위공시내고 주가 튀기고, 당숙모는 열심히 몰래몰래 남 이름으로 주식 사 모으시고.

권경애 저 전환사채 발행하는데 역전의 용사들이 다시 뭉쳐요. 포스링크 시절 선수들이요.

진중권 어제의 용사들이 다시 뭉쳐서.

232

사채업자에서 증권사를 욕망하는 상상인

권경애 레드펀드가 지분을 가지고 있던 아큐픽스가 포스링크로 이름을 바꾸고 암호화폐 거래소 차렸다가 거래소 폐지 발표 직전에 레드펀드가 청산된다고 했잖아요. 그 포스링크가 상상인 자금을 WFM에 대는 파이프 역할을 해요.

　　2018년 1월에 WFM이 전환사채 150억 원을 발행 공시합니다. 전환사채는 주식으로 전환할 수 있는 권리가 붙은 사채예요. 이 전환사채를 엣온파트너스가 사줘요. 엣온파트너스는 그 일주일 전에 만들어졌는데 포스링크에서 만든 페이퍼컴퍼니예요. 엣온파트너스의 전환사채 구입 대금은 상상인에서 대출을 해주고요. 그러니까 상상인 대출금이 앳온파트너스를 거쳐서 WFM으로 가는 거에요. WFM은 이 100억 원으로 성수동 갤러리아포레 지하상가 6채를 사서 엣온파트너스에 전환사채 담보로 제공해요. 갤러리아포레 지하상가는 1년 전 쯤에 포스링크가 사 둔 겁니다. WFM은 원래 전환사채 발행해서 사채를 끌어왔으면 투자를 해야 되잖아요. 공시는 전환사채를 인수해서 돈이 들어왔다, 땅을 샀다. 공장을 세웠다. 공장을 가동한다 등으로 했고, 이런 공시가 나면 주가는 뛰거든요. 그 돈으로 부동산을 산거예요. 그 사채업자의 부동산을요.

진중권 결국 이차전지 사업은 아예 실체가 없네요. 한 게 하나도 없잖아요. 공장을 짓거나 생산을 하거나. 근데 이 사람들 그 짓을 왜 한 거예요. 뭐하려고?

김경율 공소장에 정리된 조범동의 횡령 내역을 보면 WFM 자금 횡령이 13억, 인테리어한다고 3억, IFM 군산공장 공사대금 지급비 준다고 3억, 자기 벤츠도 사고. 이런 돈을 78억 정도를 빼내 쓰는 거예요. 그 횡령액을 다 조범동 혼자 먹었을까요?

권경애 한편, WFM은 돈 한 푼 안들이고 주가를 끌어올려 장외에 내다팔아서 인수할 때 끌어다 쓴 사채를 갚을 수 있죠. 포스링크는 상상인 자금이 WFM으로 건너가는 파이프 역할을 해주는 대가로 1년 반 만에 3배의 차익을 얻고 성수동 갤러리아포레 지하상가를 WFM에 팔았어요. 무자본M&A는 필연적으로 이렇게 회사자금 횡령이나 주가 조작이 발생할 수밖에 없어요. 그래서 자본시장법은 무자본M&A를 부정거래행위로 처벌하죠. 라임의 기업사냥꾼들도 한 회사에서 몇 백억 원씩 횡령하잖아요. 거기 전환사채 인수자금은 라임펀드 투자자들 돈이죠. 상상인 자금은 어디서 돈 빌릴 데 없는 사람들한테 20% 이상 고리로 돈놀이해서 번 돈인 거고요.

김경율 가장 이득을 본 건 상상인이에요. 상상인은 자신들의 숙원 사업을 해결합니다.

진중권 그게 뭐죠?

권경애 상상인이 2017년 말부터 골든브릿지라고 하는 증권사를 인수하려고 해요. 상상인은 세종저축은행, 공평저축은행 같은 사실상 사채업자들이에요. 사채업자에서 벗어나서 증권업으로 도약하려고 한 거죠. 사실 회의록 같은 걸 보면 금융감독원(금감원) 같은 곳에선 말도 안 되는 소리라고 했는데, WFM에 돈이 투입되는 즈음에 분위기가 바뀌며 적격심사를 통과한 거예요.

김경율 금융사는 항상 대주주 적격성이 문제가 되거든요. 사채업자라도 제조회사의 사장이 되는 건 문제가 아닌데, 증권회사 사장이면 문제가 되는 거죠. 공정거래법 위반, 세법 위반 전력이 있으면 증권사 대주주 적격 심사에서 탈락해요. 금감원에서는 상상인 유준원 대표에게 주가조작 혐의가 있다는 이유로 부적격이라는 잠정 의견을 내놓고 있었어요. 2018년 5월에 심사 때도 금감원은 부적격 의견을 통보했는데, 금융위원회와 국회의 정무위(민주당)가 금감원을 압박했어요. 증권선물위원회에서 상상인이 주가조작과 관련되지 않았다는 검찰 회신서를 받아서 통과시켜버려요. 상상인 자금이 WFM에 가고 난 다음에 통과된 거죠.

진중권 정무위도 관련된 건가요?

김경율 민주당 정무위원들에게 기자들이 물어요. '왜 유준원이 골든 브릿지 대주주로 적격이다고 생각했느냐? 이유가 뭐냐?'고 물으니, '골든브릿지 노조에서 와서 간곡하게 사정을 해서 저간의 사정을 물었을 뿐이다'라고 대답해요. 그런데 면면을 보면 그 정무위 의원들이 평소에 노조 이야기를 듣는 사람들이 아니에요. 한나라당보다 더 한나라스럽다는 말들이 있는 분들이 태반이니까요.

히스토리를 보면 검찰도 이상하긴 이상해요. 금융위가 남부지검 검사에게 의견을 물어보니까 하루 만에 회신서를 써서 보내줘요. 검찰이 괜찮다 그런다, 구체적 처벌 경력은 없으니까 주가 조작 혐의만으론 부적격이라고 할 수 없다는 회신이 왔다며 2019년 2월 27일 열린 제4차 증권선물위원회에서 회신 내용을 설명하고 대주주 적격 심사를 통과시켜 버립니다.

진중권 그것도 이상하네?

김경율 〈뉴스타파〉랑 〈PD수첩〉은 남부지검 검사가 주범이라는 거고요. 저나 기고를 통해 밝히신 전성인 교수님은 생각이 다르죠. 남부지검 검사가 한다고 해서 되는 일도 아니고, 김용범 금융위 부위원장이 한다고 되는 일이 아니라는 거예요. 검찰과 금융위 위에 더 큰 실세가 있어야 가능한 일 아니겠어요? 둘을 묶어서 컨트롤 할 수 있는 권력이 아닌 한 이렇게 움직이기 힘들어요.

진중권 흠, 상식적으로 그렇죠.

김경율 라임사태의 이종필이나 김봉현도 전기버스 사업권에 눈독을 들였잖아요. 이차전지 사업이나 전기버스 사업은 중앙정부와 지방정부의 보조금이 몇 십 조가 투입되는 국책사업입니다. 공교롭게도 라임자산운용이 투자한 에스모와 디에이테크놀로지 그리고 위즈돔도 이차전지를 매개로 한 사업체였어요. 사모펀드 기업사냥꾼들이 국책사업인 이차전지 사업에 눈독을 들였던 겁니다.

권경애 국책사업에 투입되는 국가보조금이 다 저런 기업사냥꾼들의 주머니로 들어가면 4차 산업혁명의 제조업 르네상스는 말짱 공염불이죠. 사모펀드가 우후죽순으로 늘어나면서 실력 없는 자들이 뛰어드는 거죠. 사채를 끌어다가 기업을 인수하고, 사채를 갚으려고 기업자금을 빼서 쓰고, 전환사채 발행을 남발해서 주가조작하고 치고 빠지는 거죠. 옛날 사채업자들이 양성화 돼서 기업사냥꾼들의 전주 (錢主)로 활동하면서 무자본M&A의 자금처가 되기도 하고요. 세계 유수의 사모펀드 칼라일 같은 자금 동원력이나 기업 가치를 높일 능력은 애당초 없는 도박꾼들이 사모펀드 시장으로 몰려드는데 정부 정책은 사모펀드 확산 일변도였죠.

김경율 사채업자들이 주로 하던 주식담보대출을 양지로 끌어 올린 상상인저축은행도 마찬가지고요. 정경심 교수는 이런 지저분한 꾼들과 같이 어울려서 WFM 주식을 차명으로 되는 대로 사들이면서 강남 건물주가 될 꿈을 꾼 겁니다.

권경애   사모펀드의 아버지격인 장하성이 문재인 정부 초대 정책실장이었고, 김상조 실장은 사모펀드가 혁신 경제의 추동력이라고 했으니, 조국 전 장관이 저렇게 아무런 죄책감도 없이 자신을 정의의 화신이라고 자신하는 것도 어찌 보면 당연해요.

김경율   세 분 모두 참여연대 출신이시죠.

진중권   완전히 난장판이군요. 김경율 회계사님이 왜 참여연대를 뛰쳐나왔는지 알 것 같습니다. 시민단체들이 그새 모두 어용이 되어버렸으니, 권력을 감시할 새로운 NGO들의 등장이 시대의 절박한 과제가 되었습니다.

조범동 1심 판결문과 조국 전 장관의 거짓말

2020년 6월 30일 조범동 1심 판결은 '징역 4년에 벌금 5천만 원'이라는 유죄판결이 났다. 이와 관련하여 조국 전 장관은 2020년 8월 12일 페이스북에 다음과 같은 글을 올렸다.

"…… 문제 사모펀드 관련 1심 재판에서 저나 제 가족이 이 펀드의 소유자, 운

조국
5시간 · 🌐

<작년 하반기 정치권과 언론계에서 돌았던 찌라시성 이야기를 아시나
요?>

1.

2019.9.3. 김무성 자유한국당 의원은 국회 토론회에서 "조국 펀드, 조 후
보자의 대선 준비를 위한 자금을 만들기 위한 것"이라고 주장했고, 9.24.
에는 홍준표 자유한국당 전 대표는 자신의 페이스북에 "조국이 허욕을
품고 큰돈을 마련하려고 하다가 윤석열 검찰에 덜컥 걸린 것"이라고 썼
습니다.

언론은 이 황당한 소설을 일제히 보도했습니다. 당시 정치권과 언론계
몇몇 지인은 걱정이 되어 "정말이냐?"며 연락이 왔었지요.

2.

이러한 발언은 작년 하반기 보수야당이 검찰과 언론이 합작하여 유포한
'권력형 범죄' 프레임을 강화하며 '사냥'을 부추기고 독려했는지 잘 보여
줍니다. 이런 황당한 첩보를 누가 만들어 제공했을까요? 대검 고위급
'빨대'일까요, 검찰 범정 '빨대'일까요, 보수정당 내부 모략전문가일까
요, 아니면 합작일까요?

이후 검찰과 언론은 황당한 '대선 자금' 이야기는 뺐지만, 끊임없이 '권
력형 범죄' 프레임을 확대재생산시켰습니다. 문제 사모펀드 관련 1심 재
판에서 저나 제 가족이 이 펀드의 소유자, 운영자가 전혀 아님이 확인되
었지만, 이 프레임을 전파하던 이들은 이제 뭐라고 하고 있나요? "목표
한 바를 이루었으니 알 바 아니다"하면서 웃고 있겠지요.

'망어중죄'(妄語重罪), '악구중죄'(惡口重罪)를 지은 자들, '발설지옥'(拔
舌地獄)에 들어갈 것입니다.

영자가 전혀 아님이 확인되었지만, 이 프레임을 전파하던 이들은 이제 뭐라
고 하고 있나요? "목표한 바를 이루었으니 알 바 아니다"하면서 웃고 있겠지
요. '망어중죄'(妄語重罪), '악구중죄'(惡口重罪)를 지은 자들, '발설지옥'(拔舌
地獄)에 들어갈 것입니다."

그러나 조범동 1심 판결문에는 "조범동은 코링크PE와 WFM의 사실상의 대
주주이자 의사결정권자"라고 판시하였다. 그 이유 부분을 요약하면 다음과
같다. "코링크PE 설립과 운영이나 WFM의 인수와 운영이 조범동과 익성의
이○직 회장이나 이○권 부회장 등의 관여하에 익성 상장이라는 뜻에 부합하
게 이뤄졌으나, ①코링크PE 설립 시나 유상증자 시 납입된 주식대금이 대부
분 조범동이 (정경심 등으로부터) 유치한 자금이고, ②레드펀드 40억 원과 블
루펀드 14억 원도 조범동이 유치했고, 익성의 이○직 회장이나 이○권 부회

장은 실명으로든 차명으로든 코링크PE나 WFM의 주식을 소유한 바 없으며 공식적인 임직원으로 임명되거나 고용된 바 없는 점, 코링크PE가 익성의 상장을 위한 사업만 진행한 것은 아닌 점 등등등등의 사정을 종합하면, 조범동은 코링크PE와 WFM의 사실상의 대주주이자 의사결정권자이다."

조범동은 조국의 5촌 조카이고, 코링크PE의 총 자본금은 2억 5천만 원이며 조국 가족은 코링크PE에 10억 원에 대한 출자증명서를 작성했고 월 860만

성공 내지 익○의 상장이라는 공동목표를 달성하기 위한 독립된 주체들 사이에 있을 수 있는 협력 관계를 넘어, 이○리, 익○의 이해관계에 부합하게 이루어져 왔으며, 위 회사들의 의사결정 역시 상당 부분 이○리, 이○권 내지 익○의 관여하에 이루어져 왔다고 판단된다.[71]

  2) 피고인의 의사결정권자로서의 지위와 역할

    가) 그러나 한편 위 인정사실과 거시 증거를 통해 알 수 있는 다음과 같은 사정, 즉 ① 피고인은 이○권을 알기 전부터 주식운용, 투자유치 등의 업무를 해오던 사람으로서 이○권과 달리 익○의 직원으로 등재되어 제지한 바 없는 점, ② 코○○PE의 설립시 이○권이나 그 지인뿐만 아니라 피고인, 피고인의 지인 역시 설립준비에 참여하였고, 주주로 등재된 박○호, 추○길, 현○화 역시 피고인의 지인이며, 코○○PE 설립시와 유상증자시 납입된 주식대금이 대부분 피고인이 유치한 자금이었던 점, ③ 김○동이 코○○PE의 대주주로 등재되었으나 그 주식대금의 원천이 피고인이 유치한 자금이고, 피고인이 2018. 12. 사실상 아무런 대가를 지급하지 않고 김○동으로부터 코○○PE의 주식을 찾아와 다시 이○훈의 명의를 빌려 보유한 것으로 보아 피고인이 김○동의 이름을 빌려 그 주식을 보유하였던 것으로 봄이 상당한 점, ④ 코○○PE 내에서 피고인은 대표이사라는 명함을 사용하였던 이○훈, 이○권과 달리 총괄대표이사라는 명함을 사용하였으며 한도가 가장 큰 법인카드를 사용하였던 점, ⑤ 피고인이 이○권과 함께 또는 독자적으로 코○○PE의 주요한 의사를 결정하면서 투자유치, 자금결제, 직원채용 등 인사, 재무를 포함한 경영 전반을 총괄하였으며 대부분의 직원과 거래하는 사람들이 피고인의 지위를 그와 같이 인식하고 있는 점, ⑥ 피고인이 ○드번드에

    [71] 앞서 살핀 일부 진술 중 김○현의 진술 등 일부 위 판단에 반하는 부분은 그 신뢰성을 인정하기 어렵다.

조범동 1심 판결문 76쪽.

원 가량을 컨설팅비 명목으로 수령했다. 코링크PE의 모든 자금은 조국 일가 자금인 것이다. 재판부는 조범동이 2015년 12월에 이은경 계좌로 받은 5억 원을 2017년 2월에 유상증자 약정 이후에 코링크PE로 납입해야 했음에도 조범동이 송금하지 않고, 허위 컨설팅 계약으로 10억 원 유상증자 전체에 대한 사실상의 배당 성격을 가진 약정인 월 860만 원을 전부 지급했기에, 컨설팅비 중 첫 5억 원의 부분에 해당하는 1/2만 업무상 횡령에 해당한다고 판시했다.

40억 원, ○부펀드에 14억 원을 유치하는 등 자금유치를 목적으로 하는 자산운용사인 코○○PE가 개설한 사모펀드에 대부분의 자금을 유치한 점, ⑦ 피고인이 이○직, 이○권과 함께 또는 단독으로 W••을 인수하는 과정에서 상장회사 인수 결정, W••파의 인수협상, 조건변경 협상, 인수 이후의 W••임원 선임 등 W••의 주요 의사를 결정한 점, ⑧ W••의 대표이사로 재직한 이○훈은 피고인의 지인이고 대부분 피고인의 지시를 받으며 업무수행을 하여 온 것으로 보이는 점, ⑨ 코○○PE가 IFM과 금융용역 계약을 체결하고 자금유치 업무를 지원하는 등 코○○PE, IFM, W••사이의 업무지원 등은 형식상 그들 사이의 계약관계에 기초하여 이루어진 점, ⑩ 피고인도 코○○PE를 설립하여 운용하고 W••을 인수하여 운영하면서 이들 회사의 이익에 반하여 익○ 등의 이익만을 위해 의사결정하였다거나 행위하였다고 할 수 없는 점, ⑪ W••에서 교육부분을 분리한다거나 분리하더라도 ○더리부분을 코○○PE를 통해 계속 가지고 가겠다는 등 W••의 중요한 사업계획 등을 밝히기도 하였던 점, ⑫ 이○직, 이○권은 실명으로든 차명으로든 코○○PE나 W••의 주식을 소유한 바 없으며 공식적인 임직원으로 임명되거나 고용된 바 없는 점 등의 사정을 종합하면, 피고인은 코○○PE의 대주주이자 코○○PE를 통해 W••의 주식을 소유한 사실상 대주주로서 그리고 이들 회사의 사실상 대표자로서, 2018. 12. 이후 뿐만 아니라 그 전에도 코○○PE, W••의 영업활동이나 수익에 고유의 이해관계를 가지면서 위 회사들의 중요한 의사결정에 공동으로 또는 단독으로 참여하는 등 위 회사들의 의사결정권자의 지위에 있었다고 봄이 상당하다.

나) 피고인의 코○○PE, W••에서의 의사결정이 이○직, 익○의 이해관계에 부합한다거나 이○직, 이○권의 관여가 있었다고 하여 피고인의 의사결정권자로서의 지위가 부인된다고 할 수 없으며, 코○○PE 설립 후 그 주요 활동이 오로지 익○ 또는는

조범동 1심 판결문 77쪽.

6장

위선은 싫다!
586
정치엘리트

사회   강양구
대담   권경애
        김경율
        서   민
        진중권

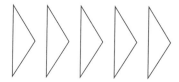

586정치엘리트가 득세하는
현실 정치 속에서, 정의가 무너지고
공정이 사라지고 평등이 망가지고 있는
모습들과 대면하고 있습니다.

지금 보수집단 내에서
세대교체가 일어나고 있습니다.
사실상 586정치엘리트가
새로운 보수 세력이 된 거예요.

원한 감정과 피해 의식 속에서
기득권 유지, 정권 유지에만
집착하는 것 같아요.
이제는 꿈이 사라져 버렸습니다.

강양구 2020년 2월 29일 첫 만남 이후 미디어와 지식인, 팬덤 정치, 사모펀드와 금융자본 등에 대해 이야기를 나눴습니다. 네 번의 만남에서 반복적으로 나왔던 것이 586정치엘리트에 대한 얘기였습니다. 그들이 득세하는 현실 정치 속에서, 정의가 무너지고 공정이 사라지고 평등이 망가지고 있는 모습들과 대면해야 했습니다. 오늘은 다섯 명 모두가 앞서 나눴던 이야기를 정리하는 시간을 가지려고 합니다. 도대체 '우리 시대 정치는 무엇인가?', '우리 시대의 평등, 공정, 정의는 무엇인가?'에 대해 허심탄회하게 얘기를 해 주셨으면 좋겠습니다. 먼저 문재인 정부와 민주당의 주축인 586정치엘리트에 대한 이야기부터 시작해 보면 좋겠습니다.

진중권 다들 느끼고 있으실 것 같은데, 지금 민주당의 성격이 완전히 달라졌어요. 특히 민주당 안팎에서 프로파간다 머신들이 움직이는 걸 보면, 이게 진보주의자의 방식이 아니라 트럼프 방식이에요. 거짓말, 날조, 갈라치기……. 민주당의 성격이 이렇게 바뀐 건, '조국 사태'가 결정적이었어요. 적나라하게 보여주었잖아요. '기회는 평등하고, 과정은 공정하며, 결과는 정의로울 것이다'라는 슬로건으로 당선된 권력이 조국을 옹호하면서 온갖 허위와 날조를 일삼았잖습니까. 이 사태 자체가 평등과 공정과 정의를 무너트리는 것이었는데 말이죠.

김대중 대통령은 완전한 민주주의자였습니다. 자유민주주의 철학이 뚜렷했던 분이죠. 노무현 대통령도 확고한 자유민주주자였고요. 또 김대중 대통령은 카리스마가 있었어요. 오랫동안 탄압 당하면서도 몇십 년 동안 한국의 민주화 세력을 이끌어오면서 이 사회의 한 축을 세웠습니다. 노무현 대통령은 사회적 소통 방식을 산업사회 버전에서 정보화사회 버전으로 바꾼 분입니다. 수직적 조직(organization)에서 수평적 네트워크(network)형으로 바꿔놓은 것이죠. '지금 상황을 어떻게 봐야 할지'에 대한 통찰을 얻어 보려고, 요즘 노무현 대통령 어록을 찾아보고 있어요. 문재인 대통령 어록도 찾아봤는데, 아쉽게도 이분은 인용할만한 말이 없더라고요. 취임사 때 말했던 평등, 공정, 정의마저 지금은 다 무너졌구요.

강양구 정치를 정치인만의 영역에서 시민의 영역으로 옮겨 준 것. 저는 노무현 대통령의 가장 큰 공이라고 생각합니다.

586에게 민주주의란 무엇인가

진중권 맞아요. 그 이후부터 한국 정치가 계속 쇠퇴만 반복해 왔어요. 이명박을 겪고, 박근혜를 거쳐, 탄핵까지 이르면서 정치가 파탄난 상태였습니다. 새로운 권력으로 등장한 문재인 대통령은 자기 자신의 카리스마를 가지고 사람들을 사로잡아 인기를 끈 게 아니라, 586세력인 광흥창팀에 의해서 인위적으로 만들어진 것입니다. 대선 후보 시절 토론하는 것을 보더라도, '아, 참 공부를 많이 했다'는 생각이 들 뿐, 그 내용을 소화해서 제 것으로 만들었다는 느낌은 없었습니다. 주입식 교육을 받은 학생의 느낌이라 할까요?

강양구 방금 말씀하신 그 대목을 이렇게 해석할 수도 있을까요? 박근혜 대통령은 박정희의 잔당들이 만든 마지막 대통령이라면, 문재인 대통령은 586정치엘리트들이 만든 대통령이라고. 문소영 〈서울신문〉 논설실장이 2019년 4월 10일에 이런 칼럼을 쓴 적이 있었어요. 당시만 하더라도 뜬금없다는 사람들이 많았는데, 지금 보면 고개가 끄덕여집니다.

"최근 젊은 학자를 만났는데, 그는 상당히 흥미로운 분석을 내놓았다. 정치권은 김대중-노무현 정부와 이명박-박근혜 정부로 나눠 비교하지만, 그는 김영삼 정부와 김대중 정부가, 노무현 정부와 이명박 정부가, 박근혜 정부와 문재인 정부가 데칼코마니 같다고 했다. 김영삼-김대중 정부는 '지역주의 정치의 완성'이다. 대구-경북(TK)이 장기 집권한 한국에서 PK와 호남이 각각 대통령을 배출하며 해당 지역민을 만족시켰다. 노무현-이명박 정부는 '이념화된 욕망의 추구'로 전자는 정의로운 사회를 위해, 후자는 진정한 자본의 축적을 향해 각각 달려갔다. 박근혜-문재인 정부의 키워드는 '복고주의'다. 전자는 김기춘 청와대비서실장 등 '아버지 박통'과 관련 있는 인물을 등용해 산업화 시대를 소환했고, 후자는 김수현 청와대정책실장으로 대표되는 노무현 정부 인사를 기용해 그 시절 정책을 복원한다는 거다."

그러면서, 문소영 실장은 이런 사례를 상기합니다. 2016년 3월 박근혜 정부 때 대통령 사진을 '존영'이라고 불러서 논란이 일었고, 당시 문재인 더불어민주당 대표가 대구 연설에서 이를 두고 "지금이 여왕 시대냐"고 비판했었죠. 그랬는데 2018년 봄 김의겸 당시 청와대 대변인이 문 대통령 사진을 "존영"이라고 지칭했어요. 기막힌 데칼코마니입니다.

진중권 네, 그렇게 닮은꼴이 되어가는 거죠. 김대중 대통령 시절에는 호남쪽 사람들이 권력을 누렸고요. 그 다음 노무현 정권 들어서면서 영남 PK세력이 권력을 잡았는데, 이들이 곧 '친노'들입니다. 한때 '폐족'이라 불렸던 친노가 '친문'으로 변신해 문재인을 대통령 만들어 자기들의 기득권을 재창출하려고 한 거예요. 그게 운 좋게 탄핵사태를 만나 멋지게 성공을 해 버린 거죠. 사실 586정치엘리트들은 민주주의 공부를 제대로 안 한 사람들이에요. 우리의 앞 세대들이 지향했던 것은 미국식 민주주의 모델이었어요. 70년대는 운동가요도 다미국 노래였잖아요. '홀라송'이라든지, '흔들리지 않게', '우리 승리하리라' 등.

그 이후 80년 광주를 거치면서 386운동권들이 급진화하면서 운동권에서 NL(민족해방)과 PD(민중민주)의 두 흐름이 형성되죠. NL이든 PD든 간에 기본적으로 '부르주아 민주주의'에 대해 비판적이었습니다. 국가를 부르주아들의 이익 조정기구라고 여겼고, 민중민주주의와 민주집중제를 이야기했어요. 그건 지금 우리가 아는 민주주의와는 성격이 전혀 다른 겁니다. 그런 생각을 갖고 있던 이들이 현실사회주의가 무너진 후에도, 자기 생각을 수정할 수 없었던 거예요. 소련과 동구권이 무너졌을 때, 저는 '그러면 좌파는 앞으로 어떻게 가야 하지?' 고민하면서 유럽으로 눈을 돌렸고, 사회민주주의에 관심을 갖게 되었어요. 그게 여러 사회주의 모델 중 유일하게 작동하는 것으로 입증되고, 자유민주주의 체제와도 잘 맞아 떨어지는 것 같았거든요. 그러면서 제 생각을 나름대로 수정하게 되었습니다. 그런데 이들은 그런 이념의 수정 과정 없이 바로 제도 정치권으로 들어가 버렸어요.

강양구 이 대목에서 586정치엘리트의 주류가 1980년대의 NL그룹과 상당 부분 겹친다는 사실도 지적해야 할 것 같아요. NL그룹이 1980년대 학생운동에서 보였던 여러 모습이 그 뒤로 현실 정치에서도 비슷한 모습으로 변주되고 있다는 인상을 강하게 받았거든요. 직접 경험한 진중권 선생님 의견도 궁금합니다.

진중권 제가 알기로는 PD그룹은 정치로 많이 안 나갔어요. 왜냐면 계급의식이 강했거든요. NL은 사회주의자들이기보다는 민족주의자들이에요. 전술적으로는 연합, 통일 전선의 성격이 강해요. 많은 사람들을 포섭해야 하니깐 대중성이 굉장히 중요했고, 그에 대한 훈련과 경험들이 많았어요.

강양구 애초 민주주의에 대한 비전이나 평등, 공정, 정의에 대한 자기 철학이 없는 집단이 정권을 잡은 것인가요?

진중권 이념이 사라졌어요. '통일'이니 '해방'이니 하는 이념은 정치권에 들어가면서 내다 버리고, 사라진 이념 대신 자신들의 이익을 챙기는 것입니다. '혁명적 의리론'으로 뭉쳐서 서로 이익을 챙겨주는 관계가 된 거죠. 보수에서 자꾸 그들을 '주사파'라 부르는데, 주사파는 예전 통진당, 지금의 민중당에나 남아 있겠죠. 586정치엘리트들은 좀 달라요. 과거부터 의장님으로 불리면서 꽃가마 타는 데 익숙한 사람들입니다. 이들이 갖고 있는 대중선동 노하우, 대중조직 노하우, 이를 기반으로 한 선거 노하우는 보수가 못 따라갑니다.

서 민   저는 586의 공과가 있고, 특히 노무현 정부 때는 큰 역할을 했다고 봅니다. 학생 운동이란 게 자신의 모든 것을 던져가며 자신이 믿는 바의 정의를 부르짖는 행위잖아요. 이랬던 이들이 정치를 하고, 또 정치권에 들어가는 건 자연스러운 것이죠. 이런 과정을 통해 정치권에 새로운 인물들이 등장해야 세대교체도 되는 것이고요. 지금의 586도 그런 과정을 거쳐서 거물 정치인이 됐습니다. 문제는 이들이 급격하게 타락했다는 데 있어요. 지금 하는 일을 보고 있으면, 이들이 앞장서서 정의를 외쳤던 그 사람들인지 회의가 들 정도예요. 결국 586의 타락은 학생운동에도 부정적인 영향을 가져왔어요. 학생운동이란 경력이 더 이상 좋은 정치인의 자격증이 아니게 된 거잖아요.

진중권   이쪽의 진보정권이 10년 동안 집권했어요. 그 10년 동안 새로운 정치인들이 수혈되었는데, 그 핵심들이 386이었고, 그들이 지금 기득권층이 되어버린 것이에요. 김대중·노무현 대통령 때만 해도 아직 386은 젊었을 때였으니 통제가 가능했어요. 이제는 586이 되었고 머리가 큰 거예요. 그리고 사표(師表) 같았던 두 분이 안 계시는 상황에서 그들이 당을 장악한 것이죠. 문재인 대통령도 이들과 선 긋기 할 수 없어요. 왜냐면 그들에 의해 만들어진 것을 스스로 알고 있기 때문이에요. 노무현 대통령은 자신의 능력과 인기에 기반했다면, 문재인 대통령은 이들에 의해 기획된 존재입니다. 어쩌다 '박근혜 탄핵'이란 사건을 만나서 쉽게 집권을 한 것이죠. 문재인 팬덤은 만들어진 팬덤이에요. 진짜 팬덤이 아니에요. 노무현 팬덤의 그림자 같은 것이지.

강양구 돌이켜 보면, 노무현 정부에서 중요한 의사 결정을 했던 사람이 당시 나이로 따지면 30대 중후반 정도였어요.

진중권 네, 노무현 정부에서 일했던 이 운동권 출신들의 문제가 뭐였냐면, 이 사람들이 자본주의가 어떻게 돌아가는지, 국가와 사회는 어떻게 작동하는지에 대한 지식과 노하우가 없었다는 겁니다. 기억나실 겁니다. 심지어 노무현 대통령이 한숨을 쉬면서 "어떻게 보고서 하나 못 쓰냐" 고 화를 내셨던 일을요. 그래서 이른바 '삼성 보고서'를 본 거잖아요. 그러니 전체 방향이 우경화될 수밖에 없었어요. 그런 사람들이 여기까지 왔어요.

서 민 그들이 무능하다는 것은 소득주도성장에서도 드러나죠. 노동자의 소득을 늘리면 소비도 늘어나 경제성장이 이루어진다는 거잖아요. 그 결과 2017년 6470원이던 최저임금이 2018년 7530원 (16.4% 인상), 2019년 8350원 (10.9%)까지 급격하게 올랐어요. 대기업처럼 원래부터 최저임금 이상을 주던 곳은 별 영향이 없죠. 하지만 종업원에게 주로 최저임금에 준한 월급을 주던 중소기업과 자영업자에게 최저임금 인상은 가혹한 일일 수 있어요. 영세업자들이 최저임금 인상을 떠맡은 것이니까요. 결국 이들이 고용을 줄이면서 일자리가 줄어들고, 공장가동률이 떨어지죠.

2019년 국내 총소득이 21년 만에 처음으로 마이너스가 된데는, 물론 다른 원인도 있겠지만, 소득주도성장 탓도 크거든요. 기대했던 소득분배 완화효과도 없다는 게 확인됐고요. 결국 정부는 소득주도성장을 주도했던 장하성 청와대 정책실장을 교체했고, 2020년 최저임금을 전년 대비 2.9%만 인상시킨 8590원으로 결정함으로써 소득주도성장이 실패했음을 자인합니다. 하지만 정부 측 누구도 이게 실패했다고 공식적으로 인정하지 않고 있어요. 심지어 소득주도성장특별위원회 위원장인 홍장표는 이 정책의 성과가 뚜렷하다면서 자화자찬을 해요. 저는요, 정책 실패는 있을 수 있다고 생각합니다. 하지만 그게 잘못됐다면 인정하고 사과할 줄도 알아야죠. 그런데 현 집권세력은 무능한데다 뻔뻔하기까지 합니다.

강양구 노무현 정부 때도 마찬가지였어요. 당시 386들은 정치공학을 염두에 두고서 권력 경쟁의 판을 짜고 선거 캠페인에 능한 사람들이었지, 실제로 한 국가 공동체를 어떤 식으로 운영해야 할지에 대한 비전도 능력도 없었습니다. 게다가 자신에게 도움을 줄 만한 실력을 갖춘 사람들과의 네트워크도 협소했고요. 그런 무능한 사람들이 권력을 잡은 것, 이것이 사실 노무현 정부 실패의 중요한 원인 중 하나였다고 봅니다. 노무현 대통령이 집권 후반기에 아주 빠른 속도로 관료에 포획당한 이유도 그런 사정 때문이었죠. 그는 바보가 아니잖아요? 자신과 같은 배를 탄 사람들의 무능이 눈에 보이지 않았을 리가 없죠.

권경애 삼성 보고서에 대해서는 여러 증언이 있어요. 2002년 노무현 대통령 인수위에 참여했던 분들의 말인데요. 대통령 당선인께서 인수위에 삼성 보고서를 줬다는 거예요.▶ 그때의 삼성 보고서에는 스웨덴 복지 국가를 우리나라의 이상적 모델로 상정하고, 스웨덴처럼 대기업 중심 국가로 나아갈 것으로 목표로 삼았다는 겁니다. 그런데 스웨덴에는 발렌베리처럼 신망 있는 대기업 그룹이 있었죠. 스웨덴 사민주의자들이 꿈꿨던 것은 연대임금 정책을 펴서 한계기업들을 구조조정해 대기업 중심의 산업 구조를 만드는 것이었어요. 그러다 보면, 대기업 중심 산업 구조를 만드는 과정에서 탈락하게 될 중소기업과 노동자들에게 국가가 적극 개입해서 그들이 재기할 수 있도록 책임져주는 일이 필요하죠. 일자리를 옮겨 다시 일할 수 있는 직업 교육, 생계를 위한 실업 급여를 원래 임금의 80%까지 지급하는 사회를 산업 구조 조정 전에 만들 필요가 있었죠. 이런 정책과 실천이 가능했던 것은 사민당의 주요 간부들이 모두 노조 출신이었기 때

▶ "노 대통령은 삼성자동차 관련 일을 하면서 자연스럽게 부산상고 1년 선배인 이학수 부회장과 친분을 쌓았다. 노 대통령은 이학수 부회장을 존경하는 경영인으로 평했고 '학수 선배'라 부르기도 했다"라고 전했다. 삼성과 대통령을 이 의원이 매개했다고 하지만, 대통령 자신이 삼성을 적극 활용한 흔적이 적지 않다. 인수위에 참여했던 한 인사는 "2003년 2월 대통령직 인수위원회가 활동을 마치고 11개 분야별로 5년 동안의 국정과제를 제시했는데, 노 대통령은 삼성경제연구소에도 똑같은 작업을 하도록 했다. 이에 따라 삼성경제연구소는 70여 명의 연구원을 동원해 인수위의 11개 분과처럼 11개 팀을 짜고 같은 주제로 국정 어젠다를 만들었다"라고 말했다. 이것이 〈국정과제와 국가운영에 관한 어젠다〉라는 400여 쪽 분량의 보고서이다. (〈시사IN〉, 2007. 11. 26. 「삼성은 참여정부 두뇌이자 스승이었다」)

문이에요. 그리고 당시 스웨덴의 노조 조직율이 90% 가까이 되었기 때문에 이게 또 가능했어요. 대기업 중심 산업 구조로 재편할 때, 발생할 피해를 줄일 수 있는 정책과 사회적 조건이 사전에 마련되어 있었던 겁니다. 한국과는 상황이 전혀 달랐어요.

서 민 한국 상황은 어땠나요?

권경애 한미 FTA 협상을 할 때, 대기업 중심의 복지국가로 전환하려면 구조조정이 필요한데, 내부의 힘으로는 불가능하니, 외부의 충격으로 산업구조의 고도화가 필요하다고 했어요. 한미 FTA와 무관세 협정을 맺어서, 서로 경쟁을 시켜 구조조정을 해야 한다는 논리가 등장한 겁니다. 이광재 라인인 '의정연구센터'의 386의원들, 이광재, 서갑원, 이화영, 백원우, 윤호중, 조정식, 김종률, 한병도, 김재윤, 김태년, 이상민 의원들이 삼성연구소와 심포지엄을 갖고 삼성 마인드를 학습한 것은 여러 언론이 보도했죠. 제 선배들인 386의원들도 그 세미나 자료를 가지고 후배들을 공부시켰어요. 그럼에도 불구하고 노무현 대통령은 꿈이 있었어요. 복지국가를 만드는 꿈이요. 노무현 대통령 서거 이후 친노 정치인과 지지자들에게 노무현 대통령의 꿈을 계승하겠다는 의식은 사라지고. 우리가 약해서 당했다는 복수심만 남았던 것 같아요. '도덕적인 가치를 우리에게만 강하게 적용하면 저렇게 당한다. 저들이랑 똑같이 해주자.' 이런 원한 감정과 피해 의식 속에서 기득권 유지, 정권 유지에만 집착하는 것 같아요. 이제는 꿈이 사라져 버렸습니다.

강양구 당시 노무현 대통령은 역사상 가장 젊은 대통령이었습니다. 참모들도 30대 후반이었고요. 어렵게 집권했지만 비전, 역량, 정책이 부재한 상황에서 고민을 굉장히 많이 했던 것 같아요. 그때 쑥 들어왔던 것이 삼성의 비전이었구요. 그래도 노 대통령은 부족한 부분을 채우려고 무척 노력을 많이 하셨어요. 당시 제가 기자 생활하면서 청와대 들어가서 대통령과 토론한 전문가를 아주 많이 만났어요. 노 대통령이 이런저런 책을 읽고서 "이 저자 만나고 싶다"고 참모들에게 얘기하면, 저자를 초청해서 청와대에서 함께 토론을 한 거죠.

진중권 저도 노무현 대통령과 토론했어요.

강양구 아, 정말요.

진중권 진리의 절대적 기준이 있느냐? 진리의 절대주의와 상대주의에 대해 토론했어요.

강양구 재임 시절에요?

진중권 재임 시절은 아니고, 후보 때였던 것으로 기억해요. 만나자고 해서 한번 갔는데, 저에게 "철학 전공하셨다고요. 진리의 절대주

> ❝
>
> 노무현 대통령 서거 이후 친노 정치인과 지지자들에게 노무현 대통령의 꿈을 계승하겠다는 의식은 사라지고. 우리가 약해서 당했다는 복수심만 남았던 것 같아요. '도덕적인 가치를 우리에게만 강하게 적용하면 저렇게 당한다. 저들이랑 똑같이 해주자.' 이런 원한 감정과 피해의식 속에서 기득권 유지, 정권 유지에만 집착하는 것 같아요. 이제는 꿈이 사라져 버렸습니다.
>
> ❞

의도 문제가 있고, 상대주의도 문제가 있는데 어떻게 했으면 좋을까요?" 이런 이야기하면서요.

김경율 저는 노무현 대통령을 직접 대면한 적은 한 번도 없어요. 다만 2002년 대선 때 시민사회단체가 주요 정당 대선 자금 실사를 한다고 하였고, 실무진의 반대에도 불구하고 당시 노무현 후보가 앞장서 실사를 수용한 것으로 압니다. 실무진들이 반대한 이유 중 하나가 당시 민주당 주류들의 노골적인 사보타주로 말미암은 인력 부족이었는데, 어느 날 노사모를 통해 저더러 장부를 만들어 줄 수 있겠냐고 해서, 낮에는 회계법인에서 일하다가 저녁에 여의도에 들러 밤새워 장부를 만들어줬어요.

　　　기억나는 것 중 하나가 회의하러 갔더니 민주당 재정 등에 책임질 위치에 있는 의원 한 분이, 소파에 누워서 TV에서 나오는 바둑을 보고 있더라고요. 회의 내용은 '대선자금 실사단이 방문을 할 텐데 어떻게 해야 하느냐?' 였는데 그 의원이 하는 말이 "들어오면 버럭 화를 내고 엎어버리라"는 거였고 그렇게 결론지었어요. 사실 1차 실사 때 그렇게 했어요. 민주당 분들도 저에게 아무 것도 보여주지 않았고, 저도 민주당사에 가서 손만 빨고 오곤 했죠. 그래서 거의 맨손으로 실사단을 맞았고 실사 결과는 '구멍가게 만도 못 하다'는 평가를 받았어요. 노무현 대통령이 당시 민주당 재정과 회계를 맡고 있는 사람들에게 대노했다고 들었어요. 그러고부터는 그 전까지 제게도 안 보여주던 자료를 보여주고 장부를 만들 수 있었죠.

제가 이 말씀을 왜 하냐면, 전 여기에서도 노무현 대통령의 철학이랄까 철학은 아니더라도 세상을 대하는 태도를 느꼈어요. 제가 이런 소소한 사례를 들지 않더라도, 부산에서의 출마 등 뻔히 지는 줄 알면서도 원칙을 지킨 사례야 부지기수로 많지요. 여하튼 간접적으로 느꼈던 그분의 그런 태도가 참 매력적이었죠.

노무현 대통령과 386 VS 문재인 대통령과 586

강양구 강영진 한양대 공공정책대학원 교수는 〈동아일보〉에서 기자 생활을 하다가 미국에서 갈등 해결학을 공부하고 한국에 들어온 전문가입니다. 그런데 노무현 대통령이 강 교수도 불러서 조언을 구했어요. 노무현 대통령이 취임하자마자 부안 방사성폐기물처리장, 새만금 간척사업, 경부고속철도 천성산 터널 등 여러 사회 갈등이 쏟아집니다. 이런 상황에서 갈등 중재 전문가 강 교수에게 노 대통령이 직접 도움을 청한 거죠. 개인적으로, 김대중 대통령, 노무현 대통령 이후에 이렇게 적극적으로 사회 문제를 돌파해보려고 안간힘을 썼던 리더가 없는 게 지금 대한민국 공동체의 불행이라고 생각합니다.

문재인 대통령이요? 사실 아주 무서운 이야기를 들었습니다. 민주화 운동가 출신의, 이름만 대면 누구나 알 만한 여권의 정치 원로의 고백입니다. "문재인 대통령을 만났다는 사람이 없어." 그가 이렇게 말한 맥락이 있습니다. 김대중, 노무현 대통령만 해도 앞에서 여러분이 언급한 사례에서 확인할 수 있듯이, "내가 건의했다", "나랑 토론했다" 이런 이야기가 심심찮게 들렸거든요. 그런데 문재인 대통령의 경우에는 독대해서, 토론하고, 건의했다는 이야기를 들어 보지 못 했다는 거예요.

<u>서 민</u> 문 대통령은 대선 때 국민과의 소통을 굉장히 강조해요. 대선 때 발표한 10대 공약에 대통령 집무실을 광화문으로 옮긴다는 구절을 넣었고요. 선거공약집엔 다음과 같은 말도 있어요. "퇴근 후 시장에 들러 넥타이 풀고 국민들과 소주 한잔 나누는 소탈하고 친구 같은 대통령, 문재인이 꿈꿔온 대통령의 모습입니다." 상상만 해도 굉장히 감동적인 장면이지만, 실현 가능성은 희박하죠. 우리나라는 북한과 준교전 상태인데, 이런 상황에서 국가의 수반인 대통령이 퇴근 후 시장에서 시민들과 만난다? 대통령 외곽 경호는 대통령을 중심으로 반경 200미터를 다 차단하는 거라는데, 경호원들이 이걸 어떻게 감당하겠어요? 대선 전에 그냥 해보는 소리라고 치부할 수 있겠지만, 문 대통령은 노무현 대통령 때 민정수석을 지낸 경험이 있잖아요. 그런 분이 이런 위험한 일을 굳이 공약집에 넣는 건 좋게 봐주기가 힘들죠. 그런데 이분이 말로만 그런 게 아니어요.

   2018년 7월 26일, 문 대통령은 실제로 광화문 호프집을 찾아가 시민들의 목소리를 들어요. 그러면서 지난 대선 때 약속을 지켰다는 식으로 얘기하거든요. 저는 이런 게 전형적인 쇼라고 봐요. 시

민을 무작위로 만난 게 아니라 다 사전에 섭외하는 것이고, 대통령을 지키느라 경호원들만 죽어나니까요. 대통령이 정말 국민과 소통하고 그들의 목소리를 듣고 싶다면 기자회견을 자주 하면 됩니다. 대선 전 후보 시절에는 "대변인에게만 맡기지 않고 오바마 대통령처럼 직접 나서서 수시로 브리핑하는 대통령이 되겠다"고 약속하기도 했거든요. 그런데 취임 2년 5개월이 지난 시점까지 문 대통령이 한 기자회견은 세 번이 전부입니다. 일 년에 한 번 할까 말까인 거죠. 같은 기간 노무현 대통령은 45회, 김대중 대통령은 20회를 했고요, 이명박 대통령도 4번을 했습니다. 박근혜 대통령이 2번이니 꼴등은 아니지만, 소통을 그렇게 강조하는 대통령치고는 기자회견이 지나치게 적은 거죠.

진중권 문재인 대통령이 갇혀 있는 것 같아요. 조국 사태만 해도 그저 상식만 가지고도 판단이 돼야 하는 거 아닌가요. 신년 기자회견에서 "조국 전 장관에게 크게 마음의 빚을 졌다"고 이야기하는 걸 들으니 황당하더라구요. 오히려 사태 초기에 대통령이 나서서 정리를 해줬어야 했고, 조국을 지지한 윤건영 국정상황실장을 내쳤어야 했습니다. 근데, 그렇게 하지 않았어요. 이들에게도 고민은 있어요. 차기가 잘 안 보인다는 거예요. 조국이 날아갔으니 이재명 지사나 김두관 의원을 올려야 하는데, 그러면 호남쪽과 심한 갈등이 생길 겁니다. 호남에서 민주당을 왜 그렇게 압도적으로 지지할까요. 그 바탕에는 호남 대통령에 대한 기대가 깔려 있을 겁니다. 하지만 이낙

연 전 총리가 민주당 대권주자로 안착하기는 쉽지 않을 겁니다. "나는 조국 전 장관에게 마음의 빚 없다"면서 선을 긋고 있긴 해요. 중도층의 마음을 잡으려면 친문을 정리해야 하거든요. 20대 총선 때 김종인 씨가 민주당에서 했던 것도 이해찬, 정청래 등 대표적 친노를 컷오프하면서 중도층을 끌어들인 겁니다. 이와 비슷한 것이 필요한데 어떻게 될지. 암튼 그래서 친문 실세들이 조국을 못 내려놓는 것 같아요. 가망이 있어 보이지는 않지만 조 전 장관도 SNS 계속하는 것을 보면 아직 정치에 미련이 남은 듯하구요.

강양구 사실 사법부가 판결을 제대로 할 수 있을지도 의문입니다. 직접 경험한 기막힌 일을 하나 언급할까요? 한국에 의료 관광(척추 교정 수술)을 하러 온 아랍에미리트 열여섯 살 소녀가 2013년 6월에 수술 중 과다 출혈로 사망한 사건이 있었어요. 공교롭게도 이렇게 무리한 수술을 했던 병원이 노무현 대통령이 허리 디스크 수술을 했던 우리들병원이었습니다.

그런데 이 사건을 보도하면서 의료 관광의 문제점을 지적한 기사를 놓고서 우리들병원과 시비가 붙었어요. 우리들병원에서 언론중재위원회에 '기사 삭제를 해달라'고 중재 신청을 했다가 결렬되니까 소송까지 걸었었죠. 그 과정에서 있었던 일입니다. 당시 언론중재위원회 세 명 중재위원 가운데 한 명이 서울의 한 지방법원 부장판사였어요. 그런데 그 판사가 대놓고 이렇게 말하는 거예요.

"우리끼리니까 솔직히 말해 봅시다. 이번 건은 기사가 문제가 있어요. 한국에 먹고살 게 뭐가 있어요. 그나마 의료 관광이라도 해서 외화를 벌어야지. 의료 관광이 도대체 뭐가 문제야? 이런 기사는 일반 국민도 납득 못 해요. 의료 관광 열심히 하는 병원은 칭찬을 해 줘야죠. 이런 기사는 박근혜 대통령도 싫어합니다."

귀를 의심했습니다. 현직 판사가 '대통령도 싫어할' 기사라며 대놓고 타박하는 소리를 듣고서요. 이게 대한민국 사법부의 수준이라는 생각에 참담해지더라고요. 아니나 다를까, 그 뒤로 양승태 대법원장 시절의 사법농단 의혹이 제기되었죠. 뒷조사를 해봤더니, 그 판사는 권력에 줄 서기로 유명한 분이더라고요. 문재인 정부에서는 또 이 권력에 줄을 대는 판사가 한둘이 아닐 거예요.

서 민   설마 했는데 현 집권층이 사법부 장악까지 노리는 것 같더군요. 대법원 판결이 났던 한명숙 전 총리 사건을 재수사하라고 하잖아요. 공수처라는 것도 정권에 밉보인 검사와 판사를 손봐주려고 한 것이고요. 이대로 간다면 조국 전 장관의 재판도 무죄가 나지 않을까 싶네요. 그 경우 조국이 대선에 나설 수도 있을 테고요.

진중권   결과가 어떻게 나오든 재판은 오래 걸릴 거예요. 1심, 2심, 최종심까지 가려면 다음 대선을 넘길 수도 있지 않을까 싶어요. 조국이 대선에 나서려면 늦어도 1년 전에는 캐스팅이 되어야 하거든요. 1

년 동안 3심까지 끝날 것 같지는 않은데, 다만 주요한 혐의에서 무죄가 되면 뭐 좀 해보겠다고 나서는 상황은 충분히 예상할 수 있지요.

보수의 세대교체! 신보수의 탄생

강양구 좀 더 솔직히 이야기해볼까요. 저는 '586정치엘리트는 철학도 능력도 비전도 없는 사익추구집단'이 본질이라고 생각해요. 그런 사익추구집단이 지금 한국 정치와 한국 사회의 미래를 심각하게 위협하고 있다고 생각합니다. 조국 전 법무부 장관을 둘러싼 야단법석에서 그 본질이 단적으로 드러났고요.

진중권 너무 그렇게까지는……. 이 대목에서 우리가 주목해야 할 게 하나 더 있어요. 즉 지금 보수집단 내에서 세대교체가 일어나고 있다는 겁니다. 사실상 586정치엘리트가 새로운 보수 세력이 된 거예요. 지금 〈한겨레〉 신문에서 하는 짓은 예전 〈조선일보〉에서 하던 짓 아닌가요. 진보적 시민단체에서 하는 짓은 옛날엔 우익관변단체가 하던 짓이고요. 저들에게서 보았던 모습을 지금 이들에게서 보고 있다는 것은, 보수집단에서 세대교체가 이루어졌다는 것을 의미합니다. 사실 그들도 과거에 10년 동안 집권해 봤잖아요. 문재인 정권도 벌써 집권 3년을 넘어가고 있고. 그러면서 이들이 새로운 기득권층으로 사회에 뿌리내린 것이죠. 착근이 확실히 이루어졌고 부패도 빠르게 진행되고 있습니다. 그러다 보니 국민은 신(新)적폐와 구(舊)적폐, 이 둘 중 하나를 선택하도록 강요받게 된 거죠.

<u>강양구</u> 최근 『세습 중산층 사회』라는 책을 쓴 조귀동 기자는 이렇게 비유하더라고요. 구적폐 세력의 상징은 60대 이상 건물주들이고, 신적폐 세력의 상징은 50대 초중반 대기업 부장님이라고요. 이 부분을 한 번 읽어 드릴게요. "오늘날 보수와 진보의 스테레오 타입을 어떻게 표현할 수 있을까? '보수'가 60대 이상의 건물주라면, '진보'는 50대 초중반의 대기업 부장 또는 임원이다. 60대 건물주가 20대에게 요구하는 것은 높은 월세 정도로, 자산 소유를 기반으로 한 경제적 착취 관계다. 하지만 50대 초중반 고참 부장은 자신의 자녀들에게 경제적 교육 투자뿐만 아니라 사회적 네트워크를 바탕으로 기업체 인턴 기회를 알아봐주는 등 사실상 '경쟁자적 관계'를 맺고 있다. 이러한 상황에서 그들이 60대 중반 건물주를 상대로 '적폐 청산'을 해야 한다고 주장하는 게 설득력을 가질 리 만무하다. 비싼 월세는 화가 나긴 하지만 돈을 벌어서 지불하면 되는 문제라면, 교육과 노동시장에서의 불공정한 경쟁은 교육과 일자리라는 근본적인 '기회' 및 그 '결과'와 관련되어 있기 때문이다."▶

▶   조귀동, 『세습중산층사회』, 생각의힘, 2020, 263~264쪽.

진중권 비록 허위의식이었다 해도 과거 386은 노동자·농민을 대변한다는 자의식이 있었어요. 그것 자체가 운동과 결합되어 있었어요. 지금 586정치엘리트들은 강남에 아파트를 가진 사람들이라는 거예요. 목동에 아파트를 갖거나. 이들의 물질적 기반은 과거 보수와 다르지 않고 그 자리에 도달하기 위해 그들과 같은 방법을 쓴 거예요. 그래서 조국의 반칙이 그들에게는 반칙으로 여겨지지 않는 것이죠. 그렇게들 살아왔으니까요. 그걸 반칙이 아니라 아르스 비벤디(ars vivendi), 하나의 생활양식으로 여기는 겁니다. 그래서 조국을 옹호할 때 그들은 실은 자기를 옹호하고 있었던 거죠.

서 민 맞습니다. 조국의 집에 검찰이 압수수색을 온 날, 그 지지자들이 "우리가 조국이다"라고 떠들었잖아요. 이게 네이버 실검 1위에 오르기도 했는데요, 원래 이런 표현은 "당신의 아픔에 우리도 공감한다", 뭐 이런 의미로 해석됐단 말이죠. 이것도 좀 웃긴 게, 수십 억대 자산가가 법과 도덕을 어기면서까지 자기 자식을 의대에 보내고 사모펀드로 재산을 불리려다 검찰수사를 받는데, 특권과는 거리가 먼 소위 가붕개(가재. 붕어. 개구리)들이 특권층 걱정을 해주고 앉았으니 얼마나 어이없습니까? 그런데 이건 제 착각이었어요. 그 지지자들도 조국이 저지르는 범죄쯤은 이미 다 저질렀거나 저지르고 있는 사람들이더라고요. "우리도 조국이다"는 그러니까 "우리도 조국만큼은 해먹고 있다, 뭐가 문제냐?"는 뜻인 거죠. 그쪽 지지자들이 조국의 죄를 아무것도 아닌 양 취급하는 것도 이해가 되죠.

"

비록 허위의식이었다 해도 과거 386은 노동자·농민을 대변한다는 자의식이 있었어요. 그것 자체가 운동과 결합되어 있었어요. 지금 586정치엘리트들은 강남에 아파트를 가진 사람들이라는 거예요. 목동에 아파트를 갖거나. 이들의 물질적 기반은 과거 보수와 다르지 않고 그자리에 도달하기 위해 그들과 같은 방법을 쓴 거예요. 그래서 조국의 반칙이 그들에게는 반칙으로 여겨지지 않는 것이죠. 그렇게들 살아왔으니까요.

"

진중권 586정치엘리트들이 기득권 세력이 된 지는 좀 되었죠. 지금은 이 기득권 세력의 세대 재생산 단계라고 볼 수 있습니다.

강양구 신보수 세력의 세대 재생산 시대를 상징적으로 보여주는 사건이 조국 일가의 모습이고요.

서민 조국이 자녀 입시에서 그렇게 무리를 한 것은 교육을 통해 자신의 학벌과 노동시장의 지위를 세습하기 위해 몸부림친 건데요. 표창장 위조만 안 했을 뿐이지 문재인 정부의 주축인 586정치엘리트, 현 정부 실세들도 마찬가지예요. 민주당 이인영 원내대표 아들은 그 비싼 스위스에 유학을 갔었고, 김두관 의원 아들은 역시 비싸기로 소문난 영국 유학을 보냈어요. 정의연 출신으로 이번에 비례대표가 된 윤미향 의원도 자기 딸을 미국에 유학 보냈고요. 임종석 전 비서실장도 딸이 미국에 유학 중인 것으로 알려져 화제가 됐잖아요. 유학을 보내는 게 나쁘다는 것은 아니예요. 다만 이들이 재산 신고할 때 그리 돈이 많지 않았거든요. 그런데도 연 1억 이상이 드는 유학을 보냈다면, 그 돈이 어디서 났는지 궁금해질 수밖에요.

강양구 구적폐·신적폐 또는 구보수·신보수, 둘 다 한국 보수의 두 얼굴이라는 사실에는 우리 모두 동의합니다. 지금 보수가 구적폐에서 586정치엘리트로 대표되는 신적폐로 세대교체가 되는 상황에서, 그들이 독차지했던 진보라는 가치에 걸맞은 세력이 새롭게 등장하지 못하고 있는 게 한국 사회의 중요한 문제 가운데 하나입니다. 그 점을 좀 짚어볼 필요가 있을 것 같습니다.

서 민 진보는 이제 정의당 같은 분들이 차지해야 하는 것 아닐까 해요. 그러고 보면 노회찬 전 의원이 돌아가신 것이 진보에 큰 손실이었네요. 그런데 정의당에게 좀 아쉬운 게, 노회찬과 심상정처럼 특정한 인물들만 돋보였을 뿐, 그 뒤를 받쳐줄 만한 시스템이 없다는 겁니다.

진중권 솔직히 힘들어요. 대한민국에서 노동조합 조직률이 10%가 안 되잖습니까. 조직된 노조들도 대부분 대기업 노조이면서 기득권층이 되어 있구요. 솔직히 비정규직 노동자들 착취해 그 이익을 사용자들과 나누어 갖는 관계잖아요. 이런 상황에서 그들의 조직적 요구로 만들어진 게 민주노동당이었고, 그 전통의 연장선 위에 서 있는 게 정의당이고요. 나름 선을 긋긴 했지만 가령 울산 같은 곳에서는 선거 때면 그렇게 할 수 없거든요. 그런 데서 오는 답답함이 있죠. 그렇기 때문에 명망가에 의존할 수밖에 없었던 거죠. 이제는 그것도 사라지고 있어요. 명망가 역시 재생산되어야 하잖아요. 그렇다고 너무 답답해하지 마세요. 이제 다시 시작하면 되니까요.

서 민 녹색당과 같은 정당이 진보 세력의 대안이 될 수 있을까요?

진중권 글쎄요. 우리에게는 아직 녹색에 대한 욕망이 크지 않은 것 같아요. 서구는 그런 욕망이 크죠. 먹고 살만하니깐. 사람들은 기본적인 욕망이 충족되고 나면 그 다음 욕망으로 옮겨 가잖아요. '이제는 건강하게 살고 싶다'. 그러다 보니 친환경으로 생산된 전기가 일반 전기보다 2배 정도 비싸더라도 일부러 그걸 사서 사용하는 사람들이 있어요. 독일의 녹색당 같은 경우 벌써 함부르크에서 제2당이에요. 메르켈의 기독교 민주연합(기민련)을 제쳤어요. 우리 사회 진보 역량이 아직은 거기까지 가지는 않았어요. 탈핵 이슈에 대해 논쟁하고 싸우고 있는 정도라고 봅니다.

더 이상의 바닥은 없다

강양구 독일의 경우 녹색당이 1980년에 창당했거든요. 올해(2020년) 창당 40주년이에요. 독일의 선거 제도, 연동형비례대표제에 따라 녹색당은 창당 4년 만에 정당 투표 5.6%를 획득하면서 27명의 연방의회 의원을 배출합니다(1983년). 이런 독일 녹색당의 경험을 염두에 두면, 우리는 정치 세력과 선거 제도의 문제가 둘 다 있어요.

먼저 녹색에 대한 비전을 가진 정치인들이 자기 정체성과 자기 비전을 가지고 세력화하려고 뚝심 있게 꾸준히 애를 써야 합니다. 우리나라는 2012년에 녹색당 창당을 했어요. 한국의 선거 제도 때문에 소수 정당이 감수할 수밖에 없는 불이익을 염두에 두더라도, 독일 녹색당과 비교했을 때 정당으로서의 정체성과 그에 기반을 둔 활동이 미진했습니다.

　　시민사회 전체로 시야를 넓혀 보면 더욱 문제입니다. 1987년 민주화 이후 노동운동과 시민운동이 30년 이상 축적했던 정치적 자산이 모두 민주당과 그 언저리의 정치 세력으로 흡수되고 말았어요. 그 바람에 지금 한국의 진보 세력은 아예 무주공산이 되었습니다. 여전히 묵묵히 자기 일을 하는 노동 운동가와 시민 운동가가 있기는 합니다만.

김경율　산이 아예 없어요. 완전 비었어요.

서 민　맞습니다. 저는 시민운동하던 이들이 정치권에 진출하는 게 나쁘다고 보진 않았어요. 그들이 얻은 권력을 이용해 원래 하던 일을 더 효율적으로 추진할 수도 있는 일이니까요. 그런데 우리나라의 경우 시민단체의 정계진출은 곧 그 단체의 정체성이 흔들리는 결과로 끝나더군요. 참여연대 보세요. 정치인들의 비리가 있을 때마다 쓴 소리를 하곤 했는데, 그 단체에 있던 사람들이 정치권에 우르르 들어가고 나니까, 그 다음부터 진보인사의 비리에 침묵하잖아요. 조국 사태가 대표적이죠. '조국 & 참여연대' 이렇게 치면 조국을 비판하는 내용의 기사가 꽤 많이 뜨는데, 그게 다 김경율 회계사님이 하신 얘기더라고요. 정작 김 회계사님은 참여연대를 그만뒀구요.

　　여성단체도 마찬가지예요. 여성단체가 그 동안 권력형 성범죄에 얼마나 민감하게 반응했습니까? 그런데 민주당 소속의 오거돈 시장이 성범죄를 저지르니 그냥 침묵하더라고요. 오거돈이 미래통합당이었어 봐요. 하루가 멀다 하고 성명을 냈을 걸요. 실제로 여성단체는 미래통합당 나경원이 문재인 대통령 지지자들을 '달창'이라고 했을 때, '여혐표현'이라며 당장 사퇴하라고 거품을 물었어요. 이렇게 본다면 그들이 정의연 사태 때 민주당 국회의원 윤미향을 지지하는 성명을 낸 것도 당연해 보여요. 자기들이 권력을 갖게 되니, 니 편 내 편을 가리고, 그 기준에 따라 행동하는 거예요. 이제 시민단체에게 진보의 외연을 넓히고 국가정책을 견인하는 역할을 기대하기 어려울 것 같습니다.

강양구 지금 우리 사회의 가장 큰 문제가 불평등의 심화예요. 같은 국가 안에서의 계급, 계층 불평등이 갈수록 심해지고 있습니다. 지구 온난화가 초래하는 기후 위기의 징후도 심상치 않습니다. 넓게 보면, 바이러스 유행도 기후 위기가 초래하는 생태계 파괴와 떼려야 뗄 수 없는 관계고요. 인구 구조, 산업 구조의 변화에 따른 사회 변동도 불확실한 미래를 예고합니다. 이런 상황에서는 앞으로 더욱더 심각한 갈등이 여기저기서 돌출될 수밖에 없어요. 유럽과 미국에서 격렬한 사회 갈등이 끊이지 않고, 노골적인 인종주의나 민족주의를 내세운 극우 세력이 득세하는 모습은 이런 갈등이 효과적으로 해결되지 못할 때 정치에서 무슨 일이 일어날지 보여주는 예고편으로 보입니다.

충분히 예상 가능한 이런 갈등을 조율하고 더 나은 미래에 대한 비전을 제시하는 세력. 더 나아가 그런 비전을 현실로 만들기 위해서 구체적인 정책을 유능하게 펼칠 수 있는 세력. 바로 이런 세력이 부재하다는 것이 한국 정치의 가장 큰 문제입니다. 어쨌든 586 정치엘리트는 승리의 경험을 가지고 있습니다. 그래서 비전도 없고, 철학도 없고, 능력도 없지만 집요하게 권력을 탐하는 것이죠.

그런데 그렇게 기득권이 된 탐욕스러운 586정치엘리트를 대체할 만한 새로운 세력이 나타나지 않고 있어요. 더구나 앞에서 언급한 한국 사회가 안고 있는 여러 문제를 해결할 만한 진보 세력이라고 자임할 만한 집단은 더더욱 없습니다. 이게 지금 저를 절망스럽게 하는 대목입니다. 진중권 선생님은 너무 비관하지 말라고 하셨잖아요? 무슨 뾰족한 수가 있습니까?

진중권 바닥까지 내려갔기 때문에 더 이상의 바닥은 없다고 생각해서입니다.

강양구 (하하하) 바닥을 찍었다고 생각하시는 거군요.

진중권 네, 이미 바닥을 찍었기 때문에 더 내려갈 것 같지는 않아요. 정의당도 원래 받았어야 할 지지율이 나온 거라고 봐요. 원래 자기 실력대로. 그러니까 더 실망할 것도 없죠. 이제 새롭게 출발해야 해요. 산업사회에서 정보화사회, 디지털사회로 넘어왔잖아요. 사실 우리가 가지고 있는 진보 이념이라는 게 상당 부분 산업사회의 산물이에요. 그 이후에 대한 비전들이 부족한 것이죠. NL은 아예 산업사회 이전이죠. 농경사회에서 산업사회로 이행하는 시기의 이데올로기예요. 북한 사회가 농경사회였잖아요. 사회주의는 발달한 산업사회와 거기서 성장한 프롤레타리아 계급을 요구하는데, 북한 사회에는 그게 없었잖아요. 그러다 보니 봉건적 습속이 남아서 그게 정치적으로 수령 숭배로 나타나는 것이죠. PD는 산업사회를 기반으로 했지만 사회주의 몰락과 더불어 이념적 실효성을 잃어버렸구요. 그런데 그 이후 새롭게 이념적으로 정립하려고 하는 시도들 없이 디지털 시대를 만나버린 것입니다. 여기에는 무척 다양한 욕망과 욕구들이 있는데, 이런 것들을 포착하는 이론적인 능력조차도 없어져 버린 느낌입니다.

서 민   그래도 이번 총선에서 정의당의 비례대표 정당 득표율이 9.67%나 됐거든요. 조국 사태 대응을 비롯해서 정의당이 그간 실망스러운 행보를 보여준 것에 비하면 득표율이 그렇게 나쁘진 않았어요. 아직도 정의당에 기대를 거는 분들이 많다는 얘기죠. 문제는 미래통합당이예요. 과거처럼 민주당과 1당을 놓고 경쟁하는 게 힘들어 보입니다.

강양구   제가 생각하기에 구적폐는 자연스럽게 쪼그라들 것 같아요. 정치를 전망할 때, 인구학적 관점을 놓치기 쉽습니다만, 사실은 중요합니다. 왜냐하면, 구적폐의 지지 그룹 자체가 산업화 세대잖아요.

산업화 세대가 하나둘씩 역사 속으로 퇴장하고 있습니다. 그 세력이 아예 사라지지는 않겠지만, 10년, 20년 전처럼 크게 부상하기는 어려울 거 같습니다.

진중권 자연사의 문제거든요. 인간의 생명은 유한하니깐. 뭐냐면 농경사회에 살던 사람들이 가졌던 산업사회의 엄청난 생산력에 대한 경외심이 박정희에 대한 찬양으로 표현되었잖아요. 그것을 동력 삼아 지금 여기까지 온 것이구요. 그 마지막이 박근혜 대통령이었죠. 그것이 유효하지 않다는 게 드러났잖아요. 그러면 자기들만의 의제를 새롭게 세팅하면서, 보수의 서사를 다시 만들어야 하는데 그럴 능력이 안 됩니다. 심지어는 비판도 제대로 못 하잖아요. 이번 코로나 사태 초창기, 통합당의 대응을 보세요. 제가 "이 사태는 정부와 같이 가야 한다"고 말했잖아요. 함께 숟가락 얹어야 할 문제였죠. 생각해 봐요 코로나를 직격으로 맞은 게 대구예요. 그러면 당 전체가 대구로 내려가 활동해야 했어요. 대구에 가서 함께 이 사태를 막아내는 모습을 보여줬어야 했다고 봅니다. 이것은 중요한 것을 말해줍니다. 통합당이 문제의 본질을 바라볼 능력 자체가 없다는 겁니다. 그러니 비판도 제대로 못 하고 자기 서사는 더더욱 불가능하구요.

민주당 그룹은 아마도 계속 갈 겁니다. 지금이 어떤 상황이냐면, 탄핵 국면에서 저쪽이 지리멸렬하니 중도층이 갈 데가 없으니 갈라치기를 하는 것이에요. 여기에 맛이 들렸어요. 통합당은 실현할 가치 자체를 잃었으니 사용할 프레임도 없는 것이고, 그 틈을 타 민주당은 프레이밍 전략을 국민들 갈라치기 하는 데에나 쓰는 겁니다. 그러다 보니 우리처럼 부글부글 끓는 이들이 생기는 거죠. '기회는 평등하고, 과정은 공정하며, 결과는 정의로울 것입니다' 자, 이 약속을 저버렸단 말이죠. 그런데 정의를 외치던 놈들은 사라졌지만, 정의에 대한 욕구는 아직도 남아 있습니다. 다만 그것을 묶어서 표출해 줄 정치 세력이 없을 뿐.

　　　선거 국면에서 민주당에 덴 세력들이 많잖아요. 정의당, 녹색당, 미래당 등등. 이들이 진보진영의 정당연합 같은 것들을 만들고, 공동의 싱크 탱크를 구성해서, 계속 어젠다 세팅을 해야 해요. 그래야 프레임을 선점할 수 있습니다. 아울러 이 프레임을 확산시킬 미디어 전략도 있어야 하구요. 여기서부터 출발해야 해요. 프레임 문제는 특히 중요한데, 진보진영은 이재명 지사에게서 이걸 배워야 해요. 코로나 사태 때 기본소득 딱 치고 나가잖아요. 딱 좋을 때거든요. 기본소득 이야기는 그 전에도 많이 나왔잖아요. 근데 지금이 결정적으로 좋은 기회잖아요. 이재명의 포퓰리즘이 위험할 때가 있기는 해요. 가령, 적을 만들어 이쪽을 결집시키는 데 이용하는 게 대표적인 포퓰리즘의 폐해죠. 재난기본소득도 부천시장이 반발하니 "그럼 부천은 빼~"라고 하니깐 대중들이 환호를 보냅니다. 좀 위험하지만 뭐, 이 정도 포퓰리즘은 용인해줄 수 있지 않을까 싶네요.

서 민　　그래도 저는 유권자들에게도 문제가 있다고 봅니다. 정말 시민들이 진정한 민주주의와 정의를 바라는가? 저는 사실 회의적이에요. 조국 사태 때 서초동에 모여 촛불을 든 이들이 바라는 게 진짜 정의는 아니잖아요. 그들 주장대로 거기 모인 숫자가 100만 명이라면, 이 나라에 도대체 무슨 희망이 있나 싶어요.

진중권 그것은 디폴트 값이에요. 탓할 수 없는 거예요.

서 민 저는 유권자 탓도 가끔은 필요하다고 봐요. 선거만 끝나면 정치인과 언론이 위대한 국민의 선택 어쩌고 하니까 국민들이 스스로 대단하다고 착각하는데, 전혀 대단하지 않아요. 정치인이 그러는 것처럼 유권자들도 진영논리에 빠져 있고, 지역감정에 쩔어 있어요. 아무리 좋은 후보가 나와도 자기 편이 아니라면 찍어 주지 않습니다, 이런 분위기에서는 세종대왕이 출마해도 안 될 듯해요.

진중권 유시민 왈, '보수정당에서 세종대왕을 내도 나는 안 찍는다'고 했잖아요. 그 프레임을 깨야 해요. 먼저 민주당이 표방하는 가치가 얼마나 허구적인가. 그들이 내세우는 프레임의 허구성을 깨뜨리는 것부터 하고요. 새로운 세대들과 민주당에게서 등 돌린 사람들을 묶어서 새로 시작해야죠.

강양구 한편, 방금 서민 선생님께서 말씀하신 일반 유권자, 일반 시민들 문제요. 저도 답답함을 많이 느낍니다. 이명박-박근혜 9년을 거치면서, 40대 이하 가운데 진보 개혁을 바라는 분들과 만나서 대화를 하면 더욱더 그래요. 그분들이 상상하는 진보나 개혁의 최고치가 문재인 정부라는 게 정말로 답답해요. 그분들에게는 문재인 정부 비판은 곧 이명박-박근혜 9년으로 돌아가는 것이죠.

서 민　문재인 대통령 지지자들과 대화가 안 되는 게 바로 이 부분이어요. 대통령 비판만 하면 바로 '일베'니 '박사모'니 하는 말이 나와버려서, 대화 자체가 이어지지 않아요. 그래서 비판하기 전 '저도 민주당 지지자이지만'이라는 단서를 붙이는 게 유행이 되기도 했었죠. 근데 정말 이상하지 않습니까? 아무리 사랑하는 배우자라고 해도 잘못한 게 있으면 비판할 수도 있는 거잖아요. 배우자 비판한다고 바로 불륜남이 되는 건가요? 그런데 문팬들은 티끌만한 비판도 용납하지 않아요. 대통령에 대해서만 그런 게 아니라, 대통령이 낙점한 인물, 예를 들어 조국 같은 인물의 비리에 대해 언급을 해도 바로 일베 취급을 해버리니, 답답하죠. 이런 걸 깨지 않으면, 상식이 통하는 사회는 만들어지지 않습니다.

브레히트의 「해결방법」

진중권　끝까지 버텨야 합니다. "너희들이 그렇게 할지라도 안 찍은 사람들이 분명히 존재한다"는 걸 보여 줘야죠. 진보정당의 그동안 행

태에 대한 반성도 필요하구요. 그들이 그동안 자신들의 진보적인 색
깔을 약화시키면서 교차 투표를 기대하는 전략을 써 왔다가 이런 사
태가 벌어진 거잖아요. 위성정당 두 개가 생기니 유권자들이 교차
투표할 이유도 사라져버렸어요. 그게 다 결국 헛된 표라는 것이 드러
났고, 충실하게 그 당을 지지했던 사람들은 떠났어요. 그러자 이제
와서 부랴부랴 "잘못했습니다" 사과하는 상황이죠. 레이코프가 말
하고 있는 게 바로 이것입니다. 많은 사람들이 시시콜콜 정책을 따
져가며 투표하지 않거든요 그래서 프레임이 중요합니다. 보수주의자
들이 강한 게 사람들의 코드를 알아요. 습속을 알아요. 사람들은 이
성적인 존재가 아니죠. 합리적 존재가 아니라, 합리화하는 동물이에
요. 신체가 된 정신. 몸이 그렇게 되어 있는 거예요.

강양구 맞습니다. 어딘가 하소연하고 싶을 때, 딱 자기 마음을 알고
대신 말해주는 정당. 그런 정당이 있으면 거기가 내 편이 되는 거잖
습니까?

진중권 그런 것에 신경을 써야 하는데, 진보주의자들은 항상 너희들
은 무식해서 그러는 거야. 뭘 몰라서 그러는 거야. 비꼬고, 비웃고,
조롱하고 이런 코드였잖아요.

강양구 그런 말을 진중권 선생님이 하는 것은 좀 거시기하네요.(웃음)
안 맞긴 하네요.(하하하) 그랬던 당사자 아닙니까.

진중권 (하하하) 그러다가 이 꼴이 됐잖아. 내가 산 증인이에요. 그러면 안 된다는 것을 보여주는. 근데 난 이 버릇 못 고칠 것 같으니까. 여러분이라도 그러지 마세요. 아무튼 『넛지』라는 책에 잘 나와 있듯이 인간은 이성적이지도 않고, 합리적이지도 않아요. 경제적으로 말도 안 되는 선택을 하지 않습니까. 사람들을 사로잡기 위해서는 인간에 대한 이해부터 해야 합니다.

강양구 답답할 때마다 되뇌는 시가 있습니다. "6월 17일 인민 봉기가 일어난 뒤/ 작가연맹 서기장은 스탈린 가(街)에서/ 전단을 나누어주도록 했다./ 그 전단에는, 인민들이 어리석게도/ 정부의 신뢰를 잃어버렸으니/ 이것은 오직 2배의 노동을 통해서만/ 되찾을 수 있다고 쓰여 있었다. 그렇다면 차라리/ 정부가 인민을 해산해버리고/ 다른 인민을 선출하는 것이/ 더욱 간단하지 않을까?"
　　다들 아시죠? 베르톨트 브레히트(Bertolt Brecht)가 1950년대 동독에서 오욕의 말년을 보낼 때 썼던 시 「해결방법」입니다. 시민이 마음에 들지 않는다고, 그들의 정치적 상상력이 답답하다고 그들을 포기할 수는 없잖아요? 결국 그들의 마음을 흔들고, 지지를 얻어 내는 데에서 시작해야 합니다. 어디서부터 시작해야 할지 막막하긴 합니다만.

서 민 예전부터 답답한 게 하나 있었어요. 집권당의 소장파 의원들이 정부 여당에 대해 반대하고 그랬잖아요. 그런 장면을 보면서 여당에 희망이 있겠구나 하면서 그 당을 지지할 수 있었는데, 지난 번 조국 사태에서는 금태섭 의원 말고는 아무도 반대하는 사람이 없었기 때문에 답답하고, 민주당을 떠날 수밖에 없게 되는 일이 벌어지니 또 답답. 말로는 국회의원 하나하나가 헌법기관이라 말하면서, 막상 거수기 이상도 이하도 아닌……

진중권 앞선 대담에서도 말했듯이, 민주당의 성격 자체가 변한 거예요. 옛날에는 정치권 뉴스에 늘 나오는 말이 '주류'가 어쩌구, '비주류'가 어쩌구였죠. 그런데 이 말을 들은 지 무척 오래 되었어요. 그 구별이 아예 없어진 겁니다. 민주당에서 국민의당이 갈라지면서 그나마 지역 기반의 차이에 기초한 구분마저 사라졌죠. 게다가 과거에는 없던 팬덤 현상이 정치를 지배하고 있어요. 예를 들어 금태섭 의원 지역구에서 일어난 일은 다른 모든 지역구에서도 일어날 수 있습니다. 팬덤 무서워서 당내에서 아예 이견을 낼 수가 없습니다. 결국 이렇게 위를 봐도, 옆을 봐도, 밑을 봐도 모두 한통속이니, 사실상 민주집중제가 돼 버린 거예요. 선거고, 투표고, 당원의 의견을 묻는다 하나 결국 물으나 마나 요식행위일 뿐입니다. 그러니 위성정당을 만드느냐 마느냐의 문제도 의원들 사이의 토론이 아니라, 양정철 씨가 들고 온 시뮬레이션 결과로 결정이 나버리잖아요.

서 민 뭔가 잘못을 하면 심판을 받아야 합니다. 정치세력의 경우 그게 선거고요. 그래서 이번 총선은 촛불 이후 문재인 정부 3년에 대한

국민의 심판이어야 했습니다. 하지만 민주당은 심판은커녕 큰 상을 받고 기고만장해 있습니다.

진중권 코로나19가 모든 이슈를 빨아들였죠. 그들을 구해준 것이죠. 코로나 사태를 대할 때 보수에서 첫 단추를 잘못 꿰었어요. 내내 정부를 비판하던 내가 '적어도 이 사태는 정부와 보조를 맞추어야 한다'고 했다면, 감을 잡아야 하거든요. 그런데 그때는 제 말이 듣기 싫은 거예요. '진중권 선생님은 욕하는 것만 해 주세요' 그때 그것을 치고 들어가서 대구지역으로 내려가 코로나 극복의 핵심적인 역할을 했다면 어땠을까. 그런 능력이 안 되는 세력인 것이죠.

강양구 안타깝게도 앞으로 지금까지 비판했던 586정치엘리트는 더 강해질 가능성이 큽니다. 분명히 이번 대화의 계기가 되었던 2019년 조국 사태와 같은 일들이 안 좋은 모습으로 계속해서 반복될 가능성도 크고요. 심지어 그동안 우리들이 대화하면서 제기했던 여러 의혹과 문제들이 교정되기는커녕 은폐되고 더 증폭될 가능성이 큽니다. 도대체 어떻게 해야 할까요?

7장

무너진 정의와 공정의 회복을 위하여

사회	강양구
대담	권경애
	김경율
	서 민
	진중권

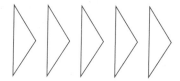

구적폐 세력은 자기들이 하면서도
찔리는 게 있었어요. 공익이 아닌 것을
아니까요. 신적폐 세력은 자기들이 하는 게
정의라고 생각해요.

사회를 바꾸겠다는 사람들이 기존
권력자들보다 더 부패하면 말이 안 되잖아요?
그런데 이번 정권이 진보의 이미지를
완전히 망쳐놨습니다.

어느 순간부터 큰 뭉칫돈들의 흐름이 바뀝니다.
건설 토건에서 신성장 동력사업 부문으로
이동하고 있습니다. 뭉칫돈을 움직일 만한
네트워크와 권력을 가지고 있는 사람들이
586세대인 것 같습니다.

진중권 저는 총선 후 정권의 본격적인 위기가 올 거라고 봐요. 코로나 이후 경제 문제가 올 거예요. 경제가 이렇게 된 것이 문재인 정권의 책임만은 아니겠지만, 희생양을 찾게 마련이에요. 누군가에게 책임을 묻게 되는데, 그러면 정부겠죠. 마찬가지로 코로나 방역이 정부만 잘한 것은 아니고 우리의 시스템과 성실한 국민성 그리고 벤처들의 힘인 거죠. 일본은 벤처가 없다고 해요. 우리는 벤처가 있어서 진단 키트를 만들어냈잖아요. 서구의 경우는 개인의 동선 등 정보 추적이 안 되고요. 개인정보보호법, 인권보호법 때문에요. 우리는 했던 것이고. 이런 것으로 정부가 혜택을 누렸던 것처럼. 하지만 경제 문제는 역으로 커질 겁니다.

강양구 진짜 실력이 나올 텐데, 기대보다는 걱정이 되네요.

서 민 지금까지 해온 걸 보면 이들이 경제를 해결할 가능성은 거의 없다고 봐야죠. 하지만 코로나라는 핑계가 생겼으니, 정부와 문팬들은 이 프레임으로 갈 겁니다. 우리는 잘했는데 코로나 때문에 이렇게 된 거라고.

강양구 그런 식의 임시방편이 언제까지 통할까요? 민심 무서운 줄 알아야 합니다. 여론은 순식간에 돌아설 수 있거든요. 바로 어제까지 문재인 대통령, 문재인 정부를 칭송하고 또 2020년 4월 15일 총선에서 기꺼이 여당 후보에게 표를 던졌던 사람들도 실망스러운 모습, 특히 자신의 삶의 토대(예를 들어, 생명과 재산)를 무너뜨리면 순식간에 민심은 권력을 외면할 수 있어요.

진중권 무엇보다 자기 일자리를 잃어버렸잖아요. 엄청 심각할 것 같아요. 일본만 해도 여행사, 숙박업소, 식당 심지어 100년 넘는 도시락 가게도 문 닫는 상황이니 우리 역시 심해질 것이에요. 그리고 장기화 될 것 같아요. 사람들이 화가 나요. 국민들이 정권에 대한 요구가 많아질 것 같아요. 두 번째는 본격적으로 진행될 정권 비리 관련 수사예요. 선거 개입 수사, 라임 사태 등. 집권 4, 5년이 되면 주변 비리들이 터져 나오잖아요. 그리고 아직 재생산 구조가 취약해요. 호남의 이낙연 전 총리가 영남 PK세력과 어울리지 않는 동거 상태인데, 갈등으로 번질 가능성이 있습니다. 그리고 저희들 같이 부글부글 끓는 국민들은 친문들에 대한 정리를 요구할 거구요. 총선에서 승리했지만 이런 부분들이 있기 때문에 생각보다 강고하지는 않을 것입니다. 그때부터 본격적인 위기가 올 것이라고 봐요. 그리고 일단 이겼기 때문에 하던 짓을 계속 할 것이라고 봅니다.

강양구 서민 선생님은 어떻게 생각하세요.

서 민 더 막 나갈 것 같아요. 입법, 행정, 사법 모두. 우선 공수처로 수사 방해부터 할 거고. 친문들이 지배하는 세상은 박근혜 때보다 더 심해질 듯해요. 언론도 마찬가지고요. 박근혜 때는 대형 인터넷 커뮤니티(엠팍 등)에서 박근혜를 많이 비판했거든요. 정치 관련 글이 대부분 그런 내용이었어요. 하지만 지금 〈엠팍〉에서 문재인 대통령 비판하는 것 쉽지가 않습니다. 문팬들이 우르르 와서 반박하고, 글쓴이를 일베로 몰아요. 더 웃기는 건 지네들끼리 작당해서 대통령 칭찬 글을 최다 추천글, 그러니까 가장 눈에 잘 띄는 곳에 배치시킵니다. 완전히 홍위병 세상이라니까요.

강양구 그런 식이라면, 이 책도 화형식 당할 수도 있겠네요.

서 민 태우려면 많이 사야겠지 않겠습니까. 10권을 사시면 기름 발라서 드립니다. 그러면 더 잘 탑니다.(다들 웃음)

강양구 지난 3년을 봐도 거침이 없잖아요. 이런 자기기만이 무서워요. 구적폐 세력은 자기들이 하면서도 찔리는 게 있었어요. 공익이 아닌 것을 아니까요. 신적폐 세력은 자기들이 하는 게 정의라고 생각해요. 구적폐 세력을 물리치는 게 정의이기 때문에, 저들과 대항하는 우리야말로 정의의 사도입니다. '내로남불'도 그 대목에서 나오고요. 전형적인 운동권 마인드입니다.

서 민　가장 악질적인 문팬 사이트가 〈클리앙〉인데, 거길 보면 정말 멀미가 나요. 코로나 한국 칭찬, 성군 찬양 일색입니다. "문재인 대통령은 세종대왕 더하기 이순신 장군이라고 생각합니다.", "퇴임 후에도 우리가 꼭 지켜드려야 합니다." 〈클리앙〉은 정권의 잘못을 지적하면 글쓴이를 아예 퇴출시키는 무서운 곳입니다. 그러면서 "다른 곳은 다 일베한테 넘어갔는데 클리앙은 아직도 청정지대다"라며 지네끼리 좋아하고 있어요.

'노무현 대통령 트라우마'

강양구　"퇴임 후에도 우리가 꼭 지켜드려야 합니다"라는 말에서도 잘 드러나듯이 사실 한국 정치가 이렇게 된 중요한 이유가 '노무현 대통령 트라우마'입니다. 저는 최근 10년의 한국 정치를 규정하는 가장 중요한 사건은 노무현 대통령 서거라고 생각합니다. 문재인 대통령의 당선도, 심지어 작년(2019년)의 조국 사태도 결국은 노무현 대통령 트라우마의 결과라고 생각해요.

조금 자세하게 이야기해보겠습니다. 사실 평생 공적 인물을 놓고서 과하게 기대를 가져본 적이 없어요. 문재인 대통령이나 노무현 대통령을 좋아하는 분들에게는 죄송합니다만, 정치인 중에서 그나마 김대중 대통령이 존경할 만하다고 생각하는 편입니다. 나와 비슷한 지향을 가진 많은 이들이 좋아했던 노회찬 전 의원도 사적으로도 친분이 있었음에도 장점만큼이나 단점이 보여서 답답했었죠.

이 이야기를 할까, 말까 망설여지긴 합니다만, 솔직히 말해보죠. 조국 사태 때 조국 전 법무부 장관을 옹호하는 이들은 은연중 그에게 노무현 대통령의 비극적인 마지막을 겹쳐서 본 것 같아요. 노무현 대통령의 지지자면서 어떻게 '감히' 그 둘을 같은 선상에 놓고 있는지 이해할 수 없지만, 노무현 대통령 트라우마가 조국 사태에서 많은 사람에게 어떤 버튼이 눌러지는 데에 중요한 역할을 했죠.

실제로 2022년 대선을 준비하고 있는 한 정치인이 민주당 후보에게 표를 던진 평범한 시민 여럿을 대상으로 인터뷰를 해봤어요. 그 결과를 비공식적으로 전해 들었습니다. 그런데 인터뷰에 응한 열 명 가운데 여덟 명은 애초 민주당 지지자가 아니었어요. 그 여덟 명이 민주당 지지자로 돌아선 결정적 계기가 노무현 대통령 서거예요. '노무현 대통령을 지키지 못해서 미안해서' 민주당을 지지하는 거예요.

안타깝게도 저는 노무현 대통령 트라우마가 없어요. 한 지인이 노무현 대통령의 비극적인 최후 이후에 그를 놓고 세간의 판단이 극단적으로 바뀐 상황을 언급한 적이 있습니다. 하지만 저는 그 일

이전에도 이후에도 노 대통령을 놓고서 평가를 바꾼 적이 없어요. 그는 진정성 있는 정치인이었어요. 시민과 역사에 진실했고, 자신의 한계 속에서 최선을 다했죠. 하지만 결과적으로는 실패한 정치인이 었습니다. 노무현 정부 5년간의 실정은 김대중-노무현으로 이어지는 역전 불가능한 개혁의 가능성을 차단했어요. 결국, 사기꾼 정치인 (이명박)의 당선이라는 최악의 결과를 낳았습니다. 그러고 나서, 본인이 그 첫 희생자가 되었죠. 그것이 한국 정치에서 아직도 끊어지지 않고 있는 '복수의 악순환'의 씨앗이 되었습니다.

알다시피, 그것은 이명박-박근혜 정부 9년간 한국 사회 공동체 퇴보의 계기가 되었고, 세월호 참사 같은 희생이 있고서야 반전의 계기가 마련됐죠. 이 모든 과정을 현직 기자로서 옆에서 지켜봤습니다. 그러니 저는 노무현 대통령을 성공한 정치인으로 기록하려는 기억 만들기에 동참할 수가 없어요. 그는 지지자에게 좋은 정치인이었고, 시민에게 멋진 정치인이었지만, 대한민국 사회 공동체 전체에게는 갚을 빚을 많이 남긴 채 저 세상으로 갔습니다. 아마 그가 비극적인 선택을 하지 않았더라면, 한국 정치는 훨씬 더 건강한 방향으로 전개되었을 테고, 그 과정에서 분명히 그도 또 다른 중요한 족적을 남겼으리라 확신합니다.

진중권 노무현 대통령은 오히려 퇴임 이후에 자신을 반성하면서 변화하려는 모습을 보였죠. 바로 그 때문에 사실 보복의 대상이 되었다고 봐요. 민주주의 2.0 말씀을 했어요. 참여정부가 실패했다고 스스로 생각했기 때문에, 진보는 성공해야 했기 때문에, 퇴임 이후에도 그런 지원 역할을 하려고 했던 것이죠. 그러니까 이명박 정부가 가만히 놔두지 않은 겁니다. 안타깝지요.

강양구 노무현 대통령이 존재했으면 안희정, 이광재 그리고 지금 문재인 정부의 복심이라 말하는 양정철 등 노무현 정부를 망친 사람들이 발언권을 얻지 못했을 거예요. 그의 서거 때문에 발언권이 생겼죠. 노 대통령이 '참여정부는 실패한 정부다' 이렇게 선언했을 때, 저는 그가 '우리가 가야 할 방향은 오히려 좀 더 왼쪽이다' 이렇게 새로운 정치 세력을 규합하는 역할을 했더라면 어땠을까요?

진중권 퇴임 후 많은 사람이 봉하 마을을 찾았어요. 집권 때는 비판을 많이 했지만, '시간이 지나고 보니 당신 같은 사람이 없었다', '참 괜찮은 대통령이었다'는 생각을 한 것이죠.

강양구 노무현 대통령이 퇴임 이후에 한 여러 가지 이야기가 있습니다. '유러피언 드림'을 이야기했고, '금융 자본에 대한 성찰이 부족했다'는 반성도 했고, '한미 FTA도 지금 생각해보니 꼭 그런 식으로 할 필요가 있었는지 고민된다' 그러면서 계속해서 유럽식 사회민주주의에 호감을 표시했어요. 자연스럽게 새로운 진보 개혁 세력의 중심으로 중요한 역할을 했으리라 생각합니다.

진중권 노무현 대통령의 그 비전이 사라진 겁니다. 남은 것은 정권을 망가뜨리는 데 기여했던 사람들이에요. 하나하나 비리에 연결되어 있어요. 노무현이라는 상징 자본을 이용해 자기 기득권과 이권을 챙기게 된 것이죠. 앞에서도 말했지만, 친노폐족이 친문으로 부활한 겁니다. 그리고 지금 한국 정치를 망치고 있고요.

　　노무현재단 이사장이라는 분은 허위, 날조, 거짓말로 선동방송을 해요. 조국 사태 때 '검찰이 사전내사를 했다'고 했는데, 거짓말로 드러났죠. 이게 그냥 거짓말이 아니고 검찰 음모론의 출발이었어요. 사과 안 하시잖아요. 이런 사람들에 의해서 노무현 정신과 유산이 왜곡되고 있다고 생각해요. 원한(怨恨)이죠. 르상티망(ressentiment). 노무현 대통령의 죽음을 잘못 받아들인 거예요. 노대통령은 진보의 가치를 세워야 했기에 스스로 죽음을 택했어요. 우리가 봐야 할 것도 그가 세우려고 한 진보의 가치입니다. 근데, 거꾸로 갔어요. '적들의 공격을 받아서 죽었다'라는 원한에 파묻힌 거죠. 그리고 대중의 것이기도 한 그 원한을 아주 교묘하게 자기들의 기득권 확보에 활용하고 있는 것입니다.

사라진 민주주의자의 비전

▼

강양구 동감합니다. 노무현 대통령 트라우마가 한국 정치에 미친 폐해는 넓고 깊습니다. 한때 노무현 정부의 실정에 책임을 지고서 스스로 "폐족"이라고 낮췄던 이들이 별다른 자기반성 없이 노무현 대통령의 비극을 딛고서 부활했어요. 정치인에서 작가로 슬쩍 신분 세탁했던 유시민 씨는 다시 정치 훈수꾼으로 나섰고, 안희정 전 충청남도 도지사를 포함한 여럿이 정치인으로서의 자질이 아니라 유고 정치로 부활했습니다.

노무현 대통령 트라우마로 연명하는 정치 세력은 유능하지도 못했어요. 이명박-박근혜 9년간 민주당은 유능한 야당이었던 적이 한번도 없습니다. 기억을 돌이켜 보세요. 2016년 초만 하더라도, 그러니까 촛불 전만 하더라도 다음 대선을 낙관하는 야당 정치인은 거의 없었어요. 하지만 세월호와 최순실 국정농단과 촛불 덕분에 박근혜 정부가 흔들리고, '촛불 정부'가 탄생했습니다. 박근혜 정부는 '박정희의 유산'입니다. 하지만 문재인 정부는 노무현 대통령 트라우마와 상관이 없습니다. 나를 포함한 많은 사람이 문재인 정부를 진심으로 응원했던 것도 바로 이 정부가 '평등' '공정' '정의'를 이야기하는 '촛불' 정부였기 때문이에요. 그런데 정작 문재인 정부는 박근혜 대통령이 '박정희의 악령'에서 벗어나지 못했듯이, 노무현 대통령 트라우마를 극복하지 못했습니다.

인사의 대부분은 노무현 정부에서 일했던 이들의 돌려막기인 경우가 많았고, 그나마 성공적인 경우는 드물었어요. (최악이 조국 전 법무부 장관입니다.) 촛불이 기대했던 개혁은 지지부진했고, 그나마 기대를 걸었던 남북 관계도, 코로나19 방역도 한계가 또렷해 보입니다. 그나마 눈에 띄는 게 마치 박근혜 정부가 했던 것과 비슷한 한풀이 정치예요. 트라우마에 짓눌린 개인은 결코 건강한 삶을 살아갈 수 없어요. 정치도 마찬가지입니다. 트라우마를 동력 삼아 움직이는 정치는 결코 건강할 수 없어요. 문재인 대통령 또 조국 전 장관의 열성 지지자가 저토록 보통 사람의 상식으로는 이해가 안 갈 정도로 내 편/네 편을 가르고, 상대방을 악마시하는 것이야말로 그 결과죠.

조국 전 장관에게 노무현 대통령의 모습을 겹치는 것이야말로 이런 노무현 대통령 트라우마의 징후입니다. 사실, 저는 노무현 대통령의 후계자가 아니라 촛불 대통령으로서 당선된 문재인 대통령이 이런 트라우마를 극복하는 모습을 보여줄 줄 알았어요. 그런데 조국 전 장관에게 미련을 두는 모습을 보니, 그 역시 이 트라우마에 속박돼 있어 보입니다. 어디서부터 시작해야 할지 답답해요. '김대중의 유산', '노무현의 유산' 그리고 '노회찬의 유산'이 건강한 정치 세력으로 이어질 때, 한국 사회가 좀 더 나아질 텐데. 그 유산이 끊어지고 악용되고 있다는 게 가슴 아픕니다.

권경애 박근혜 씨가 대통령이 되었을 때, 저는 무척 절망하고 실망했어요. 하지만 한편으로는 박정희에 대한 진정한 마무리, 극복이 될 수 있겠다고 생각했어요. 저는 이번 사태도 노무현 대통령에 대한 새로운 마무리, 극복의 계기가 되었으면 좋겠는데요. 진중권 선생님을 비롯해 저희들도 아직 거기까지 나가지 못하고 있는 것 같습니다. 노무현 대통령이 지켜내고자 한 진보의 가치를 계승하지 않은 채, 그의 죽음만 기억하고 있는 것 같아요. 죽음의 정서만 남아 있는 것 같은데, 진보의 가치라는 것들을 제대로 받아 안아야 하는데…… 그 논의가 가능할까요?

진중권 글쎄요. 저는 잘 모르겠어요. 하지만 참여정부에 대한 평가가 잘못된 것은 분명해요. 반성을 하지 않아요. '입진보'들이 씹어서 망한 것이라 핑계를 대잖아요. 자기반성은 하지 않은 채로요. 노무현 대통령은 '왼쪽 깜박이 켜고 우회전' 하는 바람에 진보와 보수 양쪽에서 비판을 받았어요. 거기에 대한 반성을 하지 못했어요.

강양구 화제를 바꿔볼까요? 2020년 4월 15일 총선 결과를 염두에 두면, 박근혜 대통령 탄핵 이후 보수 양당이 제대로 된 변화의 모습을 보여준 적이 없습니다. 그래서 문재인 정부가 기대만큼 잘한 것도 아니고, 실망스러운 것도 많았지만 '국민의 뜻으로 파면을 선고한 너희에게도 표를 주기는 싫다'는 민심이 드러났다고 생각해요. 특히 수도권, 충청, 호남의 민심은 그렇게 봐야 합니다. 거기에 코로나19 유행이 보태어졌다고 생각합니다. 코로나 유행이 없었으면 민주당이 훨씬 힘든 싸움을 했겠죠. 통상적으로 전쟁 중에 장수를 바꾸는 일이 드물잖아요. 바이러스와의 전쟁 중에 지금 권력을 쥐고 있는 정부여당에 어느 정도 표가 쏠리는 것은 상식적이죠. 더구나 전 세계 다른 나라와 비교했을 때 한국이 비교적 초기 방역을 잘해 왔잖아요.

그러니 이번 총선 승리를 놓고서 민주당이 잘해서라거나, 민주당에 힘을 실어 줘야겠다는 시민의 의사 표현이라고는 생각하지 않습니다. 보수 야당의 실패에 대한 냉정한 평가, 또 보수 야당도 민주당도 안 찍었을 때 표를 가져갈 신뢰할 만한 제3세력의 부재 또 바이러스 유행 같은 여러 이유가 복합적으로 작용한 결과라고 생각해야겠죠.

한 가지 고무적인 일도 있습니다. 결과적으로 의석수는 준연동형비례대표제와 위성비례정당 쇼 때문에 기대만큼 얻지 못했지만 정의당의 지지율이 10% 가까웠잖아요. 김수민 정치 평론가에 따르면, 위성비례정당 없이 애초 준연동형비례대표제가 작동했더라면 정의당이 16석 정도 얻었더라고요. 한국 정치에 여전히 희망을 버릴 수 없는 대목입니다.

권경애 선거 운동 기간 중에 정의당 청년들이 반성의 목소리를 냈어요. 정의당 전체의 반성이라기보다는 젊은 세대의 목소리였죠. 장혜영 당선인이 대표적이고요. '정의당의 여러 목소리가 있고, 일부의 목소리가 표현된 것이다'라는 심상정 대표의 말도 있었지만, 그런 모습이 당 전체의 반성으로 보여질 수 있다고 봤어요. 그래도 열심히들 뛰었죠. 그 어려운 조건 속에서도 2% 가량 지지율이 올랐으니.

진중권 이번 총선은 두 가지 과제를 남긴 것 같아요. 그간 네 번의 선거가 있었죠. 2016년 총선, 2017년 대선, 2018년 지방선거, 2020년 총선. 모두 민주당이 승리했습니다. 그것도 대부분 압승이었습니다.

이번에 코로나가 없었더라면 민주당이 고전은 했겠지만 승리하는 데에는 지장이 없었을 겁니다. 이런 네 번의 선거 결과는 앞에서 언급한 대로 한국 사회의 주류가 산업화 세력에서 민주화 세력으로 교체됐다는 것을 의미합니다. 네 번째 패배잖아요. 이미 기울어진 거예요. 한국 주류층이 교체된 겁니다.

김경율 네, 동의해요. 그 주류가 586세대가 됐다는 것에 쐐기를 박은 거죠. 제 기억이 맞는다면 2002년 대선에서 노무현 대통령이 당선됐을 때, 〈딴지일보〉의 일성이 '이제는 우리가 주류다'였는데 조금은 이른 선언이었고, 그로부터 십여 년이 지나 이른바 586세대라 일컬어지는 신보수가 산업화 세력의 자리를 꿰찬 셈이죠.

진중권 586세대가 주류 세력이 되었다는 것은 곧 그 세대를 대표하는 엘리트 계층이 사회적, 경제적, 정치적 기득권층이 되었다는 것을 의미합니다. 조국 사태는 그들이 그 동안 구축한 특권과 기득권을 2세에게 대물림하는 단계에 이르렀다는 것을 보여주고요. 586세대들은 아직도 자신들이 서민층이고 중산층이라고 생각하는데, 실제로는 중상위층이에요. 이들이 사회의 헤게모니를 잡고 정치도 경제도 점점 장악하고 있어요. 학생운동 출신들은 정치로 갔고, 이에 공감했던 이들은 벤처, 인터넷 기업, 대기업 IT 분야에서 활동하고 있습니다. 이들이 새로운 생산의 주체이자 소비의 주체가 되었죠. 광고 시장에서 구매력을 갖는 사람들이 20~50대인데, 이들이 주류가 되니 미디어에서도 그들을 주요 타깃으로 전략을 짜면서 언론에서도 헤게모니가 생겼고, 학계, 문화계 등에서도 그렇게 되었죠. 의식도 하지 못하는 채 그람시가 말한 '진지전'을 통해 사회의 헤게모니를 잡은 것입니다.

부침은 있겠지만 선거에서 계속 이길 것 같아요. 과거에 그랬잖아요. 콘크리트 지지층이 있고 여기에 10%만 붙이면 늘 이기는 선거를 보수에서 해왔죠. 그런데 이러한 구도를 이제 민주당이 갖게 된 것입니다. 이것이 의미하는 바는 보수정당도 진보정당도 변신해야 하는 상황이 되었다는 겁니다. 보수정당이 어떻게 변해야 할지는 뭐 저의 관심사는 아니에요. 언뜻 봐도 그들은 변화한 상황에 대한 인식 자체가 없고, 여전히 자기만의 세상에 갇혀 세계 전체를 못 보고 있는 것 같아요. 무엇이 문제인지 모르니 진단이 제대로 안 나와요. 그러니까 과거 호남 의원들처럼 되는 것 아닌가 싶어요. 대권은 포기하더라도, 지역민 붙잡아 '내 의원 자리 하나는 지킨다'는 식이죠. PK는 상당 부분 흔들리고 있고, TK만 고립되는 상황이 되어버린 것이죠. 진보정당의 경우는 이른바 민주대연합의 환상은 깨질 겁니다. 보수진영이 강해야 진보가 연합해서 대항할 필요가 생기는 것인데, 지금은 민주당에서 굳이 그럴 필요가 없는 거죠.

권경애 그 민주대연합이란 것을 마지막으로 했던 것이 '준연동형비례대표제' 아니겠어요. 이 제도를 만드는 과정에서 굉장히 아마추어적인 허점들이 있었고요.

진중권　연동형비례대표제도 민주당에서 틀고 틀고 틀어서 누더기를 만들었고, 마지막에 다시 한 번 틀어서 '준연동형비례대표제'까지 왔죠.

권경애　보수 야당이 그 누더기의 가장 엉터리를 파고든 거죠. 그런데 민주당이 위성정당 출현을 예상 못했을까요? 저는 민주당도 정의당도 위성정당 출현을 예상했다고 봐요. 출현하면 그때 가서 대응하면 된다고 안이하게 생각했던 거죠. 선거법 개혁에 대한 철저한 인식이 두 정당 모두 없었어요. 소수정당의 생존이 더 어려운 정치제도가 만들어진 거죠. 막상 미래통합당이 위성정당을 만드니 명분이고 뭐고 내팽개쳤죠. 신뢰를 상실한 정치세력은 개혁을 할 수 있는 동력을 얻을 수 없어요.

진중권　문제는 뭐냐면 이런 일들이 점점 심해질 거라는 겁니다. 저들이 주류이고 모든 부정부패가 그쪽에서 나오고 있는 점에서도 그래요. 이번 성추행 사건도 민주당 쪽이잖아요. 비리의 양상이 달라졌습니다. 지난 박근혜 정권을 생각해보세요. 그 시절의 비리는 엘시티 사건처럼 토목이나 건설과 관련된 인허가 비리였어요. 반면 민주당 사람들은 정권을 잡고 있지도 않았을 때부터 이미 다양한 금융비리에 연루되어 있었어요. VIK니, 신라젠이니, 지금 나오고 있는 라임이나 옵티머스도 같은 유형이죠.

김경율　돈의 흐름이 예전에 건설사나 지역의 토건세력, 그리고 토건세력과 연동되어 있는 구태 정치인 사이에서 오고 갔어요. 이 구태 정치인들은 여야를 막론하고 60~70년대 대학을 다니던 올드 기득권 세력이었고, 이 올드 기득권 세력의 주류는 현재 보수 야당 쪽 사람들이었구요. 어느 순간부터 큰 뭉칫돈들의 흐름이 바뀝니다. 건설 토건에서 바이오, IT, 태양광, 풍력, 수소연료전지 등 신성장 동력사업 부문으로 이동하고 있습니다. 이 분야에서 활동하거나 발을 걸친 사람들 즉, 30대 중반부터 50대까지 뭉칫돈을 움직일 만한 네트워크와 권력을 가지고 있는 사람들이 586세대인 것 같습니다.

"니들, 돈 벌어 본 적 있어?" VS "당신들, 지금 돈 벌고 있어?"

진중권　한국 사회가 산업사회에서 정보화사회로 넘어간 것이에요. "니들, 돈 벌어 본 적 있어?" 통합당 쪽 보수들이 이렇게 얘기했잖아요. 옛날 이야기예요. 바뀌었어요. "당신들, 지금 돈 벌고 있어?"라고 이제 586들이 말합니다. 돈은 우리가 벌고 있다는 것이죠. 이들이 생산의 주체가 되었고, 또 소비의 주체가 되었습니다. 경제의 토대를 그들이 쥐고 있으니 여기서 비리가 나올 수밖에 없는 거죠. 예를 들어 학계에 있다가 청와대 들어가기도 하고 프로젝트 받기도 하는 등등…… 이권으로 연결된 인맥이 형성되어 이미 굳어졌어요. 그네들

"

한국 사회가 산업사회에서 정보화사회로 넘어간 것이에
요. "니들, 돈 벌어 본 적 있어?" 통합당 쪽 보수들이 이
렇게 얘기했잖아요. 옛날이야기에요. 바뀌었어요. "당신
들, 지금 돈 벌고 있어?"라고 이제 586들이 말합니다.
돈은 우리가 벌고 있다는 것이죠. 이들이 생산의 주체가
되었고, 또 소비의 주체가 되었습니다. 경제의 토대를 그
들이 쥐고 있으니 여기서 비리가 나올 수밖에 없는 거죠.

"

이 목숨 걸고 조국을 옹호하는 것도 그에게 동질감을 느끼기 때문이에요. 그와 내가 크게 다르지 않고, 결국 자기 계급의 이익을 지키는 거죠. 이런 이들이 이 사회의 주류가 되어 헤게모니를 행사하고 있는 거죠.

강양구 상징적인 사건이 또 있죠. 가끔 방송국 관계자로부터 진행자 추천을 해달라는 부탁을 받습니다. 그러면 이렇게 이야기합니다. "진중권 선생님은 어떨까요?" "금태섭 전 의원은 어떨까요?" "서민 선생님은 어떨까요?" 아침, 저녁 시사 프로그램에서 이분들의 관점을 들을 수 있으면 얼마나 신선하겠어요?

처음에 이런 이야기를 들은 방송국 관계자는 다들 한 대 맞은 듯한 표정을 짓습니다. '아, 그분들이 있었지.' 이런 표정이에요. 그러다가 이렇게 이야기를 합니다. "그분들은 안 돼!" 이분들은 안 됩니다. 알다시피, 총선 이후 시사 프로그램 진행자로 거론된 분들은 이철희 전 의원, 표창원 전 의원 등입니다. 신주류가 부상한 또 다른 상징적인 풍경입니다.

김경율 왜 진중권도 안 되고 금태섭도 안 되나요?

강양구 물론 김경율 선생님도 안 됩니다.(웃음) 왜냐하면, 문재인 대통령에 비판적이고, 민주당에 비판적이고, 이 정부에 비판적이거든요. 아, 오해를 하시면 안 됩니다. 그렇다고, 방송국에 블랙리스트가 있다는 이야기는 아니에요. 물론 권력의 향방에 민감한 한국 언론의 속성상 알아서 기는 부분이 분명히 있겠습니다만.

더 중요한 이유는 극성스런 문팬이 가지고 있는 대언론 영향력 때문입니다. 진중권, 금태섭, 서민, 김경율 등을 진행자로 쓰는 순간 문팬의 반발은 불 보듯 뻔한 일이잖아요. 그런 위험을 감수할 수 없다는 거예요. 청취율이나 시청률이 중요한데, 그것에 중요한 영향을 주는 문팬이 반감을 가진 진행자를 쓸 수 없다는 거예요.

김경율　우리가 계속 얘기했던 소비자 민주주의. 구매력 민주주의.

강양구　여기서 중요한 포인트는 미디어도 신주류에 줄 서는 것으로 개편되었다는 점이에요. 사실 굉장히 의미심장합니다. 박근혜 정부 때 적폐 언론으로 지목된 MBC, KBS는 어떤가요? 솔직히 말하면, 지금은 더해요. 노골적으로 줄을 서고 있어요. SBS도 정도의 차이가 있을 뿐이지 다르지 않고요. 물론 어려운 환경에서 언론의 가치를 지키려고 고군분투하는 언론인이 있기는 합니다만.

진중권　종편에 남은 것은 주로 나이든 시청자죠. 이들은 '좌빨'이라는 말을 입에 달고 살고 아직도 음모론이나 레드 콤플렉스에 조건반사적으로 반응하는 분들인데, 이 사람들은 구매력이 낮아요. 방송국에서 시청률을 따질 때 전체 시청률이 아니라 주로 20-40 시청률을 봐요. 그들이 구매력을 가진 계층이라는 거죠. 광고도 20-40 중심으로 타깃팅이 되어 있어요. 광고시장도 물적 토대가 바뀐 거죠.

서민 조금 다른 이야기인데요. MBC의 경우 적자폭이 상당히 크더라고요. 2017~19년 3년 누적적자가 2천 7백억 원이 넘더라고요. 종편 때문에 공중파가 전반적으로 부진하다고 해도 SBS의 영업실적은 상대적으로 괜찮거든요.

강양구 그래서 박성제 MBC 신임 사장이 수신료 같은 공적 재원을 달라고 보채고 있잖아요.

진중권 그래서 제가 그 돈은 민주당에서 받으라고 했어요. 수익자부담의 원칙에 따라야죠. 민주당을 위한 방송을 하는데, 왜 우리가 수신료를 내야 합니까?

강양구 사실 그런 작업을 하고 있지 않을까요. 178석 민주당이라도 수신료를 나눠 주기는 불가능하겠지만 적자 폭을 줄일 만한 다른 당근을 분명히 던져줄 거예요. 그래야 말을 계속 들을 테니까요.

진중권 이미 거의 많은 것들이 기득권 네트워크화 되었어요. 멀쩡하던 지식인들이 갑자기 말 안 통하는 이야기를 하잖아요. 그러면 정신의 문제가 아니라 존재의 문제인 거예요. 존재가 자유로우면 옳은지 그른지를 따질 수 있는데, 존재 자체가 먹고사는 구조와 얽혀있으면 황당한 소리를 하게 되죠.

강양구 이런 정서와 비슷해요. 김영란법(부정청탁 및 금품 등 수수의 금지에 관한 법률) 이후 예전에 부총리까지 지내신 유명한 경제 관료가 어느 자리에서 역정을 냈다고 합니다. "평생 국가를 위해 헌신했는데, 은퇴하고 나서 분위기 좋은 곳에서 밥 한 끼 못 얻어먹어?" 물론 그 분위기 좋은 곳은 한 끼에 10만 원, 20만 원씩 하는 고급 식당이죠. 산업화 세대의 정서가 그대로 반영되어 있죠.

　　민주화 세대, 그러니까 신주류의 정서도 사실은 비슷합니다. "내가 젊었을 때부터 민주화 운동하면서 어렵게 살아왔는데 이 정도도 못해?" 조국 사태 때 조국 전 법무부 장관과 비슷한 또래의 586세대 지식인이 나서서 조국 전 장관 편을 들었던 진짜 이유가 바로 이런 정서 때문이었으리라고 생각합니다. 그런 점에서 진중권 선생님은 정말로 예외적이고요.(웃음)

서 민 끔찍한 현실이지만, 그 현실 속에서도 희망을 찾아봐야 할 것 같습니다. 기존 진보라 불리던 이들이 신보수가 되었습니다. 그러면 이제 새로운 진보가 출현해야 할 것 같아요. 새로운 진보는 어떤 어젠다를 사회에 던지면서 자리를 잡아야 할까요?

진중권 전 세계적으로 보수냐 진보냐는 정당에 따라 나뉘는 건 아니라고 봅니다. 일본에서는 최저임금 인상을 아베가 주도해요. 보수냐 진보냐는 태도의 문제라고 봐요. '바꿀 것보다 지켜야 할 것'들이 많은 사람이 보수입니다. 이제는 지킬 게 너무 많은 이들이 저들인 거죠. 또 하나는 뭔가를 바꾼다고 할 때 그 개혁이 향하는 방향입니다. 바꾸는 그 행위가 사회 전체가 아니라 자기들의 기득권을 위한 것이라면, 그게 보수인 거죠. 대표적인 것이 검찰개혁입니다. 말이 개혁이지 결국 자기들 비리에는 손도 대지 말라는 얘기잖아요.

이렇게 상황 자체가 변했기 때문에 진보는 더 확실히 치고 나가야 합니다. 총선 국면에서 위성정당 참여 논란 등을 보면, 정의당에서는 원칙을 지킨다기보다 민주당과 갈 데까지 가보는 치킨게임을 한 것 같아요. 그 게임에서 패한 거죠. 아무튼 그러는 과정에서 진보의 어젠다를 잃어버렸어요. 그동안 민주당과 충돌을 피하기 위해 진보의 어젠다를 순치하고, 민주당의 위성정당 비슷하게 행세하면서 그들이 흘린 떡고물을 받아먹는 방식이었던 거죠. 실제로 그렇게 하는 것을 옹호했던 당원들이 절반 이상이었고요. 당적만 정의당이지 마인드는 민주당과 같은 이들에게 당이 발목을 잡히면 안 됩니다. 이들과 선을 긋고 선명하게 야당의 길을 가야 합니다.

다른 한편으로는 진보 쪽 청년층, 보수 쪽 젊은 층을 봐야 해요. 보수에 기운 청년층은 할아버지들이 좋아서 보수를 지지하는 게 아니거든요. 많은 경우 민주당 세력의 위선에 반감이 크지만 대안이 없어서 보수 쪽으로 간 겁니다. 이들까지도 끌어들일 수 있는 마인드를 가져야 할 것 같아요. 사실 세대교체에는 오랜 시간이 걸리겠지요. 한 20년 정도요. 아무튼 지금 20대의 투표 성향이 그 윗세대와 다르게 나타나잖아요. 이들이 40대가 되면 새로운 진보가 자라나지 않을까 하는 장기적 안목을 가지고 미래를 준비해야 합니다.

그런데 한 가지 문제가 있어요. 저희가 20대일 때는 진보에 큰 이야기가 있었어요. 민주주의라든지 사회주의든지 간에 거대 서사를 매개로 하나의 흐름으로 뭉칠 수 있었는데, 지금은 그런 것들이 사라져서 묶어내기가 굉장히 힘들어요. 거대 서사는 더 이상 없지만 지금도 작은 이야기들은 있거든요. 여성 문제, 비정규직, 대학 입시, 교육, 산업재해 등등……. 이런 것들을 선명하게 내세우면서 싸워나가야 하지 않을까요. 여기서부터 출발해야 진보의 재구성이 가능할 것 같아요 그 다음으론 진보정치의 세대를 교체해야 하는데, 저희 세대의 한계는 심상정 대표가 정확히 보여줬다고 봅니다. 거기까지가 우리가 도달한 지점이에요. 그래서 이제는 우리가 물러나고, 권력을 젊은 세대에게 넘겨야 한다고 생각합니다. 이미 1970년대에 40대 기수론이 나왔잖아요. 진보진영도 많은 것들을 새로운 세대에게 넘겨줘야 합니다.

강양구 네, 맞습니다. 얼마 전(2020년 5월)에 청와대 과학기술보좌관에 '40대' '여성' 과학자가 임명되었다며 호들갑 떠는 기사를 보면서 "다들 안드로메다에 다녀오셨나?" 하고 생각했어요. 그분이 올해 마흔 일곱 살(1973년생)이에요. 그런데 이미 노무현 정부 때인 2004년 1월에 1958년생 박기영 교수가 과학기술보좌관에 임명된 적이 있었어요. 그도 당시 만 46세로 '40대' '여성' 과학자였어요. 그때는 그런 인사 자체가 화제가 되지 않았어요. 왜냐면, 당시에는 만 38세의 국정상황실장(이광재 1965년생), 41세 비서관(김수현 1962년생) 등 노무현 정부 곳곳에 30대, 40대 보좌진이 한둘이 아니었거든요. 오히려 박기영 보좌관은 누나 축에 드는 분이었죠. 그래서 화제가 되지 않았는데, 무슨 47세 여성과학기술보좌관을 등용한 게 대단히 혁신적이고 젊은 층에게 기회를 준 것처럼 상찬하는 게 이상해요. 지금 청와대 과학기술보좌관을 둘러싼 언론 보도 자체가 지난 20년간 한국 정치가 얼마나 늙었는지 보여주는 방증이 아닐까 싶습니다.

권경애 과거 여의도연구소에서 내각제 개헌을 고민하면서 장기적으로 보수의 50년 집권을 전망하고 기획했다고 합니다. 지금은 민주당이 그런 구상을 가지고 있다는 생각이 들어요. 왜냐면 보수가 자신의 어젠다를 가지고 새롭게 진영을 꾸릴 거라는 기대는 거의 난망해 보이거든요. 이들을 대체할 다른 세력은 나타나지 않고 있고요. 진 선생님 말처럼 저 역시 심상정 대표가 도달한 곳이 저희 세대 진보의 종착지였다고 생각합니다. 세력으로도 이념으로도 실패를 한 셈이에요. 지금보다 더 나은 세상을 만들어내지 못하고, 결국 이 정도의 사회를 만들었던 게 전부이지 않았을까 싶네요.

친구가 저에게 "굳이 네가 왜 앞장서서 민주당과 정부를 비판하려고 하느냐" 했는데, 제가 조국 사태 관련 발언을 시작했던 처음 동기는 젊은 세대에게 너무나 미안했기 때문입니다. 젊은 친구들이 혼란스러워하고 실망하는데, 정작 진보라는 이들이 겨우 이런 식의 대응밖에 못 하는 걸 보고, 젊은 세대들에게 "너희들이 틀린 게 아니야"라고 이야기하는 어른이 한 명쯤은 있어야 한다고 생각했어요.

저희 세대들은 20대에도 커다란 꿈을 가졌잖아요. 세상을 어떻게 바꿔야 할지, 어떻게 그 길을 가야 할지에 대한 커다란 사회상이 있었어요. 젊은 친구들이 자신들이 미래에 도달하고 싶은 이상형의 사회를 만들어낼 수 있을까. 지금은 그런 이념 자체가 없는 것 같아요. 불평등 문제와 관련해서 제가 사모펀드라는 주제에 천착하는 이유가 있어요. 『21세기 자본』의 토마 피케티(Thomas Piketty)도 말했듯이 '자본소득이 임금소득을 추월할 수밖에 없다'는 게 불평등의 핵심이거든요. 과거의 자본소득은 주로 산업자본이었고, 최순실 경우만 보더라도 기업 '삥'뜯어서 재단에 돈 밀어 넣게 하는 개발 독재형 결탁이었잖아요. 지금은 과거와는 다른 형태의 결탁이에요. 지금의 신보수들은 사모펀드나 금융자본 형태로 은밀하게 자본소득을 축적하는 기술을 터득한 집권세력이에요.

김경율 구보수가 경제 외적인 정치권력을 이용해서 기업들을 압박해서 부패하는 방식이었다면, 지금의 신보수는 경제 내적 논리에 의거해서 잡아내기 힘든 형태로……

권경애 네, 저는 이런 것을 적극적으로 비판해야 한다고 생각해요. 이런 신보수의 새로운 부정부패 형태를 밝히고 어떻게 바꿔나갈지 고민하지 않는다면, 불평등은 더욱 심해지고, 장애인, 소수자 문제도 시혜적인 복지에 머물 수밖에 없을 거 같습니다. 미국에서 '월스트리트를 점령하라'(OWS: Occupy Wall Street) 시위가 있었잖아요. 그때 자본주의 핵심에 대한 공격과 문제 제기가 세계적 차원의 운동으로 일어날 뻔했죠. 그 이후로는 금융자본에 대항하는 운동이 이어지지 않았어요. 녹색운동, 성소수자 문제 등도 물론 중요하지만 불평등의 본질을 치지 못하고, 약간 외곽에서 진보의 어젠다를 만들어내고 있는 것은 아닌가 하는 생각도 듭니다.

진중권 쉽게 말하면 우리 진보는 메이저 리그에서 패한 거예요. 진보적 의제 설정을 마이너 영역에서 하고 있어요. 이 마이너 영역은 저쪽에서 보면 조금은 양보해줄 여유가 있거든요. 그래서 진보가 메이저 영역에서 마이너 영역으로 이동해 갔고, 그 결과 주전장을 내주게 된 거죠.

권경애 맞아요. 그게 핵심인 것 같아요.

불평등을 정면으로 붙잡아야 한다

강양구 계급 정치가 있고 정체성 정치가 있죠. 전 세계적으로 진보적 가치를 지향하는 정당에서 공통적으로 나오는 성찰과 반성 가운데 하나가 21세기 들어서 계급 정치의 의제, 즉 불평등 문제를 정면으로 직시하기보다는 피해 가면서 오히려 정체성 정치에 치중했다는 것입니다. 정체성 정치를 앞에 내세우면 얼핏 보면 외연을 확장할 수 있을 것 같죠. 젊은 세대에게 팬시한 이미지도 줄 수 있을 것 같고요. 그래서 정체성 정치를 표방하면 더 많은 젊은 세대, 더 많은 이해당사자를 정당으로 끌어올 수 있으리라고 여겼던 거예요. 저는 이런 정체성 정치 전략이 실패했다고 생각합니다.

지금 한국뿐만 아니라 전 세계에서 가장 중요한 불평등 문제를 외면하면 진보 정치의 미래는 없어요. 제가 평소 응원해온 장혜영 감독이 정의당 비례대표 국회의원이 되었어요. 그분에게 기대가 큽니다. 왜냐하면, 진보 정당의 고유한 의제인 계급 정치와 정체성 정치를 동시에 아우르는 새로운 진보 정치를 이끌 만한 잠재력을 가진 신인 정치인이라고 생각합니다.

장혜영 의원을 비롯한 진보 정치의 새로운 리더들이 지금 한국에서 제기되는 여러 문제를 불평등이라는 의제로 재해석해서, 구체적인 해결책을 제시하고. 그것을 정책으로 연결해서 실력을 보여 줘야 합니다. 그런 실천이 다수 시민의 삶과 공명할 때 비로소 진보 정치가 한국 정치판을 흔들 수 있다고 생각해요.

권경애 다양한 방법이 있을 터인데요. 예를 들면 세대 문제는 결국 경제적 불평등 문제로 귀착되잖아요.

"

진보 정치의 새로운 리더들이 지금 한국에서 제기되는 여러 문제를 불평등이라는 의제로 재해석해서, 구체적인 해결책을 제시하고. 그것을 정책으로 연결해서 실력을 보여줘야 합니다. 그런 실천이 다수 시민의 삶과 공명할 때 비로소 진보 정치가 한국 정치판을 흔들 수 있다고 생각해요.

"

강양구 젊은 세대가 느끼는 박탈감이 큽니다. 사실 흙수저로 태어난 다수는 영원히 한국 사회에서 주류가 될 수 없어요. 특히 조국 사태에서 다수의 젊은 세대가 찬반을 넘어서 아예 냉소로 일관했던 중요한 이유가 바로 이 때문이에요. 어차피 변두리를 벗어나지 못할 것이라고 절망하는 그들에게는 조국 전 법무부 장관을 둘러싼 갈등 자체가 '그들만의 리그'로 인식되었던 겁니다.

게다가 로봇, 인공지능(AI), 빅 데이터 등으로 상징되는 디지털 경제로 전환하는 과정에서 일자리를 잃거나 소득이 줄어들 수밖에 없는 많은 이웃들이 있습니다. 이들을 어떻게 보호할 수 있을까? 필요하다면, 변화의 속도를 조절해야죠. 그런데 이런 속도 조절이 또 사회 혁신의 역량을 갉아먹게 둘 수는 없잖아요. 결국 디지털 경제의 사회 안전망을 고안하는 새로운 과제를 해결해야 합니다.

고령 사회의 문제도 만만치 않습니다. 올해(2020년)부터 본격적으로 베이비 붐 세대가 65세 이상 노인 인구(1955년생~)에 편입되기 시작합니다. 백세 시대, 제2의 청춘, 말들이 많지만 실상은 절망적입니다. 대부분의 노인은 가난하고 아픈 상태로 짧게는 10년에서 길게는 30년 가까이를 보내야 합니다. 이 문제 역시 우리가 한번도 경험하지 못했죠.

여성 문제도 마찬가지입니다. 한국 여성의 지위가 많이 올라간 것처럼 보이지만, 여전히 다수의 여성은 남성에 비해서 가난할 가능성이 큽니다. 예를 들어, 경력 단절 여성이 대표적이죠. 결국, 여성 문제 역시 불평등 문제와 떼려야 뗄 수 없다는 사실을 직시해야 합니다. 정체성 정치만으로는 한계가 있습니다.

한국은 자영업자 비중이 아주 높습니다. 한국 산업 구조의 중요한 특징이기도 하고 또 약점이기도 합니다. 그렇다면, 이런 자영업자를 어떻게 보호하고 더 나아가서 이런 산업 구조를 어떻게 바꿔갈지의 두 가지 과제가 우리 앞에 동시에 놓여지는 셈입니다. 결코 쉽지 않은 문제지만, 어쨌든 해결해야죠.

마지막으로 지구 온난화, 아니 요즘은 과학자 다수가 지구 가열(global heating)로 써야 한다고 주장합니다. 지구 가열이 초래하는 기후 위기가 있습니다. 기후 위기의 영향이 본격적으로 나타나면 결국 소득이 적은 분들이 피해를 입을 수밖에 없습니다. 예를 들어, 기후 위기의 결과로 여겨지는 여름의 폭염이나 겨울의 한파 때문에 가난한 사람은 생명을 잃을 수도 있어요. 전 세계적으로 기후 위기와 함께 기후 정의가 이야기되는 것도 이런 맥락 때문입니다. 당연히 이런 기후 위기의 부정적인 결과를 예측하고 대비하는 정치가 필요합니다. 진보 정치와 녹색 정치가 적극적으로 연대할 필요성이 있는 것도 이 때문이고요. 사실 기후 위기 역시 우리가 처음으로 겪는 거대한 문제입니다. 결국, 이 모든 게 진보 정치의 중요한 의제가 되어야 합니다.

진중권 2004년 17대 국회에 진출한 민주노동당의 '거대한 소수' 전략도 참고할 만합니다. 당시 민주노동당은 의원이 10명 밖에 안 되었지만, 어젠다를 선도하면서 민주당을 견인했어요. 이번에 전국민고용보험도 마찬가지예요. 민주당에게 강하게 요구해야 한다고 봅니다. 당신들이 한다고 했잖느냐. 못 한다고 하면 민주당의 본질이 드러나게 되는 거죠. 이렇게 치고 나가면서 지지자들을 얻어나가는 겁니다. 정치는 사회를 바꾸는 것이 목적이고, 권력을 잡는다는 것은 사회를 바꾸기 위한 하나의 수단에 불과한 것이에요. 저들은 권력 잡는 것 자체가 목적이 되었잖아요. 자신이 가진 이익을 지키기 위해서. 사실은 권력을 잡지 못한다 해도 다른 수단으로, 즉 정치를 견인하는 것으로도 사회를 얼마든지 바꿀 수 있습니다.

유권자들은 저 작은 의석수를 가지고 뭘 할 수 있을까, 지지해야 봐야 사표 되는 거 아닌지 걱정합니다. 그게 아니라는 걸 보여주어야 해요. 우리가 국회 10석 가지고 이런 일들을 했는데, 20석이면 오죽하겠냐고 설득을 해야 하는 거죠. 그러기 위해서는 먼저 패배감에서 벗어나야 해요. 패배의 기억은 저번처럼 자연스레 민주당과의 연대에 골몰하게 만듭니다. 이러면서 자기도 모르게 보수화되어, 스스로 위성정당으로 전락하여, 도대체 이 정당을 왜 만들었는지 잊어버리는 상태까지 가게 되는 겁니다.

젊은 층도 마찬가지입니다. 우리는 사회적 불평등을 얘기하잖아요. 사실 '불평등'이라는 말은 무척 강한 개념이에요. 젊은 층은 그걸 이해 못 해요. 그들을 무시하는 게 아니에요. 이들의 정치적 상상력이 제한되어 버렸기 때문이에요. 그래서 정의의 문제를 주로 '공정'의 이슈로 제기하는 겁니다. 즉 젊은 세대는 '오케이, 나, 불평등 참을 수 있다'고 말해요. 그 불평등을 없앤다는 것은 가능하지 않다고 믿는 거죠. 그래서 '내가 경쟁에서 졌으니 당연히 불평등한 대접을 받아도 참겠다'는 겁니다. 다만 '그 경쟁만은 공정하게 해 달라'. 이게 그들의 요구예요. 딱 여기까지예요. 그러니까 과정에서의 공정만을 말하고 있는 겁니다. 사실 경쟁의 결과도 시장논리에 따르면 결코 공정하지 않거든요. 그것까지 고친다는 것은 아예 상상도 못하는 것이죠.

강양구 그렇지만, 불평등 구조가 있는 한 과정 자체가 공정할 수 없잖아요.

진중권 맞습니다. 쿨하게 말해요. "내가 경쟁에서 졌다" 인정한다는 거죠. 그게 시장경제라고 생각해요. 간단하게 생각해요. 그게 바로 뭐냐면 젊은이들의 상상력이 자본주의적으로 제한된 결과라고 저는 봅니다. 그 안에서 고통은 다가오고, 희망은 없으니까 기껏 제기할 수 있는 의제가 과정의 공정이에요. "서울대 나왔다고 능력에 관계없이 졸업장 하나로 저렇게 많이 먹고 들어가는 게 과연 정당한 거야?" 따져 묻는 대신에 "아, 서울대 들어갔을 정도면, 고등학교 때 내가 놀 때, 너는 빡세게 공부한 거네" 이렇게 얘기하더라고요.

서 민 저는 그들의 말 이해 돼요. 예전에는 재벌이라도 아이들을 서울대 못 보냈잖아요. 삼성 이병철 회장도 이건희 회장을 서울대 못 보낸 거잖아요. 지금은 재벌들뿐만 아니라 중상위층들이 수시 등 여러 방법으로 스펙을 만들어서 명문대 보낼 수 있거든요. 그러니까 애들이 화나는 거죠. 공정성이라도 요구하는 게 그런 맥락에서 나온 거죠.

강양구 지금 젊은 세대를 지배하는 정서는 '체념'이에요. 한국 사회는 어차피 불평등한 사회고 변화 가능성이 없다고 보는 거죠. 그러니, 내가 '노-오-력'을 해서 얻을 수 있는 것이라도 제발 방해하지 말라는 게 그들의 아우성입니다. 이참에 비트코인 등으로 유명한 암호화폐 이야기를 해볼게요. 2017년에 우리나라를 포함해서 전 세계적으로 암호화폐 거품이 있었습니다. 그때 젊은 세대가 암호화폐에 시쳇말로 '몰빵'했어요. 그때 유시민 씨를 비롯한 기성세대는 암호화폐가 무엇인지 이해하려고 하지도 않았고, 과열 양상을 보이는 모습을 보고서 투기판이라고 규정했습니다. 그래서 사실상 암호화폐 시장 자체가 작동하지 않도록 강력하게 규제를 했죠. 그때의 거품 상황을 옹호하려는 게 아닙니다. 다른 측면에서 살펴야 할 점이 있는 것이죠.

　　알다시피, 한국의 부동산 시장이 건강하다고 옹호할 사람은 없을 거예요. 투기판입니다. 주식 시장도 마찬가지입니다. 투기적 성격이 분명히 있습니다. 그리고 부동산 시장과 주식 시장을 통해서 자산을 불린 대표적인 세대가 바로 유시민 씨와 같은 586기성세대입니다. 그런데 부동산 시장이나 주식 시장을 통해서 자산을 축적하려면 종잣돈도 필요하고, 상당한 수준의 정보력도 필요해요. 그러니 종잣돈도 없고, 여러 정보를 공유할 네트워크도 없는 젊은 세대가 부동산 시장이나 주식 시장에서 부모의 배경 없이 자산을 축적하는 일은 사실상 불가능합니다. 그런 젊은 세대에게 암호화폐 시장은 아주 적은 종잣돈과 기성세대가 접근할 수 없는 정보력으로 자산을 축적할 수 있는 현재까지는 유일한 시장이었습니다. 그들이 이 시장에 열광했던 진짜 이유죠.

암호화폐 가운데 비트코인 다음으로 유명한 이더리움이라는 게 있어요. 이더리움의 개발자는 비탈릭 부테린(Vitalik Buterin)입니다. 1994년생이에요. 캐나다 워털루 대학교를 다니던 부테린이 이더리움을 세상에 선보인 게 2015년입니다. 만 스물한 살! 흥미롭게도 1955년생 스티브 잡스가 애플을 창업한 시점이 1976년으로 만 스물한 살 때입니다. 1955년생 빌 게이츠가 마이크로소프트(MS)를 창업한 시점이 1975년으로 만 스무 살 때고요. 그러니까 1970년대에 스티브 잡스와 빌 게이츠가 당시 막 태동했던 새로운 테크놀로지로 기회를 잡았던 것처럼, 부테린은 암호화폐라는 새로운 테크놀로지로 그들의 뒤를 따랐던 것이죠. 그런데 한국에서는 이런 기회조차 허락하지 않은 거죠.

지금 국내의 대표적인 586 IT 기업가들이 1990년대 후반과 2000년대 초반의 IT 거품을 통해서 젊은 시절에 기회를 잡았던 것과도 비교해 볼 만한 대목이죠. 1967년생 이해진 네이버 창업자가 1999년 네이버를 창업할 때 나이가 만 서른두 살 때입니다. 1966년생 김범수 카카오 창업자가 1998년 한게임을 창업할 때 나이도 만 서른두 살 때입니다. 1967년생 김택진 엔씨소프트 창업자가 1997

년 엔씨소프트를 창업할 때 나이는 만 서른 살이었어요. 이들은 모두 돌이켜 보면 광풍 같았던 IT 거품을 통해서 기회를 얻어서 지금의 자리에 오를 수 있었죠. 어쩌면 2017년의 암호화폐 거품을 계기로 바로 그렇게 새로운 세대의 성공담이 쓰일 수도 있었어요. 그런데 기성세대는 매몰차게 그 가능성을 차단해 버렸죠. 일종의 사다리 걷어차기! 젊은 세대는 더 깊게 절망하고 체념한 것이고.

권경애 유럽에서 기본소득 이슈는 사민당이 아니라 보수당에서 먼저 나왔어요. 그 이유는 사회민주주의 체제 자체가 노동을 근간으로 하는 거잖아요. 고용보험, 실업보험 등이 노동소득을 기초로 해서 산정되는 것이니까요. 4차 산업혁명시대가 다가오면, 일자리는 더이상 늘지 않을 거고, 점점 줄어들 수밖에 없어요. 그러면 노동 자체의 기회에 참여하지 못하는 사람들을 위한 고민들이 생길 수밖에 없는 거죠. 저는 전국민고용보험 이슈가 이런 고민의 단초가 될 수 있을 것 같아요. 긴급재난지원금과 전국민고용보험에 대한 이야기를 젊은 세대가 더 깊이 고민해서 이슈 파이팅을 했으며 좋겠어요.

가령 창의적인 로봇세라든가. 이것은 자본에 대한 세금이잖아요. 자본이나 IT를 가지고 있는 사람들에게 노동을 근거로 하지 않고 자본을 소유하고 있다는 것만으로도 세금을 매기는 고민을 한다든가. 노동이 확대되지 않는 사회에서 자신들은 어떻게 살아남거나 살아갈 수 있을 것인가에 대한 고민을 적극적으로 했으면 합니다. 이런 고민들을 사회 어젠다로 만들고 젊은이들을 설득해야만 새로운 진보가 만들어질 수 있다고 봅니다.

저희들의 진보는 성과가 없었던 것은 아니었지만, 노동조합 조직율이 10% 정도의 사회에서 유럽식 사민주의도 정착할 기반이 없었던 것이고, 결국 문팬들에게 표 얻어서 결선투표해서 대통령될 꿈을 가졌던 심상정 의원까지였어요. 대기업 노동자 중심의 이권 다툼은 결국 내 자식에게 노동자 지위 세습하겠다는 정도의 고민을 했던 것에서 저희들 세대 역할을 끝났던 것 같아요.

다음 세대, 젊은 세대들에게 "조국처럼 사는 거 틀렸어! 옳지 않아!"라는 것을 얘기해주면서, 이 기득권 세력 이후의 고민을 좀 더 깊게 할 수 있도록 하는 게 저희들이 모인 이유라고 생각해요. 4차 산업혁명, 새로운 세계에서의 삶, 자본주의에 대한 고민이 없으면 새로운 진보는 생기지 않는다는 것. 지금 일본 자민당처럼 대체할 수 있는 세력이나 정당이 없으면 사람들은 비판 자체를 포기하는 무기력에 빠지죠. 경제학적으로 합리적 선택이라고 이야기하더라고요. 내가 노력을 해도 노력한 만큼의 결과가 나오지 않을 것 같으면, 사람들은 잘못을 보고도 회피하거나 침묵하거나 용인한다는 거예요. 구보수는 죽고 신보수가 득세하는 상황에서 새로운 진보는 만들어지지 않을 때 젊은이들이 그렇게 될까봐 가장 우려되고 걱정되는 것 같아요.

진중권 봉준호의 〈기생충〉, BTS, K-방역 등으로 국뽕이 잔뜩 들었어요. 재밌는 거는 일본 사람들은 아직도 90년대 국뽕에서 못 빠져나왔다는 거예요. 이들은 아직도 기술은 일본이 최고라고 믿어요. 한국을 인정하지 않아요. 방역에서도 그래요. 한국이 자랑하는 K-방역도 실은 한국의 후진성의 산물이라는 거죠. K-방역은 한국에는 징병제가 있기 때문에, 혹은 인권을 무시하고 마구 사생활을 추적하기 때문에 가능한 거래요. 하지만 사실을 말하자면 일본은 우리처럼 진단 키트를 개발할 벤처가 없어요. 시스템 자체가 없고요. 대부분의 사람들은 아직도 카드가 아니라 현금으로 거래를 합니다. 그러니 추적을 하려고 해도 할 수가 없어요. 그런데도 '일본은 평화를 사랑하는 인권국가라서 한국식은 안 맞아'라고 하는 거죠. 그 안에는 뽕이 들어가 있어요.

남 얘기가 아니라 지금 우리가 그런 상태 같아요. 국뽕이 잔뜩 들어 이상한 민족주의에 사로잡혀 있지요. 그리고 정치판도 사실상 일본과 비슷하게 1.5당 체제로 재편되면서(일본에서는 자민당이 1당이고, 민주당과 다른 정당들 다 합친 게 0.5당이라면, 한국에서는 민주당이 1당이고, 통합당과 다른 정당들 다 합친 게 0.5당이라는 점이 다를 뿐), 명확한 잘못이 드러나도 그것을 지적하는 목소리를 죽여 버리고, 그런 목소리를 내는 이들을 비주류, 비국민으로 만들어버리는, 그런 억압적 분위기로 사회가 변해가고 있잖아요. 일본 사람들은 자민당 아니면 대안이 없거든요. 야당들을 다 합쳐도 자민당에 맞설 대안이 되지 못하는 상황에서 생각이 있는 국민들은 패배 의식에 젖어있지요. 권 변호사님이 우려하시는 그 '합리적 선택'의 정치적 귀결이 바로 일본 체제이고, 이게 바뀌지를 않습니다.

강양구 보수 정당은 한국 사회의 산업화를 이룬 세력으로 자기 자신의 정당성을 강변합니다. 그런데 박정희 모델이 끝나면서, 언젠가부터 반대만 하면서 자기 정체성을 확립하고 있습니다. 반공, 빨갱이, 반(反)동성애까지. 불안과 혐오를 자극하면서 자신의 존재감을 부각하는 거예요. 앞으로도 이런 모습이 쉽게 바뀔 것 같지 않아요. 김웅 의원이나 이준석 씨 등 새로운 인물들이 노력하겠지만, 향수(박정희 모델)와 반대만으로는 매력적인 정당으로 거듭나기 어렵습니다. 계속해서 쪼그라들고 지리멸렬할 가능성이 큽니다. 바로 그렇게 쪼그라든 만큼의 자리를 민주당이 차지하겠죠. 이미 한국 사회 곳곳에서 그런 권력 이동의 흐름이 나타나고 있습니다.

　　민주당은 한국 사회에서 신주류라고 생각하는 사람들이 가장 동일시하기 좋은 정치 세력입니다. 재벌, 강남, 금융, IT 등 한국 사회를 사실상 지배하는 신주류의 밥그릇은 절대로 건드리지 않아요. 심지어 같은 편처럼 보이기도 합니다. 거기다 적당히 합리적이고, 때로는 소수자 문제나 정체성 정치에 관심을 기울이는 것 같은 제스처로 세련되었다는 인상도 줍니다. 한국 사회의 민주화를 주도했던 세력이라는 정당성도 있고요. 그래서 자신은 실제로 기득권이면서도 기득권(구적폐)과 여전히 싸우고 있는 듯한 자기기만도 가능합니다. 앞에서 몇 차례 언급했듯이, 민주당의 586 정치인이 여전히 자기가 한국 사회의 진보와 개혁의 기수라고 생각하는 것도 이런 자기기만 때문이죠. 심지어 이들은 혁신의 정체성을 거기에 덧붙이고자 합니다. 디지털 경제, 4차 산업혁명, 코로나 이후의 비대면 산업

육성 등. 앞으로 그런 부분에 돈이 몰릴 테니까, 이런 신주류의 기득권 네트워크는 당연히 강화되겠죠. 앞으로 민주당이나 혹은 그 아류의 정치 세력이 오랫동안 주류 행세를 하리라 전망되는 것도 이런 사정 때문이죠.

　　물론 이런 상황에서 자신의 이해관계를 대표할 정치 세력을 가지지 못한 수많은 소외당한 이웃들이 있습니다. 그들을 이끌 수 있는 리더십을 가진 진보 정치 세력이 존재해야 하는 이유도 이 때문입니다. 하지만 전망은 낙관적이지 못합니다. 지금까지 해왔던 것과는 전혀 다른 도전을 해야 하니까요. 하지만 필요합니다. 그렇지 않으면, 그 소외당한 이웃들은 다른 쪽을 선택할 거예요. 트럼프 같은.

서 민　새로운 진보가 만들어지고 또 자리 잡으려면 진보의 이미지가 재정립돼야 합니다. 과거에는 보수는 부패하고 진보는 도덕적이라는 게 상식이었습니다. 사회를 바꾸겠다는 사람들이 기존 권력자들보다 더 부패하면 말이 안 되잖아요? 그런데 이번 정권이 진보의 이미지를 완전히 망쳐놨습니다. 지금 이들이 기존 정권보다 더 깨끗하다고 자신 있게 말할 수 있을까요? 보수도 다를 게 없습니다. 제가 알기에 보수는 아직도 탄핵된 박근혜 대통령에 대해 국민에게 사죄하지 않았습니다.

　　이런 풍토에서 보수와 진보의 구분은 무의미해 보입니다. 그래서 당분간은 정권이 자주 교체되는 게 현실적인 방법일 것 같습니다. 차기 대선에서 정권이 교체돼 현 정권 하에서 생긴 적폐가 청산되고, 또 그 다음 대선에서 정권이 바뀌어 똑같은 일이 일어난다고 가정해 봐요. 자기들이 하는 일이 언제든 단죄될 수 있다는 게 상식이 되면, 최소한 사익을 추구하는 일은 줄어들지 않겠습니까? 새로운 보수와 새로운 진보는 이 조건이 만족될 때 비로소 생겨날 수 있을 겁니다.

새로운 시작을 위하여

강양구 진보 정치가 자리를 잡는 일을 방해하는 또 다른 장애물이 질투입니다. 한국 사회의 정체성을 딱 하나로 정리하면 저는 '질투 사회' 혹은 '비교 사회'라고 부르고 싶습니다. 그런 질투 사회에서는 연대가 가능하지 않아요. 나만 잘사는 사회가 아니라 모두가 함께 잘 사는 사회를 만들어야 하는데요.

권경애 사촌이 땅 사면 배 아프다?

진중권 대부분 사람들의 소원이 있어요. 뭔지 알아요? '남부럽지 않게 사는 것'! (다들 웃음)

강양구 영국 같은 나라의 소설이나 영화를 보면 이런 소재가 많아요.

예를 들어, 은행가 집안과 지방 공무원이 만나서 연애를 하고 결혼을 합니다. 그런데 잘못된 만남이에요. 둘은 서로 반하고 사랑에 빠졌지만, 집안 식구들끼리 만나는 순간 섞일 수가 없어요. 좋아하는 스포츠도 달라요. 한 쪽은 크리켓, 다른 쪽은 축구. 저들의 세상과 우리의 세상이 또렷하게 나뉩니다. 하지만 우리나라는 드라마에서 끊임없이 상류층이 사는 모습을 과장해서 보여줍니다. 더구나 그런 상류층이 멀지도 않아요. 친척의 친척, 지인의 지인 이렇게 서너 단계를 거치면 꼭 드라마에서나 나올 법한 성공한 사람이 있어요. 판사, 검사, 변호사, 회계사, 의사 등. 해방과 전쟁 중에 계층과 계급 이동이 활발했고, 또 좁은 땅덩어리에 아주 많은 인구가 모여 살게 되어 나타난 효과죠.

진중권 강 기자하고 저 빼고, 여기 다 있네~. 이런 분들처럼 예외적인 경우도 있지만 대부분 잘 살죠.(웃음)

강양구 그들의 성공과 그에 따른 부는 끊임없이 일상생활에서 질투심을 자극하죠. 나도 저렇게 될 수 있겠다는 환상을 부추기고요. 남 부럽지 않은 삶에 대한 열망. 영국처럼 또렷한 계층 사회, 계급 사회가 바람직하다는 건 아닙니다. 하지만 이렇게 끊임없이 이웃과 자신을 비교하고, 더 나아가 나도 언젠가는 그 이웃을 밟고 상류층이 될 수 있다는 환상을 심어주는 사회에서는 사회 연대가 가능하지 않죠.

서 민   우리 사회에 연대의식이 부족한 이유는 직업에 따른 차등이 심해서인 것 같아요. 갑질을 언급할 때 흔히 재벌 아들딸을 생각하는데, 평범한 사람들도 갑질 엄청합니다. 상대가 자기보다 조금 돈을 못 번다 싶으면 대놓고 무시하거든요. 예컨대 편의점에서 컵라면 끓여먹던 남성이 직원이랑 말싸움 끝에 컵라면을 던져 화상을 입혔어요. 나름대로 화가 나서 그런 것이긴 하겠지만, 그 사람이 직장에서도 그렇게 성질을 부렸을까요? 편의점에서 일한다고 상대를 만만히 본 거죠. 또 길거리에서 청소하는 사람들도 우리 사회에서 필요한 분들인데, 그분들을 가리키며 아이한테 이런 말을 하거든요. "너 공부 안하면 저렇게 된다." 아이들의 장래희망을 보면 죄다 의사, 판검사, 선생님 이런 거잖아요. 그 리스트에 없는 직업을 가진 이들은 사회에서 실패자 비슷한 감정을 갖지 않겠어요? 이러니 억울한 꼴 안 보려면 출세해야겠다고 생각할 수밖에 없고, 사회 연대는 불가능하죠.

저는 하종강 선생님이 들려준 네덜란드 중학생 얘기가 참 인상적이었어요. 그 학생이 장래희망을 물어봤을 때 '벽돌공'이라고 했거든요. 이유를 물으니까 하루 종일 음악을 들으면서 일하더랍니다. 하지만 학생이 말하지 않은, 더 중요한 이유가 있어요. 그 나라에서는 벽돌공이 대학교수와 비슷한 월급을 받는답니다. 게다가 그 나라는 비정규직이 정규직보다 월급이 많대요. 비정규직은 언제 잘릴지 모르니까 월급을 더 줘야 한다는 논리예요. 이런 식으로 노동에 따른 임금의 차등을 없애는 게 좋은 사회로 가는 한 방법이 되지 않을까 싶어요.

강양구 대담을 마무리하는 시점에서 꼭 공유하고 싶은 이야기가 있습니다. 알다시피, 우리 책의 제목 "한번도 경험해보지 못한 나라"는 문재인 대통령의 2017년 5월 10일 취임사에서 따온 것입니다. 그런데 소셜 미디어에서 기막힌 글을 하나 발견했어요. 저도 출처를 확인하지 못한 상황에서 진중권 선생님께 보여주기도 했었죠.

1. 지금의 청와대에서 나와 광화문 대통령 시대를 열겠습니다. (X)
2. 국민과 수시로 소통하는 대통령이 되겠습니다. (X)
3. 주요 사안은 대통령이 직접 언론에 브리핑하겠습니다. (X)
4. 퇴근길에는 시장에 들러 마주치는 시민과 격의없는 대화를 나누겠습니다. (X)
5. 때로는 광화문 광장에서 대토론회를 열겠습니다. (X)
6. 대통령의 제왕적 권력을 나누겠습니다. (X)
7. 권력기관은 정치로부터 완전히 독립시키겠습니다. (X)
8. 안보 위기도 서둘러 해결하겠습니다. (X)
9. 한미 동맹을 강화하겠습니다. (X)
10. 자주 국방력을 강화하겠습니다. (X)
11. 북핵 문제를 해결할 토대를 마련하겠습니다. (X)
12. 동북아 평화를 정착시킴으로써 한반도 긴장 완화의 전기를 마련하겠습니다. (X)
13. 대통령이 나서서 야당과의 대화를 정례화하고 수시로 만나겠습니다. (X)

14. 능력과 적재적소를 인사의 대원칙으로 삼겠습니다. (X)

15. 저에 대한 지지 여부와 관계없이 훌륭한 인재를 삼고초려해서 일을 맡기겠습니다. (X)

16. 무엇보다 먼저 일자리를 챙기겠습니다. (X)

17. 문재인 정부 하에서는 정경유착이라는 단어가 완전히 사라질 것입니다. (X)

18. 지역과 계층과 세대 간 갈등을 해소하고 비정규직 문제도 해결할 길을 모색하겠습니다. (X)

19. 차별없는 세상을 만들겠습니다. (X)

20. 기회는 평등하고 과정은 공정하고 결과는 정의로울 것입니다. (X)

21. 약속을 지키는 솔직한 대통령이 되겠습니다. (X)

22. 불가능한 일을 하겠다고 큰소리 치지 않겠습니다. (X)

23. 잘못한 일은 잘못했다고 말씀 드리겠습니다. (X)

24. 거짓으로 불리한 여론을 덮지 않겠습니다. (X)

25. 공정한 대통령이 되겠습니다. (X)

26. 특권과 반칙이 없는 세상을 만들겠습니다. (X)

27. 상식대로 해야 이득을 보는 세상을 만들겠습니다. (X)

28. 소외된 국민이 없도록 노심초사 하는 마음으로 살피겠습니다. (X)

29. 대화하고 소통하는 대통령이 되겠습니다. (X)

30. 한번도 경험해보지 못한 나라를 만들겠습니다. (O)

어떻습니까? 바로 이게 촛불이 만든 문재인 정부의 너무나 적나라한 성적표입니다. 왜 이 지경이 되었을까? 사실 이 질문의 답을 찾아보려고 했던 게 우리 대화의 목표였죠. 하지만 대화가 끝나가는 이 시점에서 희망보다는 절망이 큽니다. 하지만 그래도 무엇이라도 해야겠죠. 1991년부터 29년간 묵묵히 173권의 〈녹색평론〉을 두 달마다 꼬박꼬박 세상에 내놓으셨던 김종철 선생님께서 세상을 뜨셨어요(2020년 6월 25일). 여기 계신 분들을 제외하면 가장 존경하고 좋아하는 선생님이라서 마음이 아주 아팠습니다. 김 선생님께서 마지막으로 남긴 말씀 가운데 오랫동안 기억하고 싶은 말이 있습니다. "이 세계는 그냥 이대로 망해 가는 대로 내버려 두기엔 너무 아깝습니다." 정말로 이 나라가 그냥 이대로 망해 가는 대로 내버려 두기엔 너무 아깝습니다.

김경율　말씀 잘 하시는 분들 틈바구니에서 오늘 꼭 하고 싶은 말씀이 있었는데요. 예전 뒤풀이 자리에서 진중권 교수께서도 말씀하셨던 건데, 총선이 끝나면 진보진영의 재편이 있어야 한다는 것이요. 그래서 총선 후 정의당의 흐름을 유심히 보고 있는데, 얼마 전 〈한겨레〉에 실린 정의당 여러 인사들의 인터뷰를 보고 너무 실망했습니다. 진보진영의 의제를 민주당이 가져가고 실현시켜서 설 자리를 잃어간다는 거예요. 너무 솔직해서 고맙다고 할까? 극심한 우경화와 더불어 '신보수'로 자리 매김한 민주당과 가치를 공유하는 2중대라 불리는 한은 정의당의 미래는 없다고 봐요. 정의당 스스로도 혁신위원회를 꾸린 것으로 아는데, 뭐랄까 헤겔이 칸트에게 지적질한 "너는 뭍에서 헤엄을 배우고 나서 물속으로 뛰어 들거냐"는 힐난이 떠올라요. 뭐를 꾸렸다 준비됐다 이런 것보다는, '다른' 목소리를 듣고 싶어요. 쏟아지는 정치 경제 이슈들에 '진보'의 목소리를 듣고 싶습니다.

진중권 예, 진보가 앞으로는 좀 더 급진적이었으면 좋겠습니다. 칼 마르크스가 "급진적이라고 하는 것은 사안의 뿌리로 가는 것"이라고 했죠. 급진적(radical)이라는 말이 원래 '뿌리'를 의미하는 라틴어(radix)에서 온 거잖아요. 제대로 된 '진보'라면 우리 사회의 고통의 근원, 그 뿌리로 들어가 그것을 드러내는 역할을 해야죠.

편충이 고마워한 이유

"애야, 정말 고맙구나."

     편충이 죽은 소녀의 방명록에 쓴 이 말에 다른 기생충들은
별반 이의를 제기하지 않았다. 그도 그럴 것이, 당시 이 말은 기생
충 세계의 정의를 세우겠다는 의미로 받아들여졌기 때문이다. 서기
2014년, 9세 소녀가 죽었다. 그날 아침 그녀는 입으로 회충 20마리
를 뱉어냈다. 뱉은 게 그 정도면 소녀의 몸에는 더 많은 회충이 있다
는 얘기, 요 며칠간 소녀가 계속 배가 아프다고 했으니, 그 원인도 회
충 때문일 확률이 높았다. 응급수술이 시행됐다. 소녀의 복통은 과
연 회충 때문이었다. 회충 중 일부가 장으로 가는 혈관을 막아 장이
썩어버린 것이다. 수술을 했지만 소녀는 살아 돌아오지 못했다. 부검
결과 그녀의 몸에서 1,000마리가 넘는 회충이 발견됐다. 국민의 분
노는 극에 달했다. 이듬해 기생충박멸협회가 설립됐고, 협회는 모든
국민에게 회충약을 투여했다. 한때 우리나라 인구수의 10배에 달할
만큼 위세를 떨치던 회충의 시대는 그렇게 막을 내렸다.

다른 기생충들이 보기에 회충은 적폐였다. 우리 몸 중 음식이 가장 많이 모이는 요충지를 차지함으로써 맛있는 음식을 독점했고, 어려운 처지에 놓인 다른 기생충들을 배려하는 데 인색했으니 말이다. 불만을 가진 기생충이 한둘이 아니었지만, 30센티나 되는 회충에게 맞서는 건 두려운 일이었다. 그나마 저항한 것은 편충이었다. "회충의 독재를 끝장내야 합니다!" "기생충 여러분, 우리가 힘을 합치면 회충을 이길 수 있습니다." 싸워서 이긴 것은 아니지만 소녀의 죽음과 더불어 회충은 몰락했고, 그 자리를 편충이 대신했다. 편충은 죽은 소녀의 방명록에 글을 쓰는 것으로 업무를 시작했다. 모든 기생충이 모인 자리에서 편충이 한 말은 사뭇 감동적이었다. "음식은 평등하게 분배됩니다. 고기도 공정하게 나눠 드립니다. 기생충 한 마리에 돌아가는 칼로리는 정의로울 것입니다."

편충은 소외된 기생충이 잘 먹는 시대를 열자고 호소했다. "그간 기생충들은 자신의 존재를 인간에게 들킬까 봐 숨죽이며 살았습니다. 그런데 인간들은 점점 밥을 덜 먹고 있습니다! 굶주리는 기생충이 생기는 건 필연입니다." 편충이 내놓은 해법은 다음과 같았다. 기생충이 분탕질을 치면 숙주인 인간들이 배가 아프고, 그 결과 자기 몸속에 기생충이 있다는 걸 알게 된다. 기생충에게 밥을 빼앗기는 것을 걱정한 사람들은 밥을 더 많이 먹게 되고, 기생충에게 돌아갈 몫이 늘어난다는 것이다. 편충은 이 정책을 '복통주도 포식'이라 불렀다. 굶주림에 시달리던 기생충들은 이 정책에 전폭적인 지지를 보냈다. 폐에 사는 폐디스토마의 말이다. "평소 먹을 게 없어 인간이 사레 걸리기만 기대하며 살았는데, 이제 저도 잘 먹을 수 있겠네요." 이 정책의 효과를 의심한 기생충이 없는 것은 아니었지만, 편충을 지지하는 극성 기생충들이 좋은 정책이라고 우기는 통에 아무도 이의를 제기하지 못했다. 소위 편충빠라 불리는 그 기생충들은 하나같이 머리 한 곳이 찌그러져 있었다.

　　일은 편충의 뜻대로 되지 않았다. 편충의 채찍질 때문에 배가 아파지자 사람들은 식사를 걸렀고, 기생충들은 그전보다 더 굶주렸다. 그중 일부가 병원에 가서 구충제를 먹는 바람에 수많은 기생충이 때아닌 죽음을 맞기도 했다. 편충은 이게 다 회충이 저지른 적폐가 청산되지 않은 탓일 뿐, 곧 복통주도 포식의 효과가 나타날 것이라고 강변했다. 하지만 시간이 지나도 기생충들이 배불리 먹는 일은 일어나지 않았다. "폐디스토마는 잘 있으려나?" "소식 못 들었구나. 걔, 얼마 전 죽었잖아. 사고사라고 발표됐지만, 굶어 죽었다는 소문이 파다해." 먹고 사는 게 어려워지자 기생충들은 알을 낳지 않게됐다. 기생충 암컷 한 마리가 낳는 알의 개수도 0.6으로 최저치에 달했다. 더 화나는 일은 사정이 이런데도 편충과 그 측근 기생충들은 잘 먹어서 살이 찌기까지 했다는 것이다. 기생충학계의 철학자로 알려진 광절열두조충은 이렇게 개탄했다. "기생충의 본분은 적게 먹고 많이 낳는 것인데, 살이 찐 기생충의 등장은 멸종이 임박했다는 징조입니다." 일부 기생충들은 더는 못 참겠다며 편충에게 항의해 봤지만, 편충빠들에게 양념당해 적폐 취급을 받을 뿐이었다. 이제야 기생충들은 편충이 방명록에 쓴 글의 의미를 깨달았다. '애야, 고맙다. 덕분에 편충과 그 측근들이 잘 먹을 수 있게 됐어.'

한번도
경험해보지
못한 나라

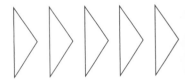

한번도
경험해보지
못한 나라

지은이 　 강양구 권경애 김경율 서민 진중권

2020년 9월 4일 초판 1쇄 발행
2020년 10월 12일 초판 13쇄 발행

책임편집 　 김창한
기획편집 　 선완규
녹 취 　 안혜련 홍보람
사진 　 나기주
디자인 　 형태와내용사이

펴낸곳 　 천년의상상
등록 　 2012년 2월 14일 제2020-000078호
전화 　 031-8004-0272
이메일 　 imagine1000@naver.com
블로그 　 blog.naver.com/imagine1000

ⓒ 강양구 권경애 김경율 서민 진중권 2020

ISBN 　 979-11-90413-15-2 03300

이 도서의 국립중앙도서관 출판예정도서목록(CIP)은 서지정보유통지원시스템 홈페이지
(http://seoji.nl.go.kr)와 국가자료종합목록 구축시스템(http://kolis-net.nl.go.kr)에서
이용하실 수 있습니다. (CIP제어번호 : CIP2020034007)